CW00643010

FLORE DES MASCAREIGNES

LA RÉUNION, MAURICE, RODRIGUES

COMITÉ DE RÉDACTION

J. BOSSER,

TH. CADET†, J. GUÉHO, W. MARAIS

107. CAPRIFOLIACÉES
à
108 bis. VALÉRIANACÉES

PRÉPARÉE SOUS LA DIRECTION DE

R. ANTOINE	J. BOSSER	I. K. FERGUSON
(M.S.I.R.I.)	*(O.R.S.T.O.M.)*	*(KEW)*

PUBLIÉE PAR

THE SUGAR INDUSTRY RESEARCH INSTITUTE, MAURITIUS

L'OFFICE DE LA RECHERCHE SCIENTIFIQUE ET TECHNIQUE OUTRE-MER, PARIS

THE ROYAL BOTANIC GARDENS, KEW

MARS 1989

FLORE DES MASCAREIGNES

107. CAPRIFOLIACÉES

par W. Marais*

Arbrisseaux ou parfois petits arbres, rarement herbes. Feuilles opposées, simples ou pennées, habituellement sans stipules. Fleurs hermaphrodites, actinomorphes ou zygomorphes. Calice 4–5-lobé. Corolle 4–5-lobée, tubuleuse à rotacée ou bilabiée. Étamines 4–5, insérées sur le tube. Ovaire infère, 1–5 (–8)-loculaire; ovules 1 à nombreux dans chaque loge. Fruit, une baie, une drupe bacciforme, un akène ou une capsule déhiscente.

Famille de 14 genres et 400 espèces environ, surtout de l'hémisphère Nord; quelques-unes sur les montagnes des régions tropicales ou dans l'hémisphère Sud. Deux genres introduits aux Mascareignes, l'un naturalisé, l'autre, *Abelia* R. Br., représenté par *A. x grandiflora* (André) Rehder, est rarement cultivé, au moins à Maurice. C'est un arbrisseau atteignant 2 m de hauteur, à fleurs campanulées-infundibuliformes, longues de 2 cm environ, blanc teinté de rose; étamines 4. Les fruits sont de petits akènes coriaces, surmontés par les 5 sépales bien visibles, accrescents, persistants. Bojer, H.M. : 163, signale l'existence de *Sambucus ebulus* L. et de *S. nigra* L. au Jardin des Pamplemousses, mais aucun matériel de ces espèces n'a été vu.

LONICERA L.

Sp. Pl. : 173 (1753); Gen. Pl. ed. 5 : 80 (1754)

Arbrisseaux, rarement arborescents, dressés ou volubiles, à feuilles caduques, rarement plantes ± toujours vertes. Feuilles opposées, entières ou lobées, sans stipules ou rarement à stipules interpétiolaires. Fleurs par paires axillaires pédonculées, chaque paire à 2 bractées et 4 bractéoles, celles-ci souvent connées, parfois absentes, ou fleurs sessiles, en verticilles. Calice 5-lobé. Corolle à tube court ou long, parfois gibbeux, bilabiée ou ± actinomorphe. Étamines 5. Ovaire infère, à 2–3 (–5) loges; parfois 2 ovaires d'une paire connés; style grêle, à stigmate capité. Fruit, une baie.

Genre de 180 espèces environ, de l'hémisphère Nord, dont une centaine cultivées comme ornementales pour leurs fleurs et/ou leurs fruits. Trois espèces ont été introduites aux Mascareignes; deux d'entre elles sont naturalisées et sont traitées ci-après. La troisième, *L. sempervirens* L., est très occasionnellement cultivée à Maurice.

1. Feuilles toutes libres; inflorescences axillaires; corolle bilabiée, blanche à jaune; fruit noir. **2**

— Feuilles au-dessous de l'inflorescence connées-amplexicaules; corolle à lobes ± égaux, courts, dressés, rouge orangé vif; fruit rouge. **L. sempervirens**

2. Bractées de l'inflorescence foliacées, largement ovales à elliptiques; ovaire glabre. **1. L. japonica**

— Bractées de l'inflorescence subulées; ovaire pubescent. **2. L. confusa**

1. L. japonica Thunb., Fl. Jap. : 89 (1874). Décrit du Japon

— *L. chinensis* Watson, Dendr. Brit. 2, t. 117 (1825); Bojer, H.M. : 164. Décrit d'après une plante cultivée

— ? *L. longiflora* auct. non DC. : Bojer, H.M. : 164

Arbrisseau grimpant, volubile, à ramilles pubescentes. Feuilles à pétiole long de 5 mm environ; limbe ovale à oblong-ovale, long de 3–8 cm, aigu ou brusquement acuminé au sommet, largement cunéiforme à subcordé à la base, les deux faces d'abord pubescentes, glabrescent sur la face supérieure, ou seulement le pétiole et la nervure médiane pubescents. Pédoncule habituellement solitaire, axillaire; bractées foliacées largement ovales à elliptiques; bractéoles égalant ± l'ovaire ou plus courtes. Fleurs très odorantes. Corolle bilabiée, longue de 3–4 cm, pubescente et glanduleuse, blanc teinté de pourpre, le tube égalant ± le limbe. Style et étamines exserts. Fruit noir. (Pl., 1–2).

*Royal Botanic Gardens, Kew.

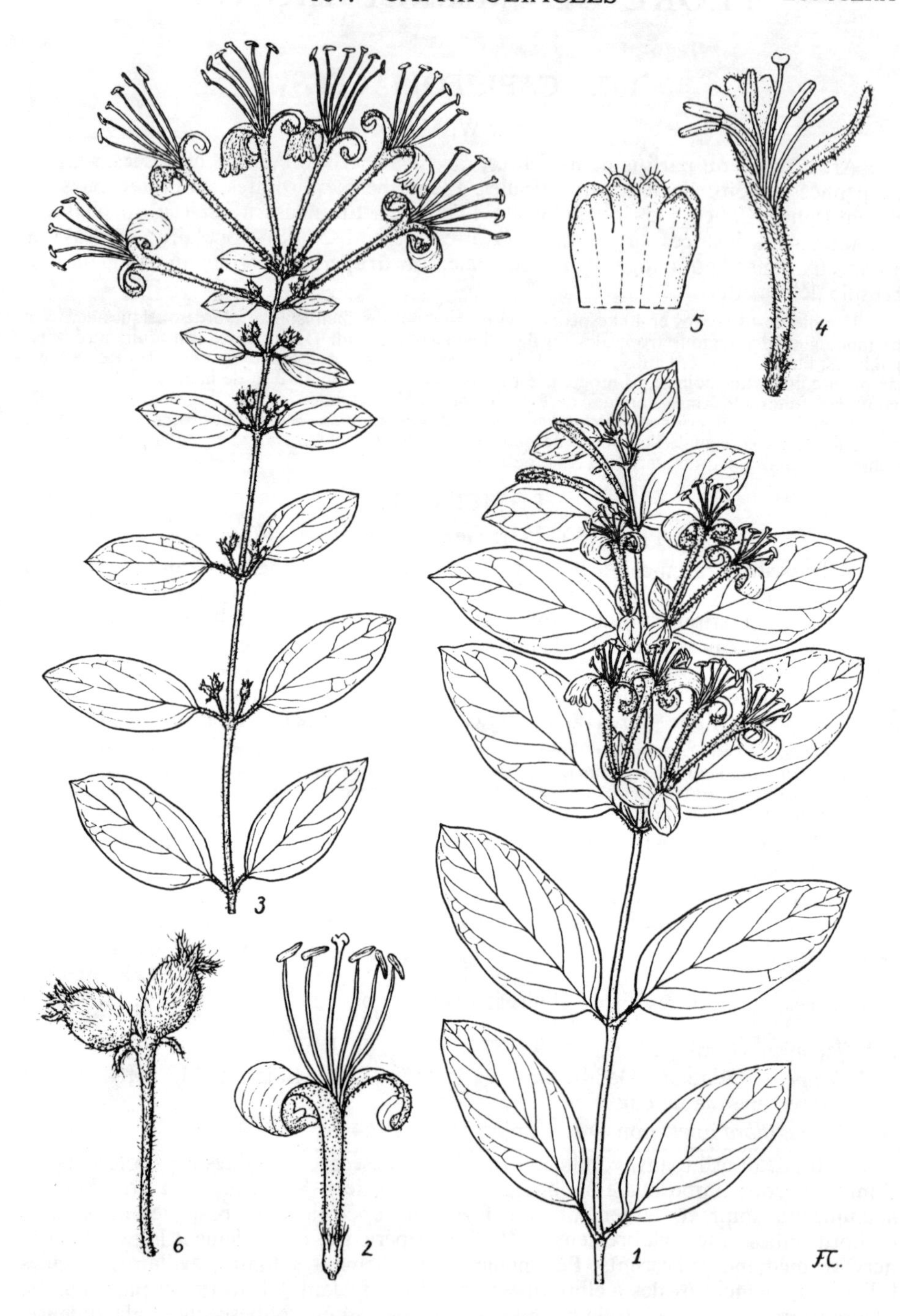

Lonicera japonica : **1,** rameau fleuri × $\frac{2}{3}$; **2,** fleur × 1. — **L. confusa** : **3,** rameau fleuri × $\frac{2}{3}$; **4,** fleur × 1; **5** détail de la lèvre supérieure de la corolle × 3; **6,** fruits jeunes × 4. (**1-2,** *Friedmann* 777; **3-5,** *Rivière* s.n.; **6,** *Friedmann* 1184 (P)).

Noms vernaculaires: Chèvrefeuille, Honeysuckle.

La Réunion, Maurice. A La Réunion la var. *repens* (Sieb.) Rehder est naturalisée le long de la route dans la rampe de la Grande Montée, vers 1400 m d'altitude. Le limbe de la fleur est plus court que le tube. A Maurice, une forme atypique, à ovaire glabre, sauf à l'extrême sommet, est naturalisée dans la Réserve de Perrier. La var. *chinensis* Baker, à fleurs longues de 4–5 cm, dont le limbe est ± aussi long que le tube, est cultivée à Maurice. C'est une espèce très variable originaire d'Extrême Orient.

2. L. confusa DC., Prodr. 4 : 333 (1830). Décrit de Chine

Arbrisseau grimpant, volubile; ramilles pubescentes. Feuilles à pétiole long de 5 mm environ; limbe ovale à oblong-ovale, long de 3–6 cm, aigu à brusquement acuminé au sommet, généralement arrondi à la base, vert foncé et finalement glabre sur la face supérieure, à pubescence courte, grisâtre, sur la face inférieure. Fleurs sur des pédoncules courts, groupées en panicules denses, courtes, au sommet des rameaux; bractées et bractéoles subulées, pubescentes comme l'ovaire. Fleurs très odorantes. Corolle longue de 4 cm environ, bilabiée, blanche virant au jaune, pubescente et glanduleuse; tube grêle, un peu plus long que le limbe. Étamines pourpres et style exserts. Fruit noir, glauque. (Pl., 3–6).

La Réunion, Maurice. Espèce originaire d'Extrême Orient, naturalisée aux Mascareignes. La Réunion : dans les sous-bois, au Brûlé de St Denis; sur la route forestière de La Roche Écrite, au terminus du goudron; en lisière de forêt, Le Tremblet. A Maurice, largement répandue dans les forêts et des lieux incultes : Mt du Pouce; Curepipe; Chamarel; Cratère Kanaka; Bel Ombre; Bassin Blanc; Bassin Anglais.

107. CAPRIFOLIACÉES

INDEX DES NOMS SCIENTIFIQUES

Les synonymes sont en italique. Le chiffre gras indique la page de l'illustration.

INDEX DES NOMS VERNACULAIRES

FLORE DES MASCAREIGNES

108. RUBIACÉES

par B. Verdcourt*, J.F. Leroy** (*Coffea*),
D.D. Tirvengadum** et B. Verdcourt* (*Ramosmania*)

Petits à grands arbres, arbrisseaux, herbes vivaces, moins souvent annuelles, ou plantes grimpantes, ligneuses ou herbacées, parfois épineux. Raphides d'oxalate de calcium extrêmement fréquentes. Feuilles opposées ou verticillées, décussées, presque toujours entières; stipules présentes, bien visibles, ressemblant aux feuilles ou parfois réduites, inter- ou intrapétiolaires, entières ou diversement lobées ou fimbriées, souvent terminées ou séparées par des poils visqueux ou qui secrètent des cérides: colléters, souvent aussi présents à la base à l'intérieur des stipules ou du calice; feuilles de certaines tribus contenant parfois de petits nodules bactériens. Fleurs rarement solitaires, le plus souvent groupées en inflorescences terminales ou axillaires, formées d'unités cymeuses, parfois en capitules sphériques où les ovaires peuvent être connés; bractées réduites ou développées. Fleurs le plus souvent hermaphrodites et actinomorphes (ou presque), homostyles ou assez souvent hétérostyles. Calice gamosépale, à partie basale adnée à l'ovaire, partie supérieure libre (tube libre) parfois ± développée, tubuleuse ou cupuliforme, (3–) 4–5 (–8) -lobée ou -dentée ou parfois tronquée, à préfloraison valvaire, imbriquée ou contortée, parfois 1 ou plusieurs lobes un peu ou beaucoup agrandis en limbe foliacé et souvent coloré. Corolle petite ou grande, gamopétale, rotacée à hypocratériforme ou en entonnoir, à tube souvent très long, (3–) 4–5 (–11) -lobée, à préfloraison souvent contortée ou valvaire, parfois indupliquée-valvaire, rarement imbriquée ou quinconciale. Étamines habituellement en même nombre que les lobes de la corolle et épipétales, chez *Acranthera* parfois libres de la corolle et soudées entre elles autour du style; pollen variable, le plus souvent simple, isopolaire et tricolporé mais parfois poré, le nombre de sillons ou de pores allant de 2 à 25, sphérique, ovoïde ou discoïde, parfois (*Gardenieae*) en tétrades ou rarement en polyades. Disque souvent présent, bilobé ou tubuleux. Ovaire infère, rarement semi-infère ou, chez *Gaertnera*, supère, syncarpe, formé de 2–5 (ou plus) carpelles, mais le plus souvent à 2 carpelles et alors biloculaire, mais parfois subdivisé en 3–5 ou même 12 (ou plus) loges par des cloisons supplémentaires incomplètes; placentation axile ou pariétale; ovules 1 à nombreux par loge, souvent noyés dans un placenta charnu, dressés, pendants ou horizontaux, anatropes; style simple, souvent long et grêle; stigmate en massue cylindrique, claviforme ou divisé en 2 à nombreux lobes linéaires, spatulés ou claviformes; surface stigmatique ± localisée sur le stigmate, par exemple sur la face interne des lobes. Fruits petits ou grands; capsules, baies ou drupes ou indéhiscents ou ligneux, occasionnellement soudés en fruits composés; si une capsule, alors loculicide, septicide ou s'ouvrant par un bec terminal. Graines (1–) 2 à nombreuses, petites ou grandes, parfois ailées; albumen présent sauf chez les *Guettardeae;* embryon droit ou rarement courbé, la radicule souvent plus longue que les cotylédons.

Une des plus grandes familles de plantes, comprenant environ 500 genres et 6000 espèces. La plupart de ces dernières sont des zones tropicales et subtropicales, mais un certain nombre, surtout de la tribu des *Rubieae*, sont des zones tempérées et quelques espèces de *Galium* sont arctiques. 4 ou 5 genres sont endémiques des Mascareignes (*Fernelia* ayant peut-être des espèces malgaches); 1 genre, *Psathura* existe à Madagascar et aux Mascareignes; 24 autres genres ont des espèces soit endémiques, soit indigènes, soit assez communément cultivées; en outre 18 ou 19 genres sont représentés par des espèces plus rarement plantées qui ont été plus brièvement traitées.

---

*Royal Botanic Gardens, Kew.

**Laboratoire de Phanérogamie, Muséum, Paris.

108. RUBIACÉES

Duncan, Cat. Pl. Roy. Bot. Gard. Mauritius (1863), et Cantley, même intitulé (1880), et Owadally, Guide Roy. Bot. Gard. Pamplemousses (1976), citent des espèces cultivées dont nous n'avons pas vu de matériel. Duncan surtout traite de nombreuses espèces que nous n'avons pu retenir car il nous est impossible d'en vérifier les noms.

1. Herbes dressées, prostrées ou grimpantes; corolle à préfloraison valvaire; raphides présents. **2**
— Arbrisseaux, arbres ou plantes grimpantes ligneuses; corolle à préfloraison variée; raphides présents ou absents. **10**

2. Feuilles et stipules se ressemblant, en verticilles de 6–8, étroites et portant des petits aiguillons; plantes grimpantes. (voir aussi Asperula p. 63). **16. Galium**
— Feuilles et stipules de forme très différente, les feuilles jamais en verticilles de 6 ou plus. **3**

3. Ovules ou graines solitaires dans chaque loge de l'ovaire ou du fruit. **4**
— Ovules ou graines nombreux dans chaque loge de l'ovaire ou du fruit. **7**

4. Ovaire triloculaire; stigmates 3; fruit à 3 méricarpes; herbe procombante, traînante. **15. Richardia**
— Ovaire biloculaire; stigmates 2 ou 1 et capités; fruit à 2 méricarpes, capsulaire ou circumscissile. **5**

5. Fruit circumscissile ± autour du milieu, délimitant une sorte de petit couvercle; graines ornées d'un sillon dorsal, ± en forme de X (non vu aux Mascareignes mais probablement présent). (p. 62) **Mitracarpus**
— Fruit à méricarpes indéhiscents ou se fendant longitudinalement en 2 valves. **6**

6. Fruit se fendant en deux méricarpes indéhiscents. **13. Diodia**
— Fruit, une capsule à deux valves. **14. Spermacoce**

7. Fleurs pentamères. **8**
— Fleurs tétramères. **9**

8. Herbe suffrutescente dressée; feuilles à limbe large, à nervures latérales et tertiaires bien visibles; inflorescences multiflores; tube de la corolle long de 2 cm environ (aux Mascareignes). **9. Pentas**
— Herbe prostrée, à petites feuilles de 0,2–1,2 × 0,1–0,4 cm, sans nervures latérales; fleurs solitaires; corolle longue de 4–8 mm. **8. Dentella**

9. Anthères et stigmates inclus, les derniers presque toujours dépassés par les premières; fleurs jamais hétérostyles; tube de la corolle étroitement cylindrique, long de 3,5–7 mm (aux Mascareignes). **10. Kohautia**
— Anthères et stigmates variables, mais si les deux sont inclus alors les stigmates plus longs; fleurs non hétérostyles dans les espèces présentes aux Mascareignes, mais c'est souvent le cas chez d'autres espèces ou les anthères et/ou les stigmates sont exserts; corolle à tube cylindrique ou en entonnoir, long de 0,3–4 mm (aux Mascareignes). **11. Oldenlandia**

10. Plantes grimpantes; corolle à préfloraison valvaire. **11**
— Arbrisseaux, arbustes ou arbres. **15**

11. Ovules et graines nombreux dans chaque loge de l'ovaire ou du fruit. **12**
— Ovules et graines solitaires dans chaque loge de l'ovaire ou du fruit. **13**

12. Corolle petite, à tube long de 0,5–1 cm; graines ailées; corolle à préfloraison valvaire. **7. Danais**
— Corolle plus grande, à tube long de 1,3–4,6 cm; graines non ailées; corolle à préfloraison rédupliquée-valvaire; les espèces cultivées ont un des lobes du calice grand et foliacé. **17. Mussaenda**

13. Plante fétide; lobes du stigmate 2–3, filiformes; fruit comprimé, le péricarpe tombant, laissant voir 2–3 pyrènes comprimés, ailés, pendant de stipes filiformes. **6. Paederia**

— Plante non fétide; stigmate capité, cylindrique ou claviforme, non ou à peine lobé; fruit charnu, contenant 2 pyrènes ou 1 par avortement. **14**

14. Inflorescences sub-ombelliformes; massue stigmatique cylindrique, bien différenciée du style. **26. Canthium**
— Inflorescences à axe bien développé; massue stigmatique claviforme, non bien différenciée du style. (p. 120) **Chiococca**

15. Fleurs en capitules très denses, sphériques ou ovoïdes, les tubes des calices très serrés les uns contre les autres ou entièrement soudés; infrutescence, un fruit composé. **16**
— Fleurs en inflorescences lâches ou denses, mais non comme ci-dessus. **19**

16. Corolle à préfloraison valvaire; fleurs hétérostyles; stigmate à lobes linéaires; raphides présents; fruit composé, habituellement ovoïde; loges de l'ovaire uni-ovulées. **5. Morinda**
— Corolle à préfloraison imbriquée; fleurs homostyles; stigmate claviforme, non lobé; raphides absents; fruit composé, habituellement sphérique; loges de l'ovaire pluri-ovulées. (*Naucleeae*). **17**

17. Capitules en fleurs petits, d'environ 2 cm de diamètre, latéraux, enfermés dans des stipules modifiées, fortement cohérentes entre elles, s'ouvrant généralement par un déchirement transversal; autrefois cultivé à Maurice. (p. 66) **Breonia**
— Capitules en fleurs plus grands, de 3–5 cm de diamètre, terminaux, non enfermés dans des stipules transformées. **18**

18. Stipules petites, largement triangulaires, longues de 5 mm environ; arbrisseau ou arbuste à bois de couleur paille ou brun rouge. (p. 66) **Sarcocephalus**
— Stipules bien visibles, elliptiques-oblongues à oblongues-obovales, 1,7–5,5 × 0,8–3 cm; grands arbres à bois de couleur jaune ou jaune orangé caractéristique. (p. 65) **Nauclea**

19. Corolle à préfloraison valvaire. **20**
— Corolle à préfloraison imbriquée ou contortée. **32**

20. Plante cultivée, à fruit capsulaire à nombreuses graines ailées; tube de la corolle tomenteux à l'extérieur et à lobes ailés; fleurs hétérostyles, mais style jamais longuement exsert. (p. 66) **Cinchona**
— Caractères différents; fruit, une drupe ou une baie, indéhiscent. **21**

21. Inflorescences entourées d'un involucre en entonnoir, long de 1–2 cm; ovaire à 4–5 (–6) loges, contenant chacune un seul ovule pendant; hétérophyllie frappante; style divisé en 4 courts lobes stigmatiques étroits. (Rodrigues). **29. Scyphochlamys**
— Inflorescences non entourées d'un involucre en entonnoir. **22**

22. Ovaire supère ou presque supère, biloculaire, chaque loge contenant un seul ovule dressé. **4. Gaertnera**
— Ovaire entièrement infère. **23**

23. Ovules solitaires et pendants dans chaque loge; massue stigmatique bien différenciée du style, cylindrique, coroniforme ou capitée ou ayant jusqu'à 6 lobes; raphides absents; fleurs jamais hétérostyles. (*Vanguerieae*). **24**
— Ovules solitaires et dressés dans chaque loge; lobes stigmatiques oblongs, linéaires ou filiformes; raphides présents; fleurs souvent hétérostyles. **27**

24. Inflorescences sous-tendues par des bractées géminées plutôt petites, les mâles à plusieurs fleurs, les femelles uniflores; ovaire à 4–10 loges (2–3 (–4) chez les fleurs mâles); stigmate à 2–6 lobes courts. **28. Pyrostria**
— Inflorescences non sous-tendues par des bractées géminées, si présentes, bractées alors éparses; aux Mascareignes les fleurs des deux sexes non séparées; ovaire 2- ou 5-loculaire; massue stigmatique cylindrique, coroniforme ou capitée. **25**

25. Lobes du calice linéaires-spatulés, égalant ± la corolle et 4–5 fois plus longs que le court tube du calice; ovaire 5-loculaire. (p. 110) **Lagynias**
— Lobes du calice différents. **26**

26. Ovaire et fruit 5-loculaires; fruit ± sphérique, de 2,5–5 cm de diamètre. **27. Vangueria**
— Ovaire et fruit biloculaires; fruit comprimé, plus petit. **26. Canthium**

27. Stipules portant des appendices raides, subulés, longs de 1–3 mm; petit arbrisseau ou sous-arbrisseau à feuilles de 0,7–3 × 0,3–0,9 cm; corolle à tube en entonnoir, long de 4–9,5 mm, les lobes portant sur la face interne des poils aplatis caractéristiques. **12. Serissa**
— Stipules sans appendices ou, si ceux-ci présents, alors non raides et subulés; feuilles pour la plupart plus grandes; lobes de la corolle n'ayant pas de poils aplatis sur la face interne. **28**

28. Axes des inflorescences (des espèces à inflorescences lâches) blancs, roses ou rouges; corolle blanche, rose, bleue ou pourpre, à tube long de 1–2 cm; pyrènes souvent déhiscents le long de la carène médiane dorsale, prononcée; ovaire biloculaire. **3. Chassalia**
— Axes des inflorescences non colorés; corolle généralement blanche (bleue, mauve ou jaunâtre chez des plantes rarement cultivées), à tube long de 0,15–3 cm; pyrènes indéhiscents le long de la carène saillante. **29**

29. Corolle à tube grêle, long de 1–3 cm. **30**
— Corolle à tube beaucoup plus court et large. **31**

30. Inflorescences rameuses, formées de nombreux capitules à fleurs serrées; ovaire 4–5-loculaire; stigmate 4–5-lobé; corolle blanche, bleue ou mauve, à tube long de 1–1,5 cm. (p. 40) **Spermadictyon**
— Inflorescences moins rameuses, formées de capitules à fleurs moins serrées; ovaire 2 (–3)-loculaire; stigmate bilobé; corolle blanche, à tube long de 2–3 cm; calice à 5 dents étroitement triangulaires; chaque cyme sous-tendue par une bractée longue de 3–4 mm. **Psychotria gardenioides**

31. Ovaire et fruit biloculaires. **1. Psychotria**
— Ovaire et fruit 5–6-loculaires. **2. Psathura**

32. Anthères pour la plupart incluses, leur sommet seul exsert, ayant environ les 3/4 de la longueur de la corolle cylindrique, rouge orangé; lobes de la corolle très courts; ovaire 5-loculaire; ovules nombreux dans chaque loge. (p. 40) **Hamelia**
— Anthères n'atteignant jamais les 3/4 de la longueur de la corolle; autres caractères différents. **33**

33. Ovules (2–) 3 à nombreux dans chaque loge. **34**
— Ovules solitaires dans chaque loge. **41**

34. Tube de la corolle long de 16–24 cm, très grêle, à l'exception des 2,5–6 cm apicaux élargis en entonnoir. (p. 78) **Euclinia**
— Tube de la corolle beaucoup plus court. **35**

35. Fruit capsulaire; graines munies de petites ailes; corolle rose ou vermillon sur fond jaune ou orange, à tube long de 0,7–1,3 cm; style et étamines non ou à peine exserts; fleurs groupées en inflorescences terminales. (voir aussi p. 67 *Pogonopus*)... (p. 66) **Rondeletia**
— Fruit ligneux ou une baie indéhiscente. **36**

36. Fleurs en inflorescences terminales, allongées, ramifiées; tube de la corolle long de 2,5–4,5 mm; fruit petit, de 5–9 mm de diamètre. **18. Bertiera**
— Fleurs en inflorescences larges ou lâches, pauciflores et axillaires. **37**

37. Corolle à tube long de 0,5–12,5 cm; fruit grand, de 2–11 cm de diamètre ou long d'environ 2 cm. **38**
— Fleurs et fruits plus petits. **40**

38. Fruit fusiforme, long de 2 cm, biloculaire; corolle à tube long de 1,2 cm, égalant à peu près les lobes; inflorescences supra-axillaires; hétérophyllie frappante, les feuilles juvéniles très longues et très étroites, atteignant 38 ×0,8–2,2 cm; plante endémique, rare. (Rodrigues). **19. Ramosmania**
— Fruit ± sphérique, 1(–2)-loculaire; corolle à tube long de 0,5–11 cm; inflorescences axillaires ou terminales; plantes non hétérophylles. **39**

39. Tube de la corolle long de 0,5–1,2 cm; lobes longs de 1–2 cm; feuilles grandes, 11–42 ×5–18 cm; fruit de 5,5–9,5 ×5,5–8 cm. (p. 77) **Genipa**
— Tube de la corolle long de (2–) 5–11 cm; feuilles de 3–23 ×2–18 cm; fruit de 2–11 cm de diamètre (voir aussi *Catunaregam* qui est le plus souvent épineux). (p. 77) **Gardenia**

40. Inflorescences axillaires, pauciflores, ou fleurs solitaires; graines à testa très caractéristique, les cellules extrêmement étroites donnant une surface semblable à des écheveaux de cordage; fleurs unisexuées; plantes hétérophylles; feuilles de 0,2–4,8 ×0,1–3,5 cm. **20. Fernelia**
— Inflorescences terminales pauci- à multiflores; graines à testa finement réticulé; fleurs hermaphrodites; une espèce hétérophylle; feuilles 0,6–30 ×0,4–11 cm. **22. Tarenna**

41. Fleurs ou inflorescences axillaires ou semblant l'être. **42**
— Fleurs ou inflorescences terminales. **47**

42. Ovaire et fruit 3–9-loculaires; si fleurs groupées en cymes bipares, alors tube de la corolle long de 2,5 cm. **43**
— Ovaire et fruit biloculaires ou, si 2 (–3)-loculaires, alors fleurs en cymes bipares, pédonculées et tube de la corolle long de 1–6,5 mm. **44**

43. Ovaire et fruit 3-loculaires; fleurs unisexuées, groupées en de nombreux fascicules sessiles 1–3-flores, en apparence axillaires mais en fait terminaux sur de très courts rameaux latéraux, à 2–4 petits involucres; corolle tétramère, à tube long de 1–1,5 mm; fruit de 7,5–11 mm de diamètre. (Endémique de Rodrigues, à hétérophyllie frappante). **25. Doricera**
— Ovaire et fruit 3–9-loculaires; fleurs hermaphrodites, en inflorescences pédonculées; corolle à 4–9 lobes, à tube long de 2,5 cm; fruit ± sphérique, fibreux-ligneux, atteignant 3,5 cm de diamètre. (p. 120) **Guettarda**

44. Fleurs petites, en cymes bipares pédonculées; tube de la corolle long de 1–6,5 mm; fruit en général oblong, 0,5–1,3 ×0,3–0,5 cm. **30. Antirhea**
— Fleurs en fascicules axillaires, sessiles ou très courtement pédicellés. **45**

45. Style nettement divisé en deux branches linéaires, étalées; tube libre du calice réduit à un rebord ou à lobes courts; fruit généralement oblong ou ovoïde, stipité. **23. Coffea**
— Style non divisé ou très courtement bifide, ou les branches difficilement séparables; tube libre du calice développé, denté ou tronqué; fruit non stipité. **46**

46. Anthères incluses ou seulement leur sommet visible; bractéoles cupuliformes; fleurs 4-mères; tube libre du calice tronqué ou à dents courtes; graines à testa très caractéristique, la sculpture ressemblant à des écheveaux de cordage; albumen ruminé; fruit sphérique. **21. Polysphaeria**
— Anthères exsertes; bractéoles non cupuliformes; fleurs 5(–6)-mères; tube du calice nettement denté; graines ruguleuses, à cellules du testa étroites mais non comme ci-dessus; albumen non ruminé; fruit oblong-ovoïde, rostré (aux Mascareignes). (p. 86) **Cremaspora**

47. Feuilles à nodules bactériens; bractées et bractéoles ressemblant à des stipules; graines hémisphériques, à grande excavation ventrale; fleurs toujours 4-mères; style claviforme, non divisé. (p. 93) **Pavetta**
— Feuilles sans nodules bactériens. **48**
48. Tube de la corolle beaucoup plus court que les lobes, long de 1,5–3,5 mm, blanc ou ± rougeâtre; ovaire 2–7-loculaire, si 2-loculaire, alors feuilles arrondies à cordiformes ou tube de la corolle très court, long d'environ 1,5 mm. **24. Myonima**
— Tube de la corolle généralement beaucoup plus long que les lobes ou les égalant ± ; ovaire 2-loculaire; si feuilles cordiformes alors corolle beaucoup plus longue. **49**
49. Corolle blanche, orange, rose, rouge ou jaunâtre, à tube très grêle, long de 0,8–8 cm, lobes généralement beaucoup plus courts que le tube; branches du style libres; fleurs 4-mères; inflorescence dense. (p. 91) **Ixora**
— Corolle blanche ou crème, à tube long de 2–5,5 mm, plus court à légèrement plus long que les lobes; branches du style cohérentes; fleurs 4–5-mères; chez une espèce, l'inflorescence lâche, à pédicelles bien développés. **22. Tarenna**

RUBIOIDEAE — PSYCHOTRIEAE

1. PSYCHOTRIA L., *nom. cons.*

Syst. Nat. ed. 10 : 929 (1759)

Arbrisseaux ou plus rarement arbres, lianes ou sous-arbrisseaux, quelques-uns ± herbacés. Feuilles opposées, pétiolées, souvent brun rougeâtre sur le sec, soit avec des domaties aux aisselles des nervures principales, soit à nodules bactériens éparpillés sur le limbe entier, ou présents seulement dans certains endroits, parfois un très petit nombre à la base de la nervure médiane sur la face inférieure, moins souvent sans domaties ni nodules; stipules entières ou fimbriées, généralement caduques; colléters présents. Fleurs souvent petites, sessiles ou pédicellées, 4–5-mères, hermaphrodites, hétérostyles, en inflorescences terminales ou axillaires, capitées ou paniculées; bractées et bractéoles petites ou grandes, une bractée sous-tendant parfois 2 ou 3 fleurs, parfois une seule, ou bractées parfois absentes; souvent un involucre de bractées, celles-ci parfois grandes et dans quelques groupes d'espèces les bractées de l'involucre soudées, entourant toute l'inflorescence. Fleurs hétérostyles, à préfloraison valvaire. Calice à tube libre court et à lobes très petits ou plus rarement linéaires ou ovales. Tube de la corolle habituellement court, cylindrique et pubescent à la gorge; lobes souvent épaissis au sommet, parfois munis de petites saillies se présentant sous forme de petites cornes sur le bouton. Étamines à filet inséré vers la mi-hauteur du tube. Ovaire 2 (–3–4)-loculaire, chaque loge contenant un seul ovule dressé; style filiforme, à 2 (–3–4) stigmates linéaires; disque petit, entourant la base du style. Fruit, une drupe, souvent rouge ou, chez les espèces bractéifères, souvent bleue ou noire, à 1–2 (–3–4) pyrènes. Graines généralement plan-convexes; testa souvent brun rougeâtre; albumen corné, entier, parfois fortement ruminé, ou avec une fissure ventrale, médiane.

Grand genre comprenant probablement 500 espèces (plus de 900 ont été décrites), des régions chaudes. Une espèce indigène des Mascareignes, 5 autres espèces y ont été trouvées dans le passé.

P. gardenioides (Scheidw.) Standley, espèce du Mexique, est cultivée au Jardin des Pamplemousses et à Labourdonnais; c'est un arbrisseau à inflorescences terminales de fleurs blanches, odorantes, à tube étroit, long de 2–2,5 cm. Sa baie contient un suc bleu.

P. punctata Vatke, espèce d'Afrique de l'Est, existe dans le Jardin du Muséum de St Denis à La Réunion. C'est un arbrisseau à fleurs 5-mères, en inflorescences terminales, souvent penchées. Il se reconnait aisément à ses feuilles obtuses, à nodules bactériens visibles à l'oeil nu.

P. psathuroides DC., Prodr. 4: 518 (1830); Bojer, H.M.: 173; Baker, F.M.S.: 156. Type: Maurice, *Bory* (G, holo.), est un *Psathura* proche de *P. borbonica*. Le type n'a pas été vu. Baker disait que les échantillons de Bory étaient imparfaits.

1. Corolle longue de 2–3 cm; inflorescence à bractées longues de 3–4 mm. (Espèce cultivée à Maurice). **P. gardenioides**
— Corolle beaucoup plus petite; bractées moins visibles. **2**
2. Feuilles à limbe lancéolé. (Espèce endémique de Rodrigues, probablement éteinte). **1. P. balfouriana**
— Feuilles à limbe oblong ou elliptique. **3**
3. Feuilles à limbe largement obtus au sommet; fruit long de 3–3,5 mm, fortement sillonné sur le sec. **2. P. obtusifolia**
— Feuilles à limbe sub-aigu à nettement acuminé au sommet. **4**
4. Feuilles petites, 4 × 2,4 cm environ, à limbe sub-aigu à acuminé mais à pointe arrondie; fruit long de 4–5 mm, fortement sillonné sur le sec. **3. P. sp.**
— Feuilles grandes, atteignant 10,5 × 4,6 cm environ, brusquement acuminées au sommet. **4. P. capensis**

1. P. balfouriana Verdc., Kew Bull. 39: 784 (1984), *nom. nov. pro. P. lanceolata* Balf. f. Type: Rodrigues, Grande Montagne, *Balfour* (K, holo.!)
— *P. lanceolata* Balf.f., Journ. Linn. Soc. Bot. 16: 15 (1877); B. Ro.: 350; Baker, F.M.S.: 156; Tirvengadum, Maur. Inst. Bull. 9: 10, 11, 14 (1980); Verdc., Kew Bull. 37: 522 (1983), non Nutt. (1822)

Petit arbrisseau glabre, à ramilles tétragones (d'après Balfour), ce caractère à peine visible sur les échantillons; ramilles à écorce grise, ± luisante, sur le sec très fortement ridée longitudinalement; entre-noeuds courts, de 0,5–3 cm de longueur. Feuilles à pétiole long de 0,5–1,5 cm, peu nettement différencié de la base du limbe; limbe lancéolé, 6–10×1,2–2 (–2,5) cm (d'après Balfour), aigu au sommet, étroitement atténué sur le pétiole, coriace, finement ruguleux sur le sec, portant des points résineux rouge brun foncé, sur les deux faces; stipules larges, longues de 2 mm, caduques. Fleurs en panicules terminales, corymbiformes; pédoncules longs de 1,5–2,4 cm; pédicelles très courts; bractées absentes ou très petites. Calice adné à l'ovaire sur 1 mm environ; tube libre largement cupuliforme, large de 2 mm, et de moins de 0,5 mm de hauteur, à marge ± tronquée à très faiblement 5-dentée. Boutons floraux courts et très obtus. Tube de la corolle d'une fleur brévistyle long de 3,2 mm, la gorge bourrée de poils; lobes ovales-lancéolés, 4×2 mm, aigus. Étamines à filets exserts sur 2 mm; anthères longues de 1,5 mm. Style long de 2,5 mm, à 2 branches stigmatiques longues de 1,5 mm, cohérentes. Ovaire biloculaire. Disque annulaire, ridé radialement, haut de 0,5 mm. Fruit inconnu. (Pl. 1).

Nom vernaculaire : Bois lubine.

Rodrigues. Endémique. Connu seulement par 3 récoltes : le type de Balfour, de la Grande Montagne, une faite par Wiehe à Cascade Victoire en 1938, et la dernière, aussi de Cascade Victoire, par Jauffret en 1941; seule cette dernière porte des fleurs.

2. P. obtusifolia Poiret, Encycl. 5 : 697 (1804); Lam., Illust., t. 161, fig. 4 (1792), sans nom spécifique; 2 : 243 (1819); Bojer, H.M. : 173. Type : Madagascar, sans collecteur (P–LA, holo.)

Arbrisseau de 1,20–3 m de hauteur, glabre. Feuilles à limbe oblong, obovale ou obovale-oblong, 3–11,5×1,5–6 cm, largement obtus à ± tronqué au sommet, cunéiforme à la base, devenant souvent vert jaunâtre vif sur le sec, parsemé de nombreux petits points résineux microscopiques. Fleurs en grandes inflorescences rameuses, larges de 3–10 cm; pédoncules longs de 2,5–7 cm. Calice à tube libre tronqué à faiblement 5-lobé. Tube de la corolle long d'environ 3 mm; lobes longs de 2 mm. Fruit blanc, long de 3–3,5 mm, fortement sillonné sur le sec; pyrènes 2, obtus, sillonnés.

Maurice. Espèce malgache, récoltée au siècle dernier 2 fois à Maurice : par Bouton (K) et, sur le Pouce, par Gardner (K).

Pl. 1 — **Psychotria balfouriana: 1,** rameau fleuri × 2/3; **2,** inflorescence × 1; **3,** détail d'une corolle × 6; **4,** gynécée × 6; **5,** coupe longitudinale de l'ovaire × 6; **6,** coupe transversale de l'ovaire × 6. (Tous de *Jauffret* 130).

3. P. sp. Probablement un arbrisseau, à ramilles pâles. Feuilles à pétiole long de moins de 5 mm; limbe rhombique-obovale, d'environ 4×2,4 cm, sub-aigu à acuminé à extrémité ronde, cunéiforme à la base. Fruit long de 4–5 mm, fortement sillonné sur le sec.

Un seul spécimen, ancien, existe à P (ex Herb. *Cosson*, ex Herb. *Maire*) annoté " Ile Maurice, Lém. ". C'est peut-être une forme très atypique de *P. obtusifolia*, mais les feuilles et les fruits ne correspondent pas à cette espèce.

4. P. capensis (Ecklon) Vatke, Oesterr. Bot. Zeitschr. 25 : 230 (1875); Petit, Bull. Jard. Bot. Brux. 34 : 41 (1964). Décrit d'Afrique du Sud
— *Logania capensis* Ecklon, S. Afr. Quart. Journ. 1 : 371 (1830)

Probablement petit arbrisseau à ramilles glabres, sub-ligneuses. Feuilles à pétiole long de 1 cm; limbe elliptique ou obovale-elliptique, 4,5–10,5×2,6–4,6 cm, brusquement acuminé au sommet, cunéiforme à la base, papyracé, glabre, portant des domaties glabres; nervures latérales bien visibles sur la face inférieure; stipules deltoïdes, atteignant 5 mm de longueur, caduques. Fleurs nombreuses, groupées en cymes bipares, ramifiées, larges d'environ 4 cm; pédoncules longs de 2–4 cm; bractées très petites, lâchement ferrugineuses-pubescentes, comme le rachis de l'inflorescence. Calice adné à l'ovaire sur environ 0,7 mm; tube libre ± aussi long, faiblement 5-lobé. Corolle à tube long d'environ 4 mm; lobes de 2,5–3,5 mm. Étamines exsertes, à filet long de 1,2 mm sur un échantillon à fleurs brévistyles. Ovaire biloculaire; lobes stigmatiques 2. Fruit rouge, subsphérique, de ± 7 mm de diamètre, non sillonné.

Espèce d'Afrique du Sud, repérée une seule fois à Maurice : Savanne, Kanaka, par Bijoux en 1923.

2. PSATHURA Commerson ex Juss.
Gen. Pl. : 206 (1789)

Verdc., Kew Bull. 37 : 522–525 (1983)

Arbrisseaux ou petits arbres, glabres ou à ramilles très jeunes avec un indument tomenteux très court. Feuilles opposées, pétiolées ou plus rarement subsessiles, souvent subcoriaces; cellules et stomates de la face inférieure habituellement d'apparence très caractéristique (sous grossissement de 100 environ), formant une pellicule blanche et écailleuse, comme une couche de colle qui s'écaille; stipules intrapétiolaires, aiguës, caduques. Fleurs à préfloraison valvaire, hermaphrodites, hétérostyles, petites, le plus souvent en inflorescences pauciflores, axillaires ou/et terminales, parfois fleurs solitaires; pédoncules sans bractées. Calice à partie adnée ovoïde; partie libre campanulée, à marge ± entière, irrégulièrement dentée, ou 5–6-lobée, persistante. Corolle à tube en entonnoir, à gorge pubescente; lobes 5–6, étalés. Étamines 5–6, à filets insérés sur le tube, la partie adnée des filets continuant jusqu'à la base du tube, laissant des cicatrices autour de la base du style, en dedans du disque annulaire; anthères petites, oblongues, obtuses, dorsifixes, ± incluses dans les fleurs longistyles, exsertes dans les fleurs brévistyles. Ovaire 5–6-loculaire, à un seul ovule dressé dans chaque loge; style court et exsert; branches stigmatiques 5. Fruit charnu, à 5–6 pyrènes trigones, ligneux. Graines trigones.

Petit genre comprenant 3 espèces des Mascareignes et 4 espèces malgaches. Tel que le genre *Psychotria* est actuellement accepté, on y inclut des plantes qui sont plus distinctes des *Psychotria* typiques que ne l'est *Psathura*. On pourrait donc à la limite inclure *Psathura* dans *Psychotria*. Je ne suis cependant pas convaincu qu'une interprétation aussi large de *Psychotria* soit la meilleure position et je pense qu'il est préférable de maintenir *Psathura* qui est un genre bien connu aux Mascareignes.

Psathura sechellarum Baker, F.M.S. : 157, a été transféré à *Psychotria*.

1. Fleurs en inflorescences pédonculées, même si très réduites, à pédicelles nets; lobes de la corolle longs de 1,5–5 mm. **2**

— Fleurs habituellement par 1–3 (–6), subsessiles ou pédicellées aux aisselles foliaires supérieures, non en inflorescences pédonculées, ou si très rarement en inflorescences pédonculées, alors les lobes de la corolle longs de 5–7 mm. (Maurice). **3. P. terniflora**

2. Tube du calice à lobes nets, oblongs ou ovales, longs de 2,5–4 mm. (Maurice). **1. P. myrtifolia**

— Tube du calice ± tronqué, lacéré ou irrégulièrement denté, les dents plutôt courtes, longues d'environ 1 mm. (La Réunion, Maurice). **2 . P. borbonica**

1. P. myrtifolia A. Rich. ex DC., Prodr. 4 : 463 (1830); A. Rich., Mém. Fam. Rubiac. : 134 (1830); Mém. Soc. Hist. Nat. Paris 5 : 214 (1834); Bojer, H.M. : 169; Baker, F.M.S. : 157; R.E. Vaughan, Maur. Inst. Bull. 1 : 47 (1937). Type : Maurice, *Michaux* (P, holo. !)

Arbrisseau étalé ou arbuste à cime aplatie ou en parasol, de 1–3 m de hauteur; branches grêles, glabres, sillonnées sur le sec. Feuilles à limbe elliptique ou étroitement obovale, 1,2–5,5×0,7–2,7 cm, obtus ou sub-aigu au sommet, cunéiforme à la base, mais celles des noeuds supérieurs, supportant les inflorescences, souvent à limbe ovale, arrondi ou subcordé à la base, subcoriace, luisant sur la face supérieure; pétiole long de 2–7 mm; stipules étroitement triangulaires, à sommet subulé, longues de 3 mm, très caduques, à pubescence brune à la base sur la face interne. Inflorescences à pédoncule atteignant 4 mm de longueur, souvent 3-flores; pédicelles longs de 2 mm environ; bractée et sommet du pédoncule cupuliforme laciniés. Fleurs odorantes. Calice à partie adnée sphérique, longue de 0,8 mm; tube libre long de 1–1,5 mm; lobes 5, oblongs ou ovales, 2,5–4×1,5 mm, obtus ou sub-aigus, persistant sur le fruit. Corolle blanche, à tube en entonnoir étroit, long de 5 mm, pubescent à la gorge; lobes ovales, 3×2,5 mm. Étamines exsertes; parties libres des filets longues de 2 mm; anthères longues de 0,8 mm. Style épaissi au sommet, long de 2,7 mm, à 5 lobes longs de 0,5 mm, tous inclus. Disque en forme de coussinet. Fruit blanc, ovoïde-sphérique, 4,5–6×4–5 mm, légèrement rugueux, à chair mince, spongieuse; pyrènes 5, en forme de quartier d'orange, à couche ligneuse mince, 3,8×1,6 mm, légèrement tuberculés sur le dos courbé. Graines naviculaires, longues de 3 mm environ, trigones à angles vifs. (Pl. 2, 5–9).

Nom vernaculaire : Bois cassant à petites feuilles.

Maurice. Endémique. Espèce encore assez commune par endroits dans les forêts humides ombragées, tendant cependant à se raréfier devant l'envahissement de plantes exotiques (Goyavier de Chine, Privet). Mt du Pouce; Mt Perouche; Macabé; Les Mares; piste de la Plaine Champagne aux Gorges de la Rivière Noire. Alt. 600–650 m.

Seules des fleurs à styles courts ont été vues.

2. P. borbonica J.F. Gmelin, Syst. Nat. ed. 13, 2 : 577 (1791); Poiret, Encycl. 6 : 582 (1804); Bojer, H.M. : 168 et Baker, F.M.S. : 157, *pro parte*. Type : Basé sur la description de Jussieu, Gen. Pl. : 206; La Réunion, *Commerson* (P–JU 9975, lecto.; P, isos. !)

— *P. borbonica* Willd., Sp. Pl. 2 : 229 (1799); Roxb., Fl. Ind. 2 : 159 (1824). Type: Lam., Illust., t. 260 (1792)

— *P. corymbosa* Gaertner f., Suppl. Carp. : 82, t. 194, fig. 4 (1806), *nom. illegit.*, basé sur *P. borbonica* Willd.

Petit arbrisseau ou arbuste grêle, de 1–4 m de hauteur; cime, si développée, en parasol; rameaux très fragiles, glabres ou parties jeunes à indument tomenteux fin ou papilleuses-pubescentes ou rarement nettement pubescentes; tronc de 4–5 cm (ou plus?) de diamètre; écorce grise, noirâtre ou brune, côtelée; bois très dur; entre-noeuds souvent très courts et rapprochés sur des pieds âgés, allongés et parfois nettement 4-côtelés sur des pieds jeunes. Feuilles à limbe étroitement oblong-elliptique, oblong-elliptique, largement elliptique ou elliptique-lancéolé, 1,2–9,5×0,3–4,5 cm,

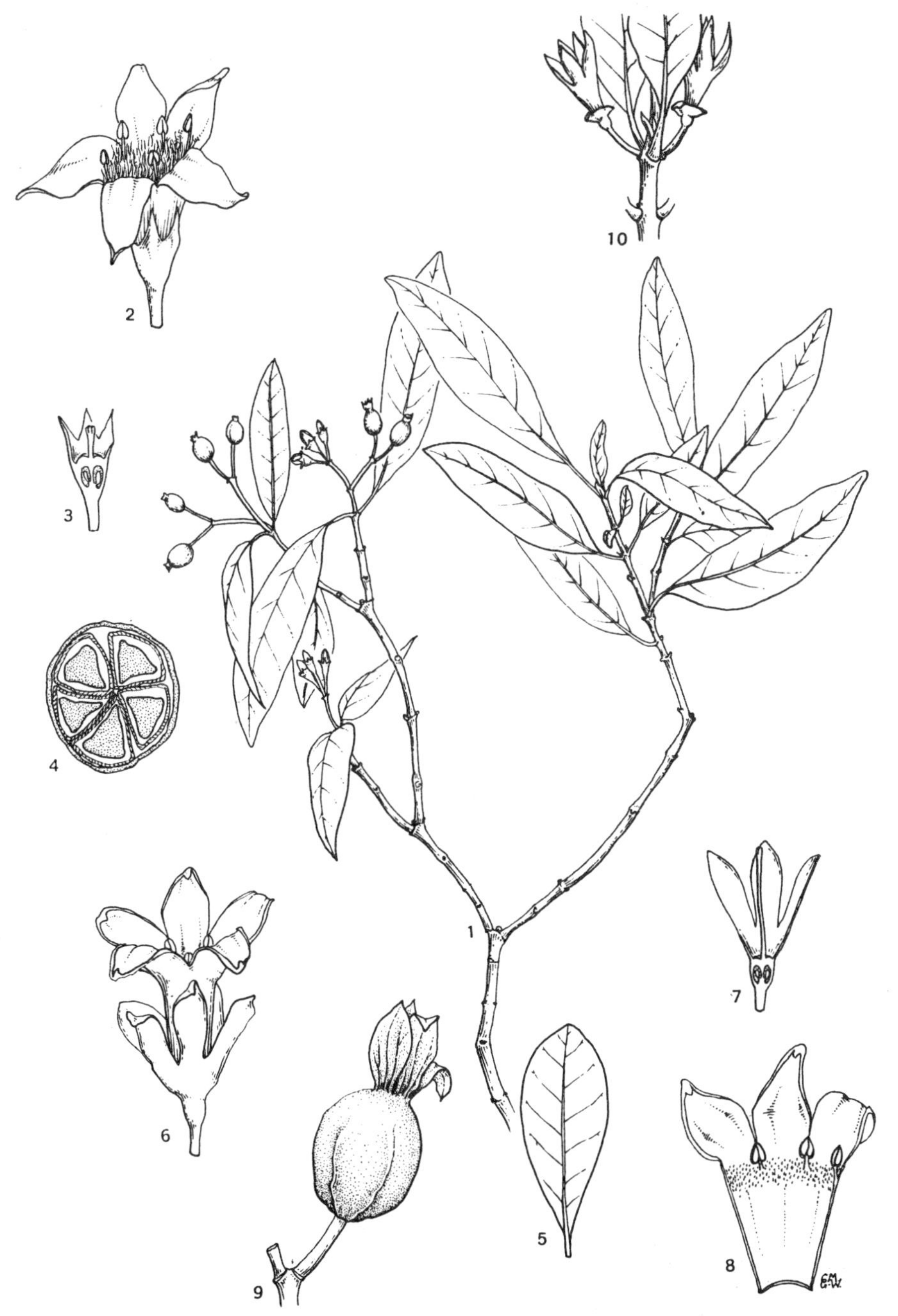

Pl. 2 — **Psathura borbonica** var. **intermedia: 1,** rameau en boutons et en fruits × 2/3; **2,** fleur × 4; **3,** gynécée, coupe longitudinale × 4; **4,** fruit, coupe transversale × 4. — **P. myrtifolia: 5,** feuille × 1; **6,** fleur × 4; **7,** gynécée, coupe longitudinale × 4; **8,** partie de la corolle étalée × 4; **9,** fruit × 4. — **P. terniflora: 10,** nœud apical florifère × 1. (**1** et **4,** *Friedmann* 1070; **2–3,** *Cadet* 5013; **5** et **9,** *Coode* 3936; **6–8,** *Bouton* s.n.; **10,** *Guého in* MAU 13730).

aigu ou acuminé au sommet, cunéiforme à la base, coriace, mince, discolore, la face inférieure habituellement à texture microscopique caractéristique du genre; pétiole long de 0,5–1,8 cm; stipules caduques, longues de 4–7 mm, y compris la base triangulaire soudée au pétiole sur 2 mm environ, formant un tube, à arête longue de 2,5 mm, à pubescence brune à l'intérieur. Inflorescences axillaires ou terminales, (1–) 3-25-flores; pédoncules longs de 3–4 mm; rameaux secondaires et tertiaires longs de 2 mm; pédicelles longs de 2–8 mm; bractées longues de 1–2,5 mm, souvent lacérées et finement aristées; bractéoles du pédicelle longues de 0,5–1,5 mm. Fleurs odorantes. Calice à partie adnée obconique, longue de 0,5–2 mm; tube libre long de 0,7–2,5 mm, denticulé, parfois aussi lobé et lacéré, les lobes accentués par déchirement. Corolle blanche ou blanc jaunâtre; tube long de 1,5–3 mm; lobes 5–6, ovales à lancéolés, 1,8–5 × 1,5–3 mm, cucullés. Anthères ± sessiles dans les fleurs longistyles; filets atteignant 2,5 mm de longueur et anthères bien exsertes dans les fleurs brévistyles. Disque bien développé. Ovaire (4–) 5–6 (–7?)-loculaire; style long de 1,5–2,2 mm ou de 3,5–6 mm, à 5–6 lobes longs de 0,3–1 mm. Fruit blanc cireux, sphérique, ellipsoïde ou ovoïde, long et haut de 3–7 mm, charnu à maturité, couronné par les restes du calice. Pyrènes à paroi ligneuse mince, trigones ou ellipsoïdes, 3–4,5 × 1,5–2 mm.

Quatre variétés peuvent être distinguées:

1. Fruit de moins de 4 mm de diamètre; pétiole long de plus de 1,4 cm; pédoncule long de plus de 2,5 cm. (La Réunion). var. **borbonica**
— Fruit de 4 mm ou plus de diamètre; pétiole long de 0,2–1,2 (–1,8) cm; pédoncule long de 0,3–2,5 cm. **2**
2. Inflorescences généralement sans rameaux secondaires ou tertiaires; pédicelles longs de 2–8 mm. (La Réunion). **3**
— Inflorescences à rameaux secondaires longs de 4 mm environ; pédicelles longs de 1–1,5 mm. (Maurice). var. **grandiflora**
3. Feuilles à pétiole long de 0,3–1,2 (–1,8) cm; limbe de 1,8–6,5 (–9) × 0,6–2,5 (–3,8) cm; nervures latérales visibles. var. **intermedia**
— Feuilles à pétiole long de 2–5 mm; limbe de 1,2–3,5 (–5,5) × 0,3–1,2 (–1,5) cm; nervures latérales généralement pas du tout visibles. var. **angustifolia**

var. **borbonica**
— *P. polyantha* Cordem., F.R.: 513. Types: La Réunion, St Pierre, Mafate, Cilaos, *Cordemoy* (MARS, syns. !)

Rameaux le plus souvent glabres. Feuilles à limbe elliptique-oblong, 6–9,5 × 2,5–3,7 cm; nervures latérales visibles; pétiole long de 1,4–1,7 cm. Inflorescences ayant jusqu'à 25 fleurs, à pédoncule long de 2,7–4 cm; rameaux secondaires et tertiaires longs de 1,5–2 cm. Fruit sphérique, 3 × 3,5 mm sur le sec.

Noms vernaculaires: Bois cassant à grandes feuilles, Gros bois cassant.

La Réunion. Endémique; apparemment encore assez commune: Plaine des Palmistes; Grand Bassin; sentier du Bras Rouge, Cilaos; Bélouve. De vieux échantillons existent des hauts du Gol (*Commerson*) et du Boucan Launay (*Boivin*).

L'échantillon de Commerson, choisi comme lectotype de l'espèce, a de grandes inflorescences; il est identique au *P. polyantha* de Cordemoy. Parmi les échantillons de Commerson de la var. *borbonica* existant à Paris, certains ont des inflorescences plus courtes, bien que non identiques à ceux que Cordemoy interprétait comme étant *P. borbonica* typique.

var. **grandiflora** Baker, F.M.S.: 157. Type: Maurice, *Bouton* (K, holo. !)
— *P. borbonica* auct. non J.F. Gmelin: R.E. Vaughan, Maur. Inst. Bull. 1: 46 (1937)

Ramilles jeunes glabres ou à indument tomentelleux dense. Feuilles à limbe largement elliptique à elliptique-oblong, 2,5–9 × 1,2–4,3 cm; nervures latérales visibles; pétiole long d'environ 1 cm. Inflorescences à plusieurs fleurs; pédoncules longs de 0,4–1,5 cm; rameaux secondaires longs d'environ 4 mm; pédicelles longs de 1–1,5 mm. Fruit d'environ 4 mm de diamètre.

Nom vernaculaire: Bois cassant.

Maurice. Endémique. Espèce de la forêt climacique humide des collines basses et des terres hautes, entre 200 et 700 m d'altitude: Vallée de la Cascade 500 Pieds; Montagne de la Rivière Noire; Bel Ombre; Mt Lagrave; pentes Sud du Pieter Both.

var. **intermedia** Verdc., Kew Bull. 37: 523 (1983). Type: La Réunion, Basse Vallée, *Friedmann* 1070 (P, holo. !)
— *P. borbonica* auct. non J.F. Gmelin: Cordem., F.R.: 513

Ramilles jeunes le plus souvent glabres, parfois tomenteuses. Feuilles à limbe étroitement oblong-elliptique à lancéolé, 1,8–6,5 (–9) × 0,6–2,5 (–3,8) cm; nervures latérales visibles; pétiole souvent court, long de 0,3–1,2 (–1,8) cm. Inflorescences habituellement courtes, le plus souvent sans rameaux secondaires et tertiaires bien développés, à fleurs habituellement peu nombreuses à plusieurs; pédoncules longs de 0,3–2,5 cm; pédicelles longs de 2–5,5 mm. Fruit sphérique ou ellipsoïde, 5–7 × 5–6 mm. (Pl. 2, 1–4).

Nom vernaculaire: Bois cassant.

La Réunion. Endémique. Apparemment encore assez commune, entre 600 et 1700 m d'altitude: Basse Vallée; Mare Longue, St Philippe; Cirque de Cilaos: Bonnet de Prêtre, Grand Matarum, montée du Piton des Neiges et du Côteau Kervéguen; Cirque de Salazie; Plaine des Palmistes; Plaine d'Affouches; Bébour.

var. **angustifolia** (Cordem.) Verdc., Kew Bull. 37: 524 (1983). Type: La Réunion, Plaine des Palmistes, *Cordemoy*; Plaine des Cafres, propriété Boisjoli Potier, *Cordemoy* (MARS, syns. !)
— *P. angustifolia* Cordem., F.R.: 514
— *P. terniflora* auct. non A. Rich. ex DC.: Cordem., F.R.: 513, *pro parte* [*tenuiflora*]

Petit arbrisseau; pieds âgés à entre-noeuds courts et rapprochés; ramilles jeunes le plus souvent glabres, parfois papilleuses-pubérulentes ou nettement pubescentes. Feuilles à pétiole court, de 2–5 mm de longueur; limbe très étroitement elliptique à elliptique-lancéolé, 1,2–3,5 (–5,5) × 0,3–1,2 (1,5) cm; nervures latérales généralement pas du tout visibles. Inflorescences de 1–3 à plusieurs fleurs, le plus souvent en cymes terminales sans rameaux secondaires; pédoncules longs de 3–8 mm. Fruit ovoïde, de 4–7 mm de longueur et de largeur.

Noms vernaculaires: Bois cassant rouge, Bois cassant à petites feuilles, Gros bois cassant.

La Réunion. Endémique. Espèce vraisemblablement encore assez commune en forêts, de 1300–1600 m d'altitude: Cilaos, Grand Matarum, forêt de la Mare à Joseph, Bras de Benjoin; Salazie; Plaine des Cafres; Remparts du Grand Bassin, Hauts de Benoune; Plaine des Palmistes, Petite Plaine et Grande Montée; Ilet des Sources de la Rivière des Marsouins.

3. P. terniflora A. Rich. ex DC., Prod. 4: 413 (1830); A. Rich., Mém. Fam. Rubiac.: 134 (1830); Mém. Soc. Hist. Nat. Paris 5: 214 (1834); Bojer, H.M.: 169; Baker, F.M.S.: 157; R.E. Vaughan, Maur. Inst. Bull. 1: 47 (1937) [*ternifolia*]. Type: Maurice, *Michaux* (P, holo.!)

Arbrisseau de 1–2 m de hauteur, à plusieurs tiges de 1,5–3 cm de diamètre; rameaux cassants, glabres, sauf les parties jeunes parfois finement papilleuses, souvent à noeuds renflés; écorce gris verdâtre, ridée fortement longitudinalement. Feuilles souvent vert jaunâtre vif sur le sec; pétiole long de 0,4–1,5 cm; limbe de taille très variable, les plus petits habituellement sur des rameaux fleuris, elliptique ou oblancéolé, 2,5–20 × 1–7,2 cm, rétréci vers le sommet obtus, cunéiforme à la base, coriace ou subcoriace; face inférieure ayant l'apparence très caractéristique du genre; nervures latérales 6–16; stipules deltoïdes, longues de 6–8 mm, acuminées, caduques, à pubescence brune à la base, du côté interne. Fleurs odorantes, terminales, subsessiles à pédicellées, habituellement 1–3, parfois jusqu'à 6, au noeud apical, mais inflorescence sans pédoncule, et souvent des fleurs axillaires aux 1 ou 2 avant-derniers noeuds; pédicelles longs de 0,2–1,2 cm. Calice adné à l'ovaire sur 1 mm; tube libre long de

2–4 mm, à dents courtes et étroites, puis souvent fimbrié ou lacéré. Corolle blanc crème; tube en entonnoir, long de 5–6 mm; lobes ovales-oblongs, 5–7 × 1,6–2,8 mm, cucullés. Anthères foncées, juste exsertes dans les fleurs brévistyles; filets longs de 1–2,2 mm. Ovaire 4–9-loculaire; style long de 2,2 mm, à 5 lobes plats, oblongs, longs de 0,5 mm. Disque développé. Fruit blanc cireux, charnu, sphérique à ovoïde-sphérique, de 4,5–5 mm de diamètre sur le sec (dit être de 1–1,5 cm sur le frais), couronné par le tube persistant du calice, long de 3–4 mm, lobé et denticulé. Pyrènes ligneux, minces, contigus mais se séparant facilement, trigones, 4,8 × 2 mm. Graines noires. (Pl. 2, 10).

Nom vernaculaire: Bois cassant.

Maurice. Endémique, Espèce encore assez commune, entre 450 et 700 m d'altitude: Forêt de Macabé; Brise Fer; Réserve de Perrier près de Mare aux Vacoas; Plateau de Mare Longue; Gorges de la Rivière Noire; Crown Land Le Bouton; Mt Cocotte; Plaine Champagne; Piton Grand Bassin.

3. CHASSALIA Poiret

Encycl. Suppl. 2: 450, *in obs.* (1812)

Verdc., Kew Bull. 30: 270 (1975); 37: 525–533 (1983)
— *Chasalia* et *Chassalia* Poiret, Dict. Sc. Nat. 8: 198 (1817)
— *Chassallia* Juss., Mém. Mus. Nat. Hist. Nat. Paris 6: 379 (1820)
— *Chasalia* DC., Prodr. 4: 431 (1830)
— *Chasallia* A. Rich., Mém. Soc. Hist. Nat. Paris 5: 166–7 (1834)
— *Chazalia* A. DC. in DC., Prodr. 9: 32 (1845); Petit, Bull. Jard. Bot. Brux. 29: 378 (1959); 34: 20 (1964), attribué à A.L. de Jussieu

Arbrisseaux, plus rarement petits arbres ou herbes suffrutescentes. Feuilles opposées ou rarement par 3; stipules interpétiolaires, parfois soudées en gaine, entières ou à 2 petites soies, souvent munies de colléters et de poils à la base du côté interne, le plus souvent persistantes. Fleurs à préfloraison valvaire, hermaphrodites, 4–5-mères, hétérostyles, souvent petites, en inflorescences ramifiées dont les unités ultimes sont habituellement des petits capitules; quelques espèces cependant ont des fleurs pédicellées; bractées petites. Calice à partie adnée souvent ovoïde ou oblongue, ± côtelée, à tube libre très court, et à lobes triangulaires ou linéaires. Boutons floraux souvent ailés. Corolle blanche, rose ou pourpre, parfois jaune à l'intérieur; tube cylindrique; lobes souvent ailés; nervation de la corolle parfois proéminente sur le sec. Disque cylindrique, distinct. Ovaire biloculaire; loges uni-ovulées; ovule basal, dressé; style à lobes stigmatiques linéaires. Fruit charnu, contenant 2 pyrènes pâles, hémisphériques ou plan-convexes, à surface ventrale sillonnée, munis souvent d'une crête dorsale indiquant la ligne de déhiscence. Graines concaves-convexes, à testa pâle; endosperme non ruminé.

Genre d'environ 40–50 espèces, la plupart d'Afrique tropicale et de Madagascar; quelques espèces de Chine, de l'Inde, de Birmanie, de Ceylan, de Malaisie, d'Indonésie et des îles Philippines. 9 espèces aux Mascareignes.

Le genre diffère de *Psychotria* par son port, ses boutons floraux souvent ailés, les axes de l'inflorescence souvent colorés et les pyrènes déhiscents.

1. Inflorescences lâches ou contractées mais allongées, non avec les pédoncules et les axes secondaires supprimés. **2**

— Inflorescences en capitules sessiles, c.à.d. tous les axes supprimés; stipules ovales à ovales-lancéolées, 0,6–4 × 0,85 cm; feuilles obovales. **9. C. capitata**

2. Fleurs nettement pédicellées; pédicelles longs de 0,4–2 cm; feuilles sèches à face supérieure lisse et unie; boutons floraux portant 5 apicules nets. (Maurice). **1. C. lanceolata**

— Fleurs sessiles ou presque, rarement apparemment stipitées par suppression des fleurs latérales des cymules ultimes. **3**

3. Stipules nettement plus grandes, 1,2–3 ×0,6–1,3 cm; feuilles opposées ou, si par 3, non coriaces. (Maurice). **2. C. grandifolia**
— Stipules moins grandes, longues de moins de 6 mm ou, si atteignant 1 cm de longueur, alors feuilles coriaces. **4**
4. Feuilles nettement coriaces. **3. C. coriacea**
— Feuilles moins coriaces ou papyracées. **5**
5. Feuilles étroitement elliptiques-lancéolées, à raphides très abondantes sur la face supérieure; pétiole long de 2–8 mm. (La Réunion). **4. C. bosseri**
— Feuilles de formes différentes, ou si semblables, alors à raphides moins visibles, sauf chez *C. corallioides*. **6**
6. Inflorescences contractées, formées de capitules solitaires ou parfois quelques capitules supplémentaires, latéraux, présents; pédoncule long de 0,5–1,5 cm; pétiole en général court, long de 0,5–1,7 cm; fruit et pyrènes grands, atteignant 1,1–1,4 cm de longueur. **7**
— Inflorescences lâches et d'ordinaire amples; pétiole long de 0,8–6 cm; fruit et pyrènes longs de 6–10 mm. **8**
7. Feuilles à limbe obovale-oblancéolé à obovale; noeuds des ramilles non nettement rapprochés. (La Réunion). **5. C. gaertneroides**
— Feuilles à limbe étroitement obovale-cunéiforme; entre-noeuds courts, égaux, longs de 0,5–1 cm. (Maurice). **6. C. petrinensis**
8. Feuilles à limbe étroitement elliptique, oblong-elliptique ou elliptique-lancéolé, souvent aigu au sommet, moins souvent arrondi, en général opposées, parfois par 3. (La Réunion). **7. C. corallioides**
— Feuilles à limbe habituellement largement elliptique-oblong à ovale-elliptique et courtement acuminé sur le sommet arrondi, le plus souvent par 3–4, plus rarement opposées. **8. C. boryana**

1. C. lanceolata (Poiret) A. Chev., Rev. Bot. Appliq. 23: 34 (1943). Type: Maurice, *Stadman* (P-LA, lecto.)
— *Mussaenda lanceolata* Poiret in Lam., Encycl. 4: 393 (1797)

Arbrisseau de 1,50–1,80 m de hauteur; ramilles cassantes, devenant noirâtres sur le sec, finement sillonnées longitudinalement; ramilles plus âgées à écorce brun grisâtre, mince, sillonnée. Feuilles opposées, à limbe elliptique, oblong ou légèrement obovale-elliptique à largement obovale, 4–10 (–15) ×1,7–4,7 (–7) cm, très courtement acuminé au sommet, cunéiforme à la base, luisant, glabre, papyracé ou cartacé, lisse et uni sur la face supérieure, à nervation non proéminente mais avec une micro-réticulation caractéristique; nervures latérales droites; pétiole long de 0,5–2 cm; stipules ovales, longues de 5 mm, obtuses, soudées en gaine, très caduques, atteignant 1,6 ×1,4 cm chez la subsp. *latifolia*. Inflorescences lâches, à axes blancs; éléments ultimes uniflores, les fleurs ainsi très nettement pédicellées, à pédicelles longs de 0,4–2 cm; pédoncules longs de 1,5–3 cm; bractées secondaires longues de 1–2 cm. Calice blanc, partie adnée longue de 1,5 mm; tube libre campanulé, long de 3 mm, tronqué ou divisé en dents étroites, nettes, longues de 0,5 mm. Corolle blanche; tube long de 1,5–1,7 cm, strié de pourpre à l'intérieur; lobes lancéolés, 5 ×1,5 mm, portant un appendice terminal apiculé bien visible dans le bouton. Style et lobes stigmatiques ensemble longs de 1,4 cm. Fruit subsphérique-ellipsoïde, d'environ 1 cm de diamètre; pyrènes plan-convexes, 7 ×5,2 ×1,7 mm, à crête dorsale présente à la base seulement, faible. Graines fortement concaves-convexes, 6,2 ×4,8 ×1–2 mm, profondément creusées sur la face ventrale.

Maurice. Endémique. Deux sous-espèces peuvent être distinguées.

— Feuilles à limbe elliptique-oblong à étroitement obovale-elliptique, atteignant 15 ×4,7 cm; stipules longues de 5 mm environ. subsp. **lanceolata**

— Feuilles à limbe largement obovale, atteignant 11×7 cm; stipules largement elliptiques, atteignant 1,6×1,4 cm. subsp. **latifolia**

subsp. **lanceolata**
— *C. divaricata* DC., Prodr. 4: 532 (1830). Type: Maurice, *Sieber*, Fl. Maurit. II, n° 271 (Herb. *Dunant*, holo. (?); E, K, isos. !)
— *C. fontanesii* DC., Prodr. 4: 531 (1830). Type: *Commerson* (G-DC, microfiche), *pro parte*, en ce qui concerne la plante du bas, de Maurice
— *Gaertnera incarnata* Bojer, H.M.: 217. Maurice: Quartier Militaire et Crève Cœur, *Bojer* (syntypes non trouvés), synonyme de *C. divaricata* selon A. DC. in DC. Prodr. 9: 35 (1845)
— *C. mooniae* Baker, F.M.S.: 155; R.E. Vaughan, Maur. Inst. Bull. 1: 44 (1937). Types: Maurice, *Bouton*, *Blackburn* (K, syns. !); illustration par Mme Moon, (syntype, Mauritius Institute)

Caractères donnés dans la clé.

Maurice. Cette sous-espèce a été encore trouvée en 1976 sur le sentier de Brise Fer, mais elle est probablement aujourd'hui très rare.

Sous le nom de *C. divaricata*, Baker plaçait par erreur du matériel de son propre *C. mooniae* et de *C. grandifolia*. La part *Sieber* 271 se trouvant à Paris est à rattacher à *C. boryana*, alors que la part in G-DC est le type de *C. stipulacea*.

subsp. **latifolia** Verdc., Kew Bull. 37: 527 (1983). Type: Maurice, Crown Land Cabinet, Ravine de Les Gorges, 1950, *Duljeet* in F.D. 108 (MAU, holo. !)

Caractères donnés dans la clé.

Le type est l'échantillon le plus récent. Auparavant, cette sous-espèce avait été récoltée à Crown Land Bagat près du Piton de la Rivière Noire, en 1941 et un échantillon non daté existe de Mare Longue.

2. C. grandifolia DC., Prodr. 4: 532 (1830); Baker, F.M.S. : 154; R.E. Vaughan, Maur. Inst. Bull. 1: 44 (1937) [*grandiflora*]. Type: Maurice, *Sieber*, Fl. Maurit. II, n° 55 (G, holo.; K, P, isos. !)
— *C. stipulacea* DC., Prodr. 4: 532 (1830). Type: Maurice, *Sieber*, Fl. Maurit. II, n° 271 (G-DC, holo.)
— *Gaertnera coerulea* Bojer, H.M.: 217. Type: Maurice, Rivière Noire. Placé en synonymie de *C. grandifolia* par A. DC. in DC., Prodr. 9: 35 (1845)
— *C. divaricata* auct. non DC.: Baker, F.M.S.: 154, *pro parte*; R.E. Vaughan, Maur. Inst. Bull. 1: 44 (1937)

Arbrisseau ou arbuste de sous-bois; parties jeunes devenant noirâtres en séchant, parties âgées à écorce brun grisâtre, sillonnée. Feuilles opposées ou en verticilles de 3, à limbe largement elliptique ou obovale-elliptique, 6,5–18×2,6–5,5 cm, courtement acuminé au sommet, cunéiforme à étroitement atténué à la base, papyracé, glabre, la surface inférieure à raphides serrées; pétiole long de 1–3 cm; stipules étroitement ovales-oblongues, 1,2–3×0,6–1,3 cm, aiguës, pubescentes sur la face interne, imbriquées à la base, tôt caduques ou se brisant au sommet. Fleurs sessiles, en inflorescences lâches, en général amples, glabres; pédoncules blancs ou rougeâtres, longs de 2–4 cm; rameaux primaires longs de 1,5–5 cm; faux pédicelles longs de 2 mm. Calice à partie adnée longue de 1–1,5 mm; tube libre long de 1,5 mm, subtronqué ou courtement denté. Corolle bleue ou rose à l'extérieur, pourpre à l'intérieur, à tube long de 1,8–2,1 cm; lobes triangulaires, 2×1,5 mm. Style et lobes stigmatiques longs, ensemble, de 8 mm environ dans les fleurs brévistyles. Fruit noirâtre, allongé-ellipsoïde ou étroitement oblong, 8–14×5–6 mm, tétragone sur le sec; pyrènes de même forme, 7–11×4 mm, carénés sur le dos.

Maurice. Endémique. Espèce rare dont la dernière récolte (*F. H. Adam* in MAU 11660) date de 1965. Très variable par la vigueur et par la taille des feuilles. Mt du Pouce; Moka; Curepipe; Nouvelle Découverte; Plaine Champagne; Mt Cocotte; Piton de la Rivière Noire (1941); Macabé (1940).

3. C. coriacea Verdc., Kew Bull. 37: 527 (1983). Type: Maurice, près de Grand Bassin, *Barclay* 1183 (K, holo.)

Petit arbrisseau de 1–2,50 m de hauteur, à ramilles jeunes assez épaisses, finement muriquées de petites pointes denses, mais sans poils, légèrement sillonnées; ramilles plus âgées à écorce grise, sillonnée. Feuilles opposées, à limbe largement elliptique, 3,5–10 (–13) × 2,5–6,8 cm, très courtement acuminé au sommet, largement cunéiforme à la base, glabre, nettement coriace, à marges révolutées, vert jaunâtre ou vert gris jaunâtre et luisant sur le sec; nervation proéminente sur les deux faces, les nervures latérales fortement arquées; pétiole long de 1–1,5 (–2,7) cm; stipules largement ovales-triangulaires, 1,3 × 0,9 cm, imbriquées. Inflorescences lâches, à axes blancs à roses ou rouges; pédoncules longs de 3 cm; rameaux primaires longs de 1,5–2 cm; vrais pédicelles nuls ou atteignant 2 mm de longueur. Calice à partie adnée longue de 1–1,2 mm; tube libre long de 1–2 mm, à dents longues de 0,4–0,8 mm. Corolle rose; tube long de 1,2–1,4 cm; lobes 4–5, oblongs-elliptiques, 2,5 × 1,5 mm, obtus, portant un appendice apical interne; dans les fleurs brévistyles, style long de 3,8 mm, à lobes stigmatiques de 1,5 mm, seul le sommet de l'anthère est exsert; dans les fleurs longistyles, style long de 10 mm, lobes stigmatiques de 3 mm, sommet des anthères situé à 1 mm au-dessous du sommet du tube. Fruit rouge sombre, étroitement ovoïde, (6,5–) 9–11 × 6–7 mm, sur le sec nettement cannelé entre les pyrènes et latéralement muni d'ailes basales bien développées, surmonté par le tube calicinal très court; pyrènes foncés, semi-ovoïdes, 10 × 6 × 3 mm environ, émarginés au sommet, à rainure médiane peu profonde sur la face ventrale, à carène vive sur le dos, ailés à la base. Graines de même forme, fortement concaves-convexes, 7,5 × 4,5 × 2 mm, fortement carénées sur le dos, à excavation importante du côté ventral. (Pl. 3).

Maurice. Endémique. *C. coriacea* a généralement été confondu avec *C. boryana*, espèce totalement différente, à feuilles de texture mince, généralement en verticilles de 3–4, à nervation moins proéminente et à marges non révolutées. Deux variétés peuvent être distinguées.

var. **coriacea.** Feuilles très coriaces, courtement acuminées, à marges nettement révolutées.

Plante des forêts indigènes et des fourrés éricoïdes entre 600 et 800 m d'altitude. Toutes les récoltes récentes viennent de Pétrin (1970–81). Des récoltes plus anciennes viennent de Grand Bassin, Bassin Blanc et Plaine Champagne.

var. **johnstonii** Verdc., Kew Bull. 37: 529 (1983). Type: Maurice, Curepipe, *Johnston* (E, holo.!)

Feuilles moins coriaces, plus longuement acuminées, plutôt plus étroites, à marges moins nettement révolutées.

Cette variété n'est connue que par le type et une récolte faite en 1978 dans la réserve de Perrier, à ± 550 m d'altitude, près de la Mare aux Vacoas, dans un type de forêt humide de moyenne altitude, à *Sideroxylon* dominant.

4. C. bosseri Verdc., Kew Bull. 38: 316 (1983). Type: La Réunion, Hauts de Ste Rose, 18.4.1978, *Bosser* 22518 (P, holo.!)

Arbrisseau atteignant 1,50 m de hauteur; jeunes ramilles et feuilles bourrées de raphides qui sont très facilement visibles, surtout sur la face supérieure des feuilles; ramilles âgées à écorce gris brun, sillonnée. Feuilles à limbe étroitement elliptique-lancéolé, 4,5–8 × 0,7–1,7 cm, graduellement acuminé au sommet, étroitement cunéiforme à la base, glabre; pétiole long de 2–8 mm, mal défini à cause de la décurrence du limbe; stipules ovales, longues d'environ 3,5 mm, persistantes, devenant gris brun et liégeuses. Une seule petite inflorescence connue dont les corolles sont déjà tombées; pédoncule long de 5 mm; rameaux primaires longs de 3 mm; pédicelles nuls; bractées triangulaires, longues de 2–3 mm. Calice à partie adnée longue de 1,5 mm; tube libre long de 1,5 mm, à dents triangulaires, acuminées, longues de 0,5 mm. Corolle blanche, charnue, à tube long de 2 cm, rétréci, large de 1,3 mm à la base, large d'environ 6 mm

Pl. 3 — Chassalia coriacea: 1, rameau fleuri × 2/3; **2,** rameau en fruits × 2/3; **3,** coupe transversale d'un fruit × 2/3. **(1–3,** *Coode* 3946).

à la gorge; lobes oblongs-lancéolés, 6,5×2,2 mm. Sommet des anthères situé juste au-dessous de la gorge. Style long de 1,2–1,3 cm, à lobes stigmatiques de 2 mm.

La Réunion. Endémique. Connue par une seule récolte venant de la forêt humide des hauts de Ste Rose, alt. 500–600 m.

5. C. gaertneroides (Cordem.) Verdc., Kew Bull. 37: 530 (1983). Type: La Réunion, *Cordemoy*, non trouvé
— *Psychotria gaertneroides* Cordem., F.R.: 512
— *P. congesta* Cordem., F.R.: 512. Type: La Réunion, *Cordemoy*, non trouvé
— *P. cordemoyii* Deb et Gangopadhyay, Taxon 31: 546 (1982), *nom. nov. pro. P. congesta* Cordem., non Sprengel ex DC. (1830), nec Hooker (1880)

Arbrisseau ou arbuste haut de 0,90-4 m, à tige atteignant 3 cm de diamètre à la base; ramilles jeunes noires sur le sec, finement sillonnées, luisantes et glabres sur le vif ou les entre-noeuds les plus jeunes portant un indument ferrugineux; ramilles âgées à écorce gris brun, liégeuse, nettement côtelées. Feuilles souvent vert jaunâtre sur le sec, opposées; limbe obovale-oblancéolé à obovale, très nettement plus large dans le tiers supérieur, 1,5–12,5×0,5–4,5 cm, très courtement acuminé ou obtus au sommet, étroitement cunéiforme à la base, papyracé, mince ou ± épais, glabre à écailleux-pubescent ou portant des poils plus longs ferrugineux pâle; pétiole long de 0,5–0,7 (–2) cm; stipules ovales, longues d'environ 5 mm, acuminées, se fendant souvent, subpersistantes, les jeunes souvent pubescentes. Fleurs très odorantes, en inflorescences contractées, formées d'un seul groupe ou parfois à 2 groupes latéraux supplémentaires; pédoncules longs de 0,5–1,5 cm; rameaux primaires longs de 5–7 mm; pédicelles nuls ou longs de 0,5 mm au plus; toutes les parties de l'axe glabres, finement muriquées ou pubescentes. Calice à partie adnée longue de 1,5 mm; tube libre long de 1,3–2,5 mm dont les lobes étroitement deltoïdes, longs de 0,8–1,5 mm. Corolle blanche, blanc jaunâtre ou teintée de bleu ou de rose; tube long de 1,1–2 cm; lobes de 5–6,5×2 mm, légèrement renflés et cucullés au sommet, obtus. Disque bien distinct, hémisphérique, haut de 1 mm. Sommet des anthères juste exsert. Style long de 8–10 mm, à lobes stigmatiques longs de 2 mm. Fruit étroitement ovoïde, sur le sec cannelé entre les pyrènes, muni de carènes latérales à la base, 13–14×6,5 mm, surmonté par le tube du calice très court; pyrènes allongés, trigones, 12×5×3 mm, sillonnés sur la face ventrale, carénés sur le dos. Graines oblongues, un peu plus étroites vers le sommet, 9×4×2 mm, sillonnées sur la face ventrale, carénées sur le dos.

Noms vernaculaires: Bois de lousteau, Bois de merle, Gros bois cassant bleu.

La Réunion. Endémique. Espèce commune et largement répandue dans le sous-bois des forêts humides entre 1100 et 2000 m d'altitude. Des spécimens récents viennent de : Bébour, bassin supérieur de la Rivière des Marsouins; Takamaka; Hauts-de la Petite France; Hauts du Brûlé et Plaine d'Affouches; Plaine des Chicots; Route du Maïdo; Cirque de Mafate, sentier des scouts à Aurère; Hauts du Grand Tampon.

Quelques échantillons de Bébour (*Friedmann* 3326, 3327, 3337) et du sentier de Takamaka – Bébour, sont proches de *C. gaertneroides* mais ont des feuilles plus acuminées et des inflorescences avec davantage de fleurs; ils ressemblent à *C. corallioides*. Il se peut que se soient des hybrides. Friedmann a fait des commentaires sur les différences entre ses spécimens et le vrai *C. corallioides*, remarquant que les fleurs sont plus grandes et d'un bleu intense. Ces plantes sont des arbrisseaux de 1–4 m de hauteur; le tube de la corolle atteignant 2 cm de longueur et les feuilles 13×4 cm. D'autres spécimens aussi indiquent la possibilité d'introgression entre les deux espèces. *Cadet* 3817, Vallée du Bras des Lianes, Hauts de Bras Panon, a des fruits conformes à *C. gaertneroides* mais des pétioles atteignant 2 cm de longueur et des inflorescences plus lâches.

6. C. petrinensis Verdc., Kew Bull. 37: 530 (1983). Type: Maurice, Pétrin, *Vaughan* in MAU 13616 (K, holo.!; MAU, iso.!)

Petit arbrisseau de 1,50 m de hauteur; noeuds, au moins des ramilles jeunes, très rapprochés; entre-noeuds uniformément longs de 0,5–1 cm, assez robustes, glabres, à écorce grise, plutôt luisante, côtelée. Feuilles opposées, subsessiles, vert jaunâtre sur le sec; limbe étroitement obovale-cunéiforme à obovale, 3–6×1–3 cm,

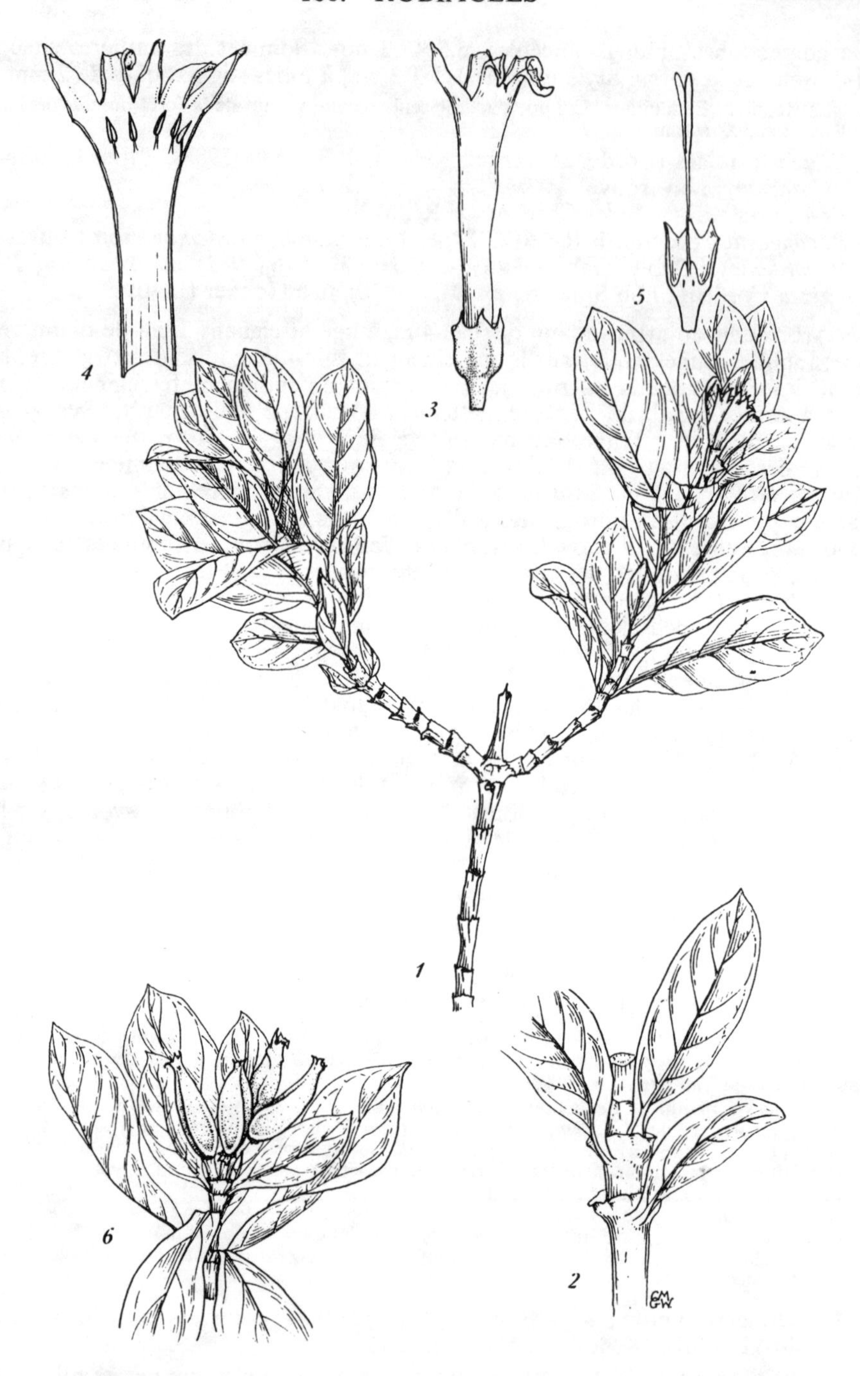

Pl. 4 — **Chassalia petrinensis: 1,** rameau fleuri × 2/3; **2,** stipules × 2; **3,** fleur × 2; **4,** corolle étalée × 2; **5,** coupe longitudinale du gynécée × 2; **6,** rameau en fruits × 2/3. (**1–5,** *Lorence* 1543; **6,** *Vaughan* in MAU 13616).

brusquement et étroitement acuminé, coriace mais mince, glabre; nervation, comme les marges ± révolutées, devenant jaune en séchant; stipules ovales, longues de 5 mm, à pubescence dense sur la face interne, se cassant et devenant liégeuses, parties basales persistantes rendant les rameaux rudes. Inflorescences contractées, trichotomiques, sessiles; rameaux primaires longs de 5 mm. Calice obconique; partie adnée longue de 1,5 mm; tube libre long de 3–3,5 mm, portant des lobes triangulaires, longs de 1–1,5 mm. Corolle jaune verdâtre pâle, cireuse; tube long d'environ 2 cm; lobes oblongs-lancéolés, 6×2 mm. Anthères étroites, longues de 2 mm, incluses. Style long d'environ 1 cm, à lobes stigmatiques plats, longs de 4 mm, inclus. Fruit bleu vert foncé à pourpre noir, sessile, oblong-ellipsoïde, 11×7,5 mm, sur le sec nettement anguleux sur les côtés à presque ailé et cannelé entre les pyrènes, surmonté par le tube du calice vert, long de 4 mm y compris les dents deltoïdes, longues de 2 mm; pyrènes de contour oblong, 10×6 mm, nettement trigones, déhiscents le long de la carène vive, dorsale; excavation ventrale profonde, à marges rugueuses. Graines concaves-convexes, 8,5×4 mm, carénées sur le dos. (Pl. 4).

Maurice. Endémique. Espèce croissant dans des fourrés arbustifs, en stations ± marécageuses. Connue par cinq récoltes, toutes récentes, 3 d'entre elles de Pétrin, deux de Plaine Champagne.

7. C. corallioides (Cordem.) Verdc., Kew Bull. 37: 532 (1883). Type: La Réunion, forêts humides, " passim ", *Cordemoy* (MARS, lecto.!)
— *Psychotria corallioides* Cordem., F.R.: 510
— *P. boryana* (DC.) Cordem., F.R.: 511, pour ce qui est de l'échantillon

Arbrisseau ou arbuste de 1,20–5 m de hauteur; ramilles jeunes luisantes, vert foncé, devenant noires en séchant, lisses, glabres; ramilles âgées gris brun, côtelées, glabres sauf juste au-dessus des cicatrices des stipules; écorce sèche sensée sentir l'essence de wintergreen. Feuilles opposées ou par 3 (–4), très nettement pétiolées; limbe elliptique, oblong-elliptique ou elliptique-lancéolé, (5–) 10–20 (–25)×1,5–7 (–8) cm, brusquement à étroitement acuminé vers le sommet, le vrai sommet habituellement aigu mais parfois arrondi, largement à étroitement cunéiforme à la base, glabre, mince, des raphides denses parfois très facilement visibles sur la face supérieure; pétiole long de 0,8–6 cm; stipules largement ovales, longues de 2,5–5 mm, soudées à la base en gaine courte, pubescentes sur la face interne, tôt caduques. Inflorescences lâches, rameuses, à axes blancs, roses ou rouges; pédoncules longs de 2,5–3,5 cm; rameaux primaires longs de 2,5–5,5 cm; pédicelles vrais nuls mais faux pédicelles atteignant 9 mm de longueur dans les cas où les unités ultimes sont uniflores. Calice rougeâtre, oblong, à partie adnée longue de 1 mm; tube libre long de 0,6 mm, tronqué, sinueux, ou courtement lobé ou denté. Tube de la corolle blanc, souvent teinté de lilas au sommet, long de 1–1,2 (–1,5) cm; lobes oblongs-deltoïdes, de 2,5–4×1,2 mm environ. Hétérostylie très limitée. Anthères soit juste exsertes, soit incluses avec leur sommet à 2–2,5 mm au dessous de la gorge. Style et lobes stigmatiques longs de 1,2–1,5 cm. Fruit cramoisi, étroitement ovoïde, 6–10×4,5–5,5 (–7) mm; pyrènes de couleur paille, semiovoïdes-fusiformes, échancrés au sommet, fortement carénés sur le dos à la base. Graines pâles, 6,5×2,5 mm environ.

Noms vernaculaires: Bois de corail, Bois de lousteau corail, Bois de lousteau.

La Réunion. Endémique. Espèce encore largement répandue dans les forêts humides et dans les ravines, entre 700–1400 m d'altitude, assez commune dans plusieurs endroits: du Brûlé à la Roche Écrite, Plaine des Chicots(sentier de la Roche Écrite); Hauts de la Petite France (St Paul); Rivière des Galets à Dos d'Ane; Rempart de Grand Bassin; St Philippe, Basse Vallée; Rivière des Marsouins, Bébour; Montagne St Denis; Morne des Patates à Durand; Hauts de Ste Marie.

Voir la note sous *C. gaertneroides*. Dans l'herbier de Cordemoy il y a un échantillon sans localité, à fruits allongés-coniques, 11×5 mm et à corolles longues de 1,8 cm.

8. C. boryana DC., Prodr. 4: 532 (1830); Baker, F.M.S.: 154; R.E. Vaughan, Maur. Inst. Bull. 1: 43 (1937). Type: Maurice, *Sieber*, Fl. Maurit. II, n° 273 [253 in DC.] (G, syn.; K, P, isosyn.!); *Bory* (G, syn.)

— *Gaertnera cymiflora* Bojer, H.M.: 218; synonyme de *C. boryana* selon A. DC., Prodr. 9: 35 (1845)
— *Psychotria boryana* (DC.) Cordem., F.R.: 511, pour ce qui est du nom

Arbrisseau de 1,80–2,50 m de hauteur; ramilles jeunes glabres, noires sur le sec; écorce des ramilles âgées gris brun, cannelée. Feuilles par 3–4, moins souvent opposées; limbe largement elliptique-oblong à ovale-elliptique ou occasionnellement étroitement elliptique, 3–15 × 1,5–9 cm, courtement acuminé au sommet, largement cunéiforme à la base, luisant sur la face supérieure; pétiole long de 1–4,5 cm; stipules ovales, longues de 6 mm, soudées en gaine. Inflorescences lâches et amples; pédoncules et rameaux primaires blancs, longs de 2,5–3,5 cm; vrai pédicelle habituellement nul mais faux pédicelle long de 1,5–5 mm quand les unités ultimes sont réduites à 1 seule fleur. Calice à partie adnée longue de 1,2 mm; tube libre long de 0,5–1 mm, à dents minuscules. Corolle blanche à l'extérieur, mauve bleuâtre à l'intérieur, à nervation proéminente sur le sec; tube long de 10 mm, mauve bleuâtre foncé à la gorge; lobes triangulaires, 2 × 1,5 mm. Fruit noir, ellipsoïde-subsphérique, 6 × 5–6 mm, cannelé entre les pyrènes, caréné sur le sec à la base de chaque côté, non surmonté du tube calicinal; pyrènes hémiellipsoïdes-subsphériques, 5,5 × 5 × 2,5 mm, carénés à la base du dos, côté ventral rugueux autour des fovéoles.

Nom vernaculaire: Bois corail.

Maurice. Endémique. Espèce devenue rare. Il existe deux récoltes ± récentes : de Mt Chamarel en 1965 et d'entre Mt La Porte et Piton du Fouge en 1975.

Deux spécimens à grandes feuilles viennent de la Rivière de St Denis à La Réunion, région connue pour le grand nombre d'espèces naturalisées; ils ont été récoltés par Rivals et Fournier, tous deux en janv. 1945. L'espèce, presque certainement, n'est pas indigène à La Réunion. Un échantillon, *Bréon* 345, censé être de La Réunion est peut-être mal étiqueté ou représente une introduction antérieure. Il est possible que cette espèce se soit hybridée avec *C. corallioides*, car des spécimens ± intermédiaires viennent des environs de St Denis. Un échantillon en boutons, de Commerson, a des feuilles opposées, oblongues-elliptiques, obtuses ou courtement acuminées, atteignant 9,5 × 5,5 cm, à pétiole distinct, long de 2–3 cm et des stipules courtes. Les inflorescences sont lâches mais à fleurs ± sessiles. C'est peut-être une forme de *C. boryana*, mais les fleurs plus grandes, les inflorescences plus lâches et les feuilles opposées peuvent faire penser qu'il représente un taxon distinct. Aucun échantillon semblable n'a été vu,

9. C. capitata DC., Prodr. 4: 531 (1830); Baker, F.M.S.: 154; R.E. Vaughan, Maur. Inst. Bull. 1: 44 (1937). Type: Maurice, *Sieber*, Fl. Maurit. II, n° 56 (holo. ?, non sur la microfiche de G–DC; E, K, P, isos.!)
— *C. borbonica* A. Rich., Mém. Fam. Rubiac.: 87, t. 6, fig. 1 (1830); Mém. Soc. Hist. Nat. Paris 5: 167, t. 6, fig. 1 (1834); Bojer, H.M.: 173. Décrit de La Réunion
— *Gaertnera capitata* Bojer, H.M.: 216; A. DC. in DC., Prodr. 9: 33 (1845). Type: Maurice, Mt du Pouce, *Bojer* (holo. ?; E, K, isos.!)
— *Coffea capitata* (DC.) D. Dietr., Syn. Pl. 1: 777 (1839)

Arbrisseau; rameaux à écorce liégeuse, mince, gris chamois, longitudinalement ridée, glabre. Feuilles en 2–3 paires opposées, groupées au sommet des ramilles, à limbe obovale, (2–) 8–11,5 × (1–) 4,5–6,5 cm, brusquement acuminé au sommet, se rétrécissant du milieu ou d'au-dessus du milieu vers la base cunéiforme, mince à papyracé, glabre; pétiole long de 1–2 cm; stipules ovales à ovales-lancéolées, 6–40 × 8,5 mm, acuminées à longuement caudées au sommet, à marges hyalines, caduques, formant un involucre protecteur recouvrant les jeunes inflorescences. Inflorescences capituliformes, sessiles, à fleurs sessiles; bractées et bractéoles, entre les fleurs, lancéolées, longues de 6–7 mm. Fleurs odorantes. Calice à partie adnée longue de 1–1,5 mm; tube libre long de 2,8 mm; lobes bien développés, étroitement deltoïdes, longs de 3–3,5 mm. Corolle blanc cireux, à tube long de 1,5–2 mm; lobes oblongs-deltoïdes, 7 × 3,5 mm, à raphides bien distinctes. Anthères ± pourpres, à moitié exsertes. Style long de 6 mm, à lobes stigmatiques longs de 3 mm. Fruit ellipsoïde, 9–13 × 5,5–6 mm, anguleux, surmonté par le tube accrescent du calice long de 6–7 mm; pyrènes allongés, atteignant 11 × 4,5 × 3 mm, de section triangulaire, émarginés au sommet, avec une forte carène sur le dos, surtout vers la base, portant une fissure médiane du côté ventral. Graines brunes, oblongues, 5–8 × 2,5–3 × 1,5 mm, légèrement élargies et émarginées au sommet, excavées du côté ventral, à deux carènes latérales; carène dorsale forte.

Maurice. Endémique? Sa présence à La Réunion est douteuse bien que *C. borbonica* ait été décrit de cette île. Il n'y a pas de récolte récente et 2 spécimens sont seulement connus, l'un de l'herbier *Richard* libellé " *Chazallia commersoniana* Nobis ", l'autre de l'herbier de l'Exposition coloniale, Ministère de la Marine, sans localité. Il est possible qu'ils aient été récoltés au Jardin Botanique de l'État, à St Denis, où la plante avait peut-être été introduite.

A Maurice l'espèce est rare. La seule récolte récente vient de la crête du Mt Savanne. D'autres récoltes sont de Grand Bassin (MAU 762 et 763). Sur un autre échantillon (MAU 2732), Bouton indiquait qu'elle existait à " Grand Bassin, Savanne, Nouvelle Découverte et le Pouce ".

Espèce Exclue

C. clusiifolia DC., Prodr. 4: 532 (1830). Type: Maurice, *Sieber*, Fl. Maurit. II. n° 89 (G, holo.; HAL, M, P, isos.) = **Ochrosia borbonica** J.F. Gmelin, Syst. Nat. ed. 13, 2: 439 (1791) (Apocynacées).

GAERTNEREAE

4. GAERTNERA Lam., *nom. cons.*

Illust. 2 : 273 (1792)

Verdc., Kew Bull. 37: 533–542 (1983)

Arbres ou arbrisseaux. Feuilles opposées, souvent plutôt coriaces, généralement à pétiole distinct; stipules interpétiolaires, soudées en gaine, foliacées, tronquées ou portant 4-nombreuses soies. Inflorescences terminales, multiflores, ± capituliformes à lâchement paniculées; bractées et bractéoles présentes, les dernières souvent adnées au calice. Fleurs habituellement odorantes, souvent (pas toujours?) hétérostyles, mais jamais avec les anthères nettement exsertes. Calice presque entièrement libre de l'ovaire, sphérique, obovoïde, ovoïde, ou campanulé, ± tronqué ou 5-lobé. Corolle en entonnoir ou hypocratériforme; tube habituellement allongé et cylindrique mais parfois plus court que le limbe; lobes 5, valvaires. Étamines à anthères linéaires, ± incluses ou exsertes. Ovaire supère, biloculaire; loges uni-ovulées; ovule dressé; style filiforme, parfois épaissi et pubérulent, oblong, ellipsoïde ou fusiforme, lisse ou côtelé, indéhiscent, ± charnu; pyrènes et graines de formes semblables, sphériques à fusiformes; embryon petit, dressé; albumen abondant.

Genre de 40–50 espèces d'Afrique tropicale, de Madagascar, du S.E. asiatique et une espèce d'Australie. Aux Mascareignes 14 espèces endémiques dont plusieurs sont éteintes ou si mal connues qu'il est impossible de faire des descriptions complètes.

Les " Planches relatives au genre *Gaertnera* " de Bojer, portent en note: " Extr. des Nouv. Mémoires de la Soc. helvétique des Sc. Nat., vol. 8, Neuchâtel (1847)". Mais elles ne sont parues que dans le vol. 10 (1849), alors que le texte qui leur correspond fut publié séparément à la fin de 1847.

1. Feuilles grandes, atteignant 42 × 11,5 cm, elliptiques à oblancéolées; fruit grand, 2,3–2,8 × 1,2–1,6 cm, ailé ou côtelé sur le sec, lisse et subsphérique sur le frais; tube libre du calice à peine développé. **12. G. longifolia**
— Feuilles plus petites ou, si atteignant 25 × 10 cm, alors tube libre du calice nettement développé et recourbé. **2**
2. Bractéoles insérées au-dessous de la base du calice dont le tube est bien développé et généralement crénelé. **3**
— Bractéoles insérées sur le calice dont le tube est peu développé, tronqué ou denté, dressé et non étalé. **4**
3. Feuilles et inflorescences glabres; tube du calice en entonnoir, atteignant 1–1,5 cm de longueur. (Maurice, probablement éteint). **14. G. calycina**
— Feuilles et inflorescences pubescentes; tube du calice long de 5–7 mm dans la fleur, horizontalement évasé. (Maurice). **13. G. sp. A**

4. Tube du calice tronqué ou très légèrement lobé. **5**
— Tube du calice nettement denté ou lobé, ou si subtronqué, alors feuilles obtuses et gaine stipulaire portant 2 soies de chaque côté (surtout certaines formes de *G. psychotrioides*). **6**
5. Inflorescences lâches et rameuses; feuilles nettement acuminées; gaine stipulaire portant de chaque côté 2 soies courtes; pétiole long de 2 cm environ. (Maurice). **5. G. truncata**
— Inflorescences plutôt contractées; feuilles obtuses ou moins acuminées; gaine stipulaire portant de chaque côté 2 soies plus longues et plusieurs soies plus courtes; pétiole long de moins de 1 cm. (Maurice). **6. G. edentata**
6. Corolle nettement veloutée. **7**
— Corolle glabre, subglabre ou au plus finement pubérulente. **8**
7. Feuilles brusquement acuminées; gaine stipulaire à 2 soies plus longues et jusqu'à 4 soies plus courtes de chaque côté; bractées bien développées. (Maurice). **2. G. hirtiflora**
— Feuilles peu nettement acuminées ou arrondies; gaine stipulaire portant 2 soies de chaque côté. (Maurice). **3. G. psychotrioides**
8. Gaine stipulaire foliacée, entière ou bifide au sommet; inflorescences contractées. **9**
— Gaine stipulaire ± tronquée, portant 2–6 soies de chaque côté. **12**
9. Feuilles plutôt minces, ± aiguës au sommet, à nervation tertiaire pas du tout proéminente sur la face supérieure; calice à dents triangulaires-lancéolées; inflorescences capitées ou ramifiées et plus lâches; tube de la corolle long de 2–2,5 cm. (Maurice, probablement éteint). **9. G. crassiflora**
— Feuilles plutôt coriaces, à nervation tertiaire proéminente sur les 2 faces. **10**
10. Feuilles oblongues-elliptiques, atteignant 12×6 cm, nettement acuminées; pédoncules bien développés; inflorescences plus lâches; calice à dents triangulaires-lancéolées; fruit allongé-oblong, 2–2,5×1 cm; graines de même forme, environ 1,5×0,5 cm. (Maurice). **8. G. pendula**
— Feuilles cunéiformes à elliptiques à oblongues, généralement ne dépassant pas 7,5×4,5 cm, mais chez quelques formes de *G. rotundifolia* atteignant 12×5,5 cm, arrondies ou rétrécies vers le sommet arrondi; inflorescences capitées; calice à lobes ovales à largement triangulaires; fruit ellipsoïde à oblong-ellipsoïde, de 1,5×0,8 cm environ. **11**
11. Feuilles cunéiformes; bractées de l'inflorescence pour la plupart longues de 1–1,5 cm, apprimées, ± involucrées; bractéoles linéaires-oblongues, longues de 10 mm. (Maurice). **10. G. cuneifolia**
— Feuilles elliptiques ou ± rondes; bractées et bractéoles plus petites. (Maurice). **11. G. rotundifolia**
12. Gaine stipulaire tronquée, portant de chaque côté environ 6 soies très bien développées; feuilles très acuminées. (La Réunion). **1. G. vaginata**
— Gaine stipulaire tronquée, à 2 soies principales de chaque côté, les autres absentes ou très réduites. **13**
13. Feuilles petites, 2–5×1,1–3,4 cm, très courtement acuminées; nervation proéminente et réticulée sur la face inférieure, à nervures latérales très arquées; bouton floral 5-cornu au sommet; inflorescences contractées, larges de 2 cm environ. (Maurice). **7. G. petrinensis**
— Feuilles en général plus grandes et boutons floraux non cornus; inflorescences plus lâches. **14**

14. Feuilles obtuses ou rétrécies vers le sommet arrondi; calice long de 2–3 mm, légèrement denté à subtronqué; bractées peu visibles; inflorescences en général lâches; tube de la corolle étroit, atteignant 1,6 cm de longueur. **3. G. psychotrioides**

— Feuilles pour la plupart nettement acuminées; calice souvent long de 5–6 mm, à lobes largement triangulaires; bractées bien développées, lancéolées ou oblongues; inflorescences à unités ultimes plutôt contractées; tube de la corolle large de 3 mm; fleurs épanouies non vues. (Maurice). **4. G. quadriseta**

1. G. vaginata Poiret, Encycl. Suppl. 5 : 686 (1817); et Illust. 2 : 273 (1819); Lam., Illust. 1, t. 167 (1792), sans nom spécifique; A. DC. in DC., Prodr. 9 : 33 (1845); Baker, F.M.S. : 231; Heckel, Naturaliste sér. 2, 12, nº 73 : 89–91 (1890); Heckel et Schlagdenhauffen, Répert. Pharm. : 1–14 (avr.-mai 1890); R.E. Vaughan, Maur. Inst. Bull. 1 : 45 (1937). Type : La Réunion, *Commerson* [Maurice par erreur] (FI, holo.; G, P !, P-LA !, isos.)

— *Mussaenda borbonica* Lapeyrère, Bull. Soc. Nat. Acclimat. France, sér. 4, 5 : 285–300 (1888); Rev. Agric. Maurice, Réunion et Madag. 2 : 85 (1888), non vu. Décrit à partir d'une plante croissant au Petit Brûlé de St Denis, La Réunion, à 600 m d'altitude

— *G. laxiflora* Cordem., F.R. : 470. Type : La Réunion, Plaine des Cafres, Grand Tampon, *Cordemoy* (MARS, holo. !)

— *G. godefroyana* Cordem., F.R. : 469. Type : La Réunion, Petite Plaine des Palmistes, près de la Grande Montée, propriété Godefroy, *Cordemoy* (MARS, syns. !)

Arbrisseau ou petit arbre de 1–7 m de hauteur; tronc atteignant 10 cm de diamètre; rameaux glabres, à écorce liégeuse, sillonnée. Feuilles à limbe obovale à obovale-oblancéolé ou étroitement oblong-elliptique, 2,5–15,5 × 1–5 cm, acuminé au sommet, cunéiforme à la base, coriace, très discolore et à nervure médiane blanche ou rouge brunâtre sur le vif, luisant sur la face supérieure, souvent glauque blanchâtre dessous; domaties présentes; pétiole long de 0,5–2,3 cm; gaine stipulaire cylindrique, longue de 0,3–1 cm, tronquée, portant de chaque côté environ 6 soies souvent bien développées, longues de 0,1–1 cm. Fleurs odorantes, hétérostyles, en inflorescences ramifiées mais contractées ou denses, larges de 2,5–5 cm; axes glabres ou rarement finement pubescents; pédoncules longs de 1,5–6 cm; rameaux primaires longs de 3–5 mm; pédicelles longs de 0–3 mm; bractées foliacées, linéaires-oblongues à lancéolées, 10–20 × 3–5 mm; bractéoles de 4–7 × 2 mm. Calice (avec les lobes) long de 4–6 mm; lobes oblongs-ovales à deltoïdes, longs de 2–3 mm. Corolle blanche, charnue; tube long de 1,5–2,2 cm; lobes de 0,7–1,1 × 0,3–0,4 cm. Anthères à moitié exsertes chez les fleurs brévistyles. Style long d'environ 8 mm ou de ± 2 cm chez les fleurs longistyles; lobes stigmatiques longs de 2–3,5 mm. Fruit violet noirâtre, largement ellipsoïde à subsphérique, 1–1,8 × 0,7–1,5 cm.

Noms vernaculaires: Bois café, Lousteau ou Losto café, Bois fleur d'oranger, Bois de cochon, Bois de merle, Mussaenda. Selon Lapeyrère aussi: Bois d'aoste, Gros lingue, Mangé-merle, Mangé-cochon et Oranger sauvage.

La Réunion. Endémique. Espèce très commune et largement répandue dans les forêts humides entre 200 et 1500 m d'altitude.

2. G. hirtiflora Verdc., Kew Bull. 37 : 535 (1983). Type : Maurice, Macabé, 28 août 1980, *Puff* 80.0825–1/10 (WU, holo. !; K, iso.!)

— *G. psychotrioides* auct. non Baker : R.E. Vaughan, Maur. Inst. Bull. 1 : 45 (1937), *pro parte*

Petit arbre de 5–7,50 m de hauteur; tronc d'environ 15 cm de diamètre à la base; écorce rougeâtre; ramilles portant une pubescence lâche, rase, tôt glabres. Feuilles à limbe elliptique, 4–11 × 1,5–4,5 cm, brusquement acuminé au sommet, cunéiforme

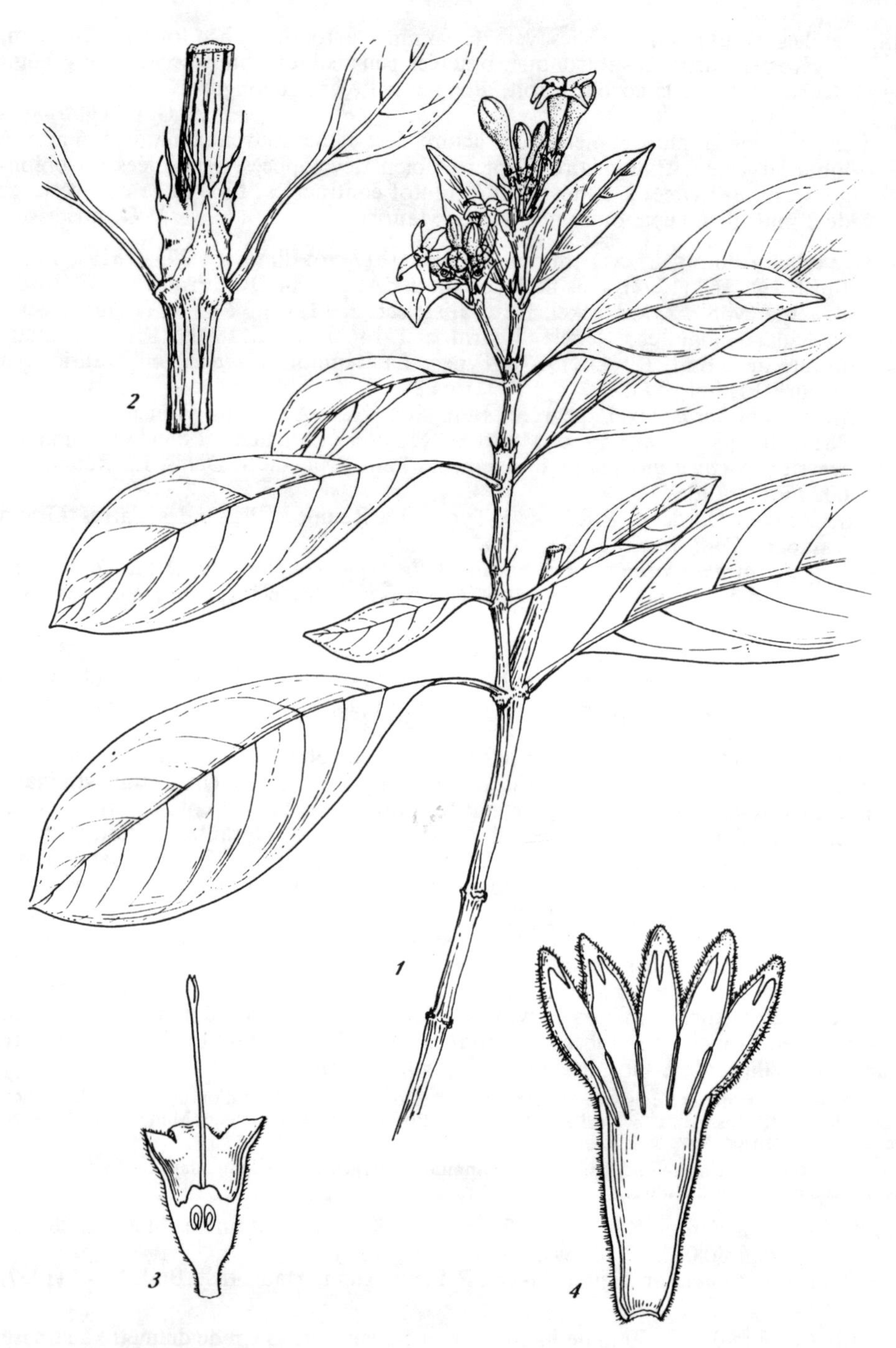

Pl. 5 — **Gaertnera hirtiflora: 1,** rameau fleuri × 2/3; **2,** stipules × 2; **3,** coupe longitudinale du gynécée × 2; **4,** corolle étalée × 3. (*Puff* 80.0825).

à la base, glabre; pétiole long de 2–10 mm; gaine stipulaire cylindrique, atteignant 1,2 cm de longueur, d'abord à pubescence courte, portant de chaque côté 2 soies longues, atteignant 6 mm, et 4 soies plus courtes. Inflorescences assez denses, atteignant 4×3 cm; axes à pubescence rase, dense, longs de 0,7–1,5 cm; unités ultimes 3-flores, sous-tendues par un involucre de bractées large d'environ 1,2 cm; bractées inférieures foliacées; pédicelles longs de 1–3 mm. Fleurs odorantes. Calice long de 3–6 mm, à partie adnée ovoïde, pubescente, portant des bractées longues de ± 2 mm; lobes triangulaires à ovales, longs de 1–3 mm. Corolle blanche, portant un indument blanc, court, dense; tube long d'environ 1,5 cm; lobes oblongs, longs de 2,5–3 mm, charnus, à sommet incurvé. Style long d'environ 1,6 cm, un peu exsert; lobes stigmatiques longs de 2 mm. Anthères longues de 2 mm, la pointe seule exserte. Fruit non vu. (Pl. 5).

Nom vernaculaire: Bois de rivière.

Maurice. Endémique. Espèce apparemment rare, connue par 2 récoltes récentes de la forêt de Macabé et par 2 récoltes anciennes non localisées; apparentée à *G. vaginata* et lui ressemblant par ses feuilles, ses stipules et ses bractées foliacées. De la même région, il y a des spécimens de *G. psychotrioides* à inflorescences finement pubescentes et à feuilles aiguës, mais qui n'ont pas les bractées et les stipules particulières à *G. hirtiflora*; il se peut qu'ils résultent d'une introgression entre les deux espèces.

3. G. psychotrioides (DC.) Baker, F.M.S.: 231; R.E. Vaughan, Maur. Inst. Bull. 1: 45 (1937), *pro parte*. Type: Maurice, *Sieber*, Fl. Maurit. II, n° 57 (E, K, OXF, P, isos.!)
— *Chassalia psychotrioides* DC., Prodr. 4: 531 (1830)
— *C. coffeoides* DC., loc. cit. (1830). Type: Maurice, *Sieber*, Fl. Maurit. II, n° 335 (G–DC, holo.)
— *G. quadriseta* var. *brevipes* A. DC. in DC., Prodr. 9: 34 (1845). Type: Maurice, *Sieber*, Fl. Maurit. II, n° 272 (G–DC, holo.; BM, E, isos.!)
— *G. quadriseta* var. *platypoda* A. DC., loc. cit. (1845). Type: non indiqué, mais dans l'herbier G–DC il y a 3 spécimens: Maurice, *Bojer* et deux ex Herb. Paris annotés: Ile de France ou Bourbon
— *G. quadriseta* var. *petiolaris* A. DC., loc. cit. (1845). Type: " Ile de France ou Bourbon " ex Paris 1821 (G–DC, holo.)
— *G. parviflora* Bojer, H.M.: 217; A. DC., loc. cit. (1845). Type: Maurice, Savanne et Trois Ilots, *Bojer*, non trouvé
— *G. bifida* Bojer, H.M.: 217; A.DC., loc. cit. (1845); Bojer, Planches *Gaertnera*, t. 1 (1847); Nouv. Mém. Soc. Helv. Sc. Nat. Neuchâtel 10, t. 1 (1849). Type: Maurice, Quartier Militaire et Moka, *Bojer* (BM, isosyn. !)
— *G. vaginata* auct. non Poiret: Bojer H.M.: 216, *pro parte*
— *Coffea chasalioides* D. Dietr., Syn. Pl. 1: 777 (1839), *nom. illegit.*, basé sur *Chassalia coffeoides* DC.

Arbrisseau ou petit arbre compact, de (0,60–) 1,80–12 m de hauteur; écorce brun foncé, un peu molle, habituellement mince et caduque; ramilles jeunes glabres ou finement pubérulentes, couvertes précocement par une écorce liégeuse, sillonnée, rendues rudes par les bases persistantes des stipules aux noeuds défeuillés. Feuilles à limbe oblong à oblong-obovale, 2,5–17,5×1,1–8,3 cm, arrondi et parfois insensiblement mucroné au sommet, moins souvent ± aigu, largement cunéiforme à la base, parfois discolore, coriace, à nervure médiane jaune, proéminente; nervation habituellement proéminente sur la face inférieure; pétiole long de 0,5–3,5 cm, à base orangée; stipules soudées en gaine cylindrique, tronquée, haute de 3–10 mm, portant de chaque côté 2 soies courtes ou à peine visibles. Fleurs odorantes, hétérostyles. Inflorescences rameuses, atteignant 13 cm de largeur, à axes glabres ou finement pubérulents; pédoncules longs de 1–6 cm; rameaux primaires longs de 0,5–4,5 cm; cymes ultimes 3–7-flores; pédicelles très courts ou presque nuls; bractées ovales à ovales-lancéolées, longues de 3–5 mm, étalées ; bractéoles longues de

1-1,5 mm, largement ovales. Calice long de 2–3 mm; lobes longs de 0,5–0,8 mm, ou marge du tube subtronquée ou ondulée. Corolle blanc cireux, glabre ou pubescente; tube long de 0,9–1,6 cm; lobes oblongs, 3–4,5 × 1,8 mm, épais-charnus, de section triangulaire. Fleurs longistyles à style atteignant 1,6 cm de longueur, à lobes stigmatiques exserts, longs de 2–3,5 mm et pointes des anthères juste au-dessous de la gorge du tube; fleurs brévistyles à style long de 3,5 mm et lobes stigmatiques de 5 mm, bien inclus dans le tube mais les pointes des anthères exsertes. Fruit blanc crème ou bleuâtre, ellipsoïde, 7–10 × 6–8 mm; pyrènes plan-convexes, atteignant 9,5 × 5 × 3,5 mm, à sommet pointu.

Noms vernaculaifes: Bois banane, Bois café, Bois de rivière.

Maurice. Endémique. Espèce commune des forêts de 420–700 m d'altitude. Les spécimens les plus récents sont de Tamarin-Macabé, Les Mares-Bassin Blanc, Plaine Champagne-Gorges de la Rivière Noire, Piton du Fouge. Fleurs de novembre à décembre. Plusieurs récoltes ont des inflorescences et des corolles pubérulentes. Voir la note après *G. hirtiflora.*

4. G. quadriseta A. DC. in DC., Prodr. 9: 34 (1845). Type: Maurice, *Bojer* (G, attaché avec *Sieber* 272, type de la var. *brevipes*)
— *G. vaginata* auct. non Poiret: Bojer, H.M.: 216, *pro parte*
— *G. quadriseta* var. *hebepoda* A. DC., loc. cit. (1845). Type: Maurice, *Sieber*, Fl. Maurit. II, nº 332 (G–DC, holo.; E, P, isos.!)

Port inconnu. Ramilles glabres. Feuilles à limbe elliptique, 2,2–11 × 1–4,7 cm, brusquement acuminé au sommet, cunéiforme à la base, coriace; pétiole long de 5–8 (–25) mm; gaine stipulaire longue de 2–5 mm, ± tronquée, portant, de chaque côté, 2 soies longues de 1–5 mm, persistant aux noeuds supérieurs. Inflorescences ramifiées, atteignant 12 cm de largeur; pédoncules longs de 4 cm, glabres ou pubescents; rameaux primaires longs de 0,5–6,5 cm; unités ultimes de fleurs sessiles, larges d'environ 2 cm; bractées lancéolées ou oblongues, 0,3–2,2 × 0,2–1 cm; bractéoles longues de ± 2 mm. Calice largement cupuliforme, atteignant 5–6 mm de longueur; lobes largement arrondis, longs de 1–1,5 mm. Boutons floraux glabres, longs d'environ 12 mm. Fruits ovoïdes selon A. de Candolle.

Maurice. Espèce endémique, presque certainement éteinte, imparfaitement connue. De Candolle décrivait sa var. *hebepoda* comme ayant des stipules et des pédoncules pubescents-soyeux, mais l'isotype à Édimbourg a les axes de l'inflorescence ± glabres alors que celui qui existe à Paris est un peu pubescent.

5. G. truncata A. DC. in DC., Prodr. 9: 34 (1845). Type: Maurice, *Sieber*, Fl. Maurit. II, nº 54 (G-DC, holo.; E, TCD, isos.!)

Petit arbre grêle, de 3,60–4,50 m de hauteur; ramilles glabres. Feuilles à limbe elliptique, 5–13 × 3–6 cm, aigu à brusquement acuminé au sommet, cunéiforme à la base, assez coriace; pétiole long de 1,5–2,2 cm; gaine stipulaire persistant pendant quelque temps, finalement caduque, longue de 6–8 mm, tronquée ou portant, de chaque côté, 2 soies très courtes, longues de 1–1,5 mm. Inflorescences rameuses, les rameaux dits être blancs; pédoncules longs de 4–7 cm; rameaux primaires longs de 1–3 cm; pédicelles longs de 0–2 mm; bractées ovales, longues de 3–4 mm; bractéoles minuscules, adnées au calice, sauf le sommet libre. Calice long de 2–2,5 mm, à marge tronquée ou légèrement ondulée. Corolle blanche; tube long d'environ 2 cm; lobes longs d'environ 6 mm, oblongs. Fruit non vu.

Maurice. Espèce imparfaitement connue. Outre le type, il existe un échantillon de Yémen, " grosse roche ", 17 déc. 1978, *Gardner* in MAU 19158. *G. truncata* peut être une simple variation de *G. psychotrioides* dont il se distingue par le calice tronqué, les pétioles bien développés même sur les feuilles supérieures, les limbes foliaires aigus ou acuminés et les fleurs plus longues.

6. G. edentata Bojer, H.M.: 216; A. DC. in DC., Prodr. 9: 33 (1845); Bojer, Planches *Gaertnera*, t. 2 (1847); Nouv. Mém. Soc. Helv. Sc. Nat. Neuchâtel 10, t. 2 (1849); Baker, F.M.S.: 231, excl. syn.; R.E. Vaughan, Maur. Inst. Bull. 1: 45 (1937). Types: Maurice, forêts de la Nouvelle Découverte au Quartier Militaire; montagnes du Grand Port, *Bojer* (holo.?; G-DC, MAU !, isosyns.)

Arbrisseau ou petit arbre de (1–) 1,50–3 m de hauteur; ramilles foncées sur le sec, sillonnées, à entre-noeuds courts; noeuds inférieurs défeuillés proéminents. Feuilles à limbe elliptique, elliptique-oblong ou obovale-oblong, 2–10 × 1,7–5 cm, ± arrondi à brusquement acuminé au sommet, cunéiforme à tronqué ou même subcordé à la base, coriace; nervation visible à fortement réticulée sur les deux faces; pétiole long de 2,5–10 mm; stipules soudées en gaine cylindrique, tronquée, longue de 3–5 mm, portant de chaque côté 2 soies linéaires, longues de 3–4 (–8) mm et parfois quelques-unes supplémentaires plus courtes. Inflorescences ± denses, souvent ramifiées, longues de 2–3 cm, larges de 3–6 cm; pédoncules longs de 0,7–3,5 cm; rameaux primaires longs de 0,5–1,5 cm; pédicelles très courts ou nuls; bractées primaires foliacées; unités ultimes sous-tendues par deux bractées ovales formant un petit involucre large de 9 mm; bractéoles ovales, longues d'environ 2 mm, adnées à la base du calice. Fleurs odorantes. Calice campanulé, long de 4–5 mm, tronqué ou ondulé. Boutons floraux rendus nettement 5-cornus au sommet par la pointe excurvée des lobes de la corolle. Corolle blanc cireux; tube long de (1,2–) 1,5–2 cm, évasé vers le sommet; lobes de 8–11 × 1,5–2,5 mm. Fruit bleu sombre à bleu noirâtre, ellipsoïde, 6–10 × 7 mm; pyrènes ellipsoïdes, d'environ 7,5 × 5 mm.

Maurice. Endémique. Parait encore assez commun dans les fourrés et la végétation éricoïde entre 600 et 700 m d'altitude. Les récoltes récentes viennent de la Réserve de Perrier, Plaine Champagne, Pétrin, Macabé.

7. G. petrinensis Verdc., Kew Bull. 37: 538 (1983). Type: Maurice, Pétrin, *Bernardi* 14794 (K, holo. !; G, iso. !)

Arbrisseau bas ou arbre nain de 1–1,50 m de hauteur; ramilles glabres; entre-noeuds très courts. Feuilles à limbe oblong ou oblong-elliptique, 2–5 × 1,1–3,4 cm, courtement acuminé au sommet, ± tronqué à subcordé à la base, coriace; nervation proéminente et réticulée sur la face inférieure, à nervures latérales très arquées; pétiole long de 3–4 mm; gaine stipulaire longue de 3 mm, portant, de chaque côté du sommet tronqué, 2 soies subulées longues de 3–4,5 mm, et très peu de soies supplémentaires très courtes. Fleurs odorantes, en inflorescences contractées, d'environ 2 cm de diamètre, parfois jumelées au sommet des ramilles; pédoncules longs de 0–2 cm; rameaux primaires atteignant 1 cm de longueur; bractées elliptiques, 6 × 2,5 mm; bractéoles ovales, longues de 1,5 mm. Calice long de 3-4 mm, à marge ondulée ou nettement divisée en lobes ovales, longs d'environ 1 mm. Boutons floraux munis de 5 cornes courtes mais nettes, au moins sur le sec. Corolle blanche; tube long de 1,5 cm; lobes lancéolés, 8 × 2 mm, à sommet épais, de section triangulaire sur 4 mm. Fleurs brévistyles à anthères longues de 4,2 mm, à pointe juste exserte et à style long de 7,5 mm y compris les lobes stigmatiques, longs de 3,5 mm. Fruit ellipsoïde, 9 × 6–7 mm; pyrènes de 9 × 3 mm, non ligneux. Graines ± hémisphériques. (Pl. 6).

Maurice. Endémique. Espèce localement commune dans les fourrés éricoïdes de 600–650 m d'altitude de Pétrin, Les Mares et de la Plaine Champagne.

8. G. pendula Bojer, H.M.: 217; A. DC. in DC., Prodr. 9: 34 (1845); Bojer, Planches *Gaertnera*, t. 2 (1847); Nouv. Mém. Soc. Helv. Sc. Nat. Neuchâtel 10, t. 2 (1849); Baker, F.M.S.: 232; R.E. Vaughan, Maur. Inst. Bull. 1: 45 (1937). Type: Maurice, Montagne du Pouce, *Bojer* (holo.?; G–DC, iso.)

— *G. lanceolata* A. DC., op. cit.: 33 (1845). Type: Maurice, La Nouvelle Découverte, *Bouton* (G–DC, holo.; K. iso.?!)

Arbrisseau grêle ou petit arbre haut de 1,50–3,50 m, à ramilles jeunes glabres, les plus âgées ± anguleuses, à écorce gris brun, sillonnées. Feuilles à limbe oblong-elliptique à oblong-lancéolé ou oblancéolé, 6–13,5 × 1,5–6 cm, habituellement assez longuement acuminé au sommet, ± arrondi à cunéiforme à la base, coriace mais mince, luisant sur le frais; nervation sur le sec proéminente et réticulée sur les deux

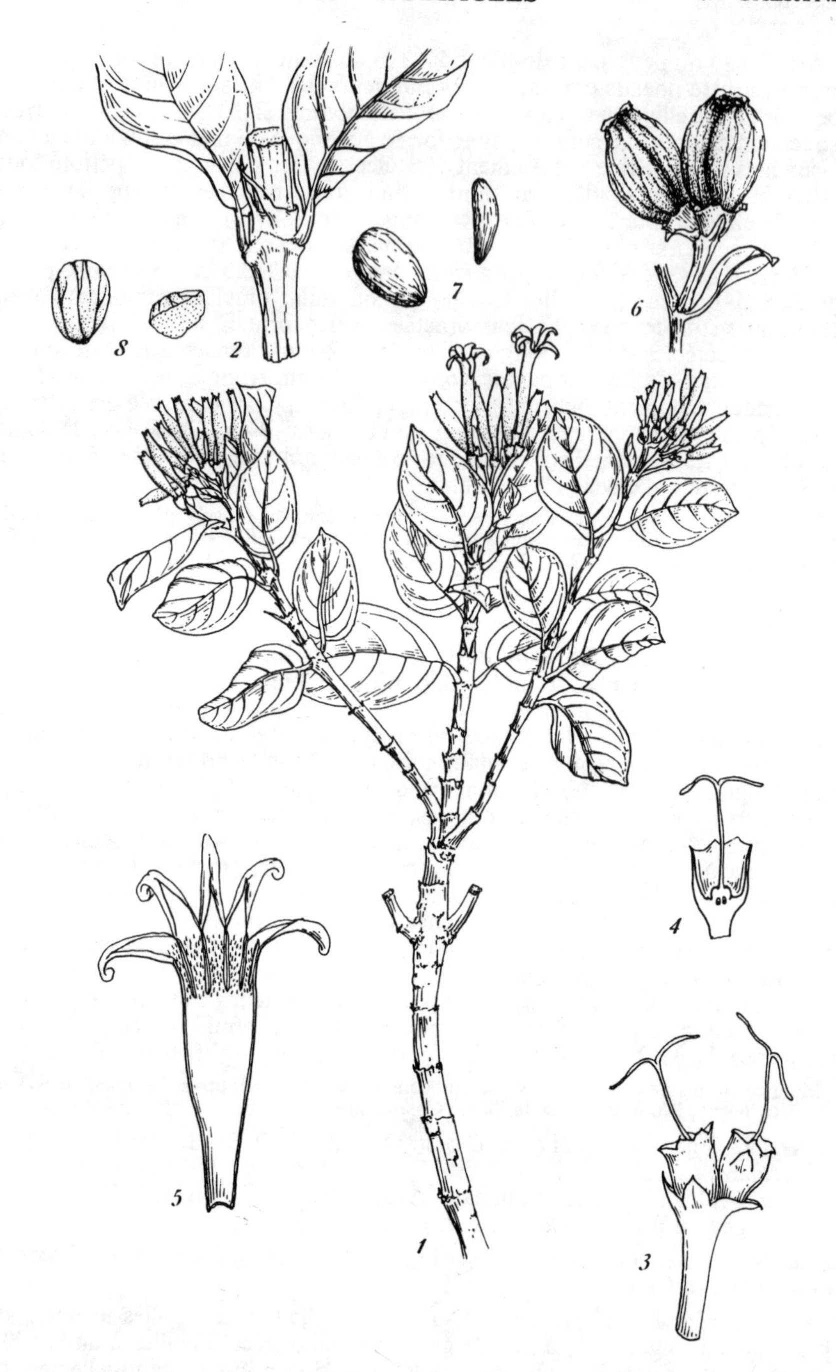

Pl. 6 — **Gaertnera petrinensis: 1,** rameau fleuri × 2/3; **2,** stipules × 2; **3,** détail d'une inflorescence × 2; **4,** coupe longitudinale du gynécée × 2; **5,** corolle étalée × 2; **6,** fruits × 2; **7,** pyrènes × 2; **8,** graine et coupe d'une graine × 2. (**1–5,** *Bernardi* 16794; **6–8,** *Lorence* 2613).

faces ou sur la face inférieure; pétiole, ainsi que la nervure médiane, brun orangé, long de 0,6–3 cm; stipules foliacées, largement lancéolées, 1,6–2 × 7 mm, se rétrécissant sur le sommet bifide et pubescent, contenant des raphides visibles. Fleurs odorantes, groupées en capitules denses de 4 × 3 cm, pédonculés, souvent pendants ou en inflorescences ramifiées plus lâches, à rameaux primaires longs de 0,7–1 cm; pédoncules longs de 3–6 cm; pédicelles nuls; bractées lancéolées, élargies à la base, 11 × 4 mm; bractéoles linéaires à ovales, longues de 2–5 mm. Calice long de 5–7 mm; lobes oblongs ou ± triangulaires, longs de 2–4 mm. Corolle blanche; tube long de 1,5–3,3 cm; lobes oblongs, 7–10 × 3 mm. Fruit noirâtre ou bleu ardoise, allongé, fusiforme, 2-2,5 × 1 cm, contenant des pyrènes et des graines de la même forme.

Maurice. Endémique. Espèce peu commune; les récoltes récentes viennent de Pétrin-Les Mares, Mt du Pouce, Crête de la Montagne Savanne, Mt Cocotte, et de Bassin Blanc. Un spécimen ancien, sans collecteur, à Kew, porte la note suivante " Je vous envoie la magnifique espèce de *Gaertnera* à fleurs bleues — elle mérite sous tous les rapports d'être répandue dans les serres ".

9. G. crassiflora Bojer, H.M.: 216; A. DC. in DC., Prodr. 9: 33 (1845); Bojer, Planches *Gaertnera*, t. 2 (1847); Nouv. Mém. Soc. Helv. Sc. Nat. Neuchâtel 10, t. 2 (1849); Baker, F.M.S.: 230. Types: Maurice, autour du Piton du milieu de l'île, aux Trois Ilots et autour de Grand Bassin, *Bojer* (holo.?; G–DC, syn., sans étiquette)

— ? *G. vaginata* auct. non Lam.: R.E. Vaughan, Maur. Inst. Bull. 1: 45 (1937), *pro parte*

Port inconnu; ramilles glabres, les plus âgées à écorce grise, finement sillonnée. Feuilles à limbe oblong-elliptique, atteignant 12 × 5,8 cm, ± aigu au sommet, cunéiforme à la base; pétiole long de 1–1,5 cm; stipules grandes, longuement bi-aristées au sommet d'après A. de Candolle. Inflorescences contractées, ± sessiles, pauciflores; pédicelles très courts; bractées ± trifides, le lobe médian linéaire, 6 × 1,5 mm; bractéoles linéaires-lancéolées, longues d'environ 5 mm, ou ovales (voir note). Calice, long d'environ 7 mm; lobes triangulaires, longs de 2–3 mm. Corolle blanche, charnue; tube long d'environ 2 cm; lobes lancéolés, 7–12 × 3 mm. Fruit blanchâtre à maturité, grand et pyramidal d'après Bojer, obovoïde et pentagonal sur le sec d'après A. de Candolle et d'après la planche de Bojer; probablement de la même longueur que le tube de la corolle d'après la planche de Bojer.

Maurice. Endémique. Espèce pratiquement inconnue et actuellement peut-être éteinte. Le spécimen *Horne* s.n. (K) a des stipules foliacées et de grandes fleurs groupées en inflorescences contractées caractéristiques, mais les bractées ne sont pas tout à fait typiques. L'échantillon étiqueté " Maurice, *Bélanger*, unique, ex Herb. *Moquin-Tandon* " est peut-être une forme de *G. crassiflora* ou peut représenter une espèce voisine. Les feuilles sont oblancéolées-oblongues, atteignant 12,5 × 4,5 cm, arrondies ou munies d'un mucron très petit et mousse; pétiole développé, long de 1,5–2 cm. Inflorescences contractées, de 3 cm de diamètre, portées par un pédoncule long de 2 cm; bractées et bractéoles larges; lobes du calice largement deltoïdes, longs de 1–3 mm. Fruit long d'environ 8 mm.

Deux autres spécimens, *Bijoux* in Herb. Pamplemousses 1095 et 2936, sont similaires. Feuilles à limbe oblong ou oblong-oblancéolé, 11–18 × 3,5–6 cm, à pubescence plutôt scabre, surtout sur les nervures sur la face inférieure; pétiole atteignant 4 cm de longueur, ayant la même pubescence; stipules longues de 2 cm. Inflorescences pubescentes; bractées basales lancéolées, atteignant 3 cm de longueur. Corolle robuste, longue de 2,5 cm. Un autre spécimen, étiqueté Maurice, attribué à *J. Roxburgh* (BM), appartient au même taxon que les récoltes de *Bijoux*.

10. G. cuneifolia Bojer, H.M.: 216; A. DC. in DC., Prodr. 9: 33 (1845); Bojer, Planches *Gaertnera*, t. 2 (1847); Nouv. Mém. Soc. Helv. Sc. Nat. Neuchâtel 10, t. 2 (1849). Types: Maurice, forêts de Flacq, à la Nouvelle Découverte et au Piton du milieu de l'île (G–DC, isosyn.)

Port inconnu; ramilles jeunes glabres, les plus âgées à écorce liégeuse et noeuds proéminents. Feuilles à limbe obovale à oblong-cunéiforme, 3,5–5,5 × 1,4–4 cm, tronqué à largement arrondi au sommet, mais avec un petit acumen brusque, cunéiforme à la base, très coriace; pétiole atteignant 5 mm de longueur, jaune orangé comme la nervure médiane; stipules foliacées, 1,5–2 × 0,8 cm, bifides et finement pubescentes à l'extrême sommet, caduques, à raphides visibles. Fleurs hétérostyles,

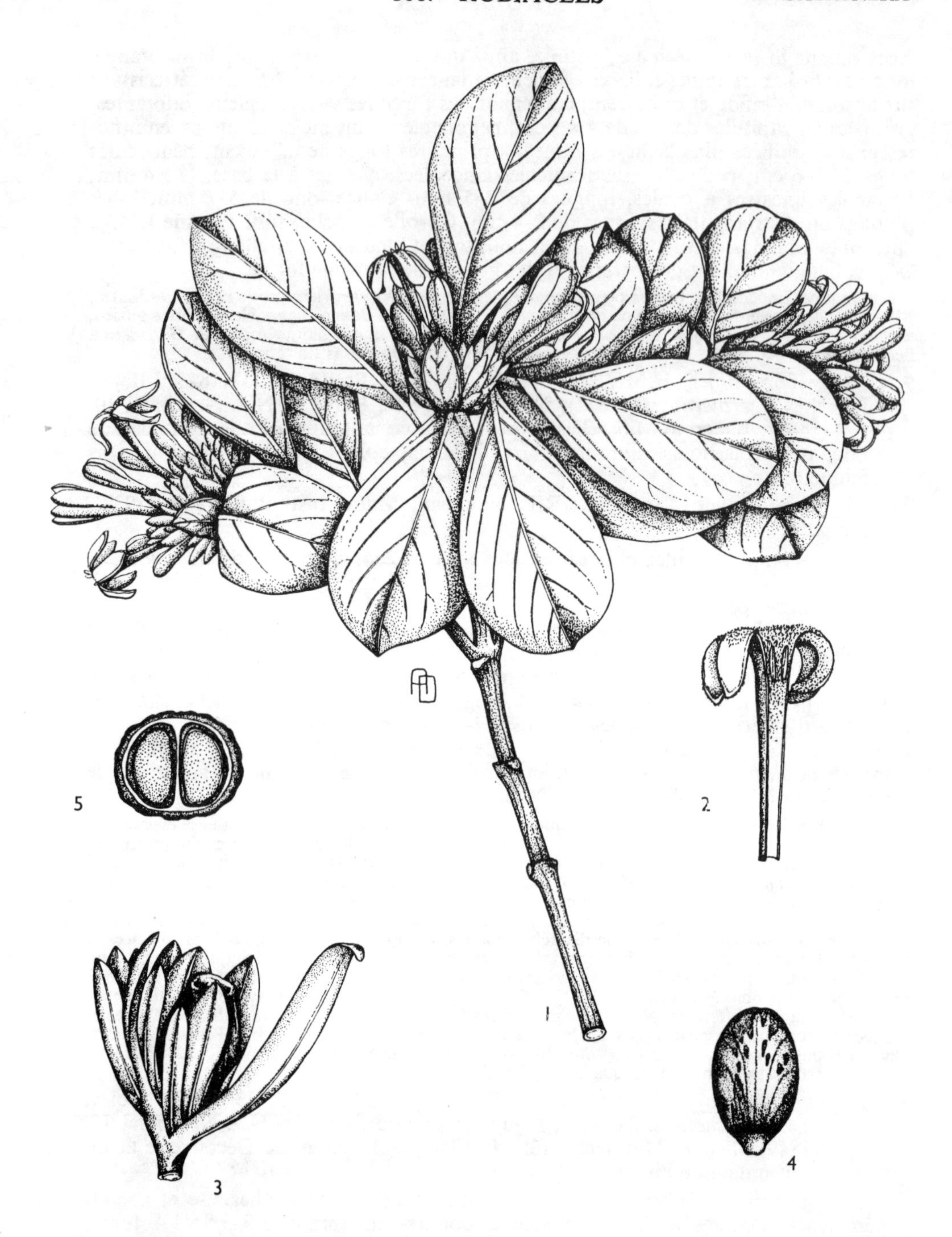

Pl. 7 — **Gaertnera cuneifolia: 1,** rameau fleuri × 2/3; **2,** corolle, coupe longitudinale × 1; **3,** bractée et 2 calices soudés, l'un enfermant un fruit × 2; **4,** pyrène × 2; **5,** fruit, coupe transversale × 2. (Tous d'après *Vaughan* in MAU 11894).

odorantes, en inflorescences sessiles, subsphériques, de 2–4 cm de diamètre, sous-tendues par un involucre de bractées apprimées, linéaires-oblongues, 6–18×1,5–5 mm, dont quelques-unes munies de courtes cuspides basales supplémentaires (provenant des feuilles et des stipules réduites); bractéoles linéaires-oblongues, d'environ 10×3 mm. Calice long de 13–14 mm; lobes linéaires-oblongs, d'environ 10×3 mm. Corolle blanche, charnue, finement pubérulente à l'extérieur; tube long de 1,7–2,2 cm, évasé vers le sommet; lobes linéaires-oblongs, 7–10×2–2,5 mm. Fruit ellipsoïde, d'environ 1,5×1×0,7 cm; pyrènes hémi-ellipsoïdes, 8×5,5×3 mm. (Pl. 7).

Maurice. Endémique. Baker, F.M.S.: 230, suggère que l'espèce est à mettre en synonymie de *G. rotundifolia* mais, en fait, elle se distingue bien par ses capitules de fleurs sessiles, entourés par un involucre de grandes bractées. En 1939 elle était signalée comme étant dominante dans la végétation broussailleuse à Pétrin.

11. G. rotundifolia Bojer, H.M.: 216; A. DC. in DC., Prodr. 9: 33 (1845); Bojer, Planches *Gaertnera*, t. 2 (1847); Nouv. Mém. Soc. Helv. Sc. Nat. Neuchâtel 10, t. 2 (1849); Baker, F.M.S.: 230. Types: Maurice, les forêts du Grand Port et celles de la Savanne et autour du Grand Bassin, *Bojer* (G-DC, isosyn.?)

— *Chassalia clusiifolia* var. β DC., Prodr. 4: 532 (1830). Type: Maurice, *Bory* (G-DC, voir microfiche vol. 9: 33, n° 2)

— *Gaertnera crassiflora* auct. non Bojer: R.E. Vaughan, Maur. Inst. Bull. 1: 45 (1937)

— *G. vaginata* auct. non Lam.: R.E. Vaughan, Maur. Inst. Bull. 1: 45 (1937), *pro parte*

Arbrisseau ou petit arbre rameux de 1–6 m de hauteur; rameaux glabres, ± tétragones; écorce gris foncé, liégeuse, sillonnée, s'exfoliant légèrement. Feuilles à limbe elliptique à obovale ou oblancéolé ou ± arrondi, 1,5–12×0,8–5,5 cm, arrondi à brusquement acuminé au sommet, largement cunéiforme à subcordé à la base, coriace, luisant, à marges révolutées, à nervure médiane brun orangé; pétiole long de 0,7–1,5 cm; stipules foliacées, finalement caduques, 1,5–2×0,7 cm, rétrécies vers le sommet pubescent et légèrement bifide, à raphides visibles. Fleurs odorantes, groupées en capitules d'environ 4 cm de diamètre; pédoncules longs de 0,5–1,5 cm; bractées longues de 5–6 mm, souvent trifides; bractéoles linéaires-lancéolées, longues de 2–3 mm. Calice long de 4–5 mm; lobes triangulaires à ovales, longs de 1–1,5 mm. Corolle blanc cireux; tube long de 1,6–2,2 cm; lobes oblongs, 5–9×1,5–2,5 mm. Fleurs brévistyles à anthères partiellement exsertes et à style et lobes stigmatiques inclus. Fruit ellipsoïde, 15–17×6–8 mm, obtus, ± anguleux sur le sec.

Nom vernaculaire: Bois corail.

Maurice. Endémique. Espèce encore assez commune: Plaine Champagne; Est de Macabé; Pétrin; Grand Bassin; Colville Bridge. Très proche de *G. cuneifolia* mais les bractées de l'involucre ne sont pas disposées en palissade.

12. G. longifolia Bojer, H.M.: 216; A. DC. in DC., Prodr. 9: 34 (1845); Bojer, Planches *Gaertnera*, t. 2 (1847); Nouv. Mém. Soc. Helv. Sc. Nat. Neuchâtel 10, t. 2 (1849); Baker, F.M.S.: 232; R.E. Vaughan, Maur. Inst. Bull. 1: 45 (1937), *pro parte*. Types: Maurice, forêts épaisses et humides de la Nouvelle Découverte et au Quartier Militaire, *Bojer* (syns. ?)

Petit arbre bas ou arbrisseau peu ramifié de 1,80–3 m de hauteur; ramilles assez fortes, dressées, à écorce brun pâle, sillonnée. Feuilles à limbe grand, elliptique-oblong à oblancéolé, 15–42×3,5–11,5 cm, courtement acuminé au sommet, étroitement cunéiforme à la base, coriace, glabre ou à pubescence ± dense sur la face inférieure, vert foncé luisant dessus, plus pâle dessous; pétiole long de 2–4 cm, atteignant 6 mm d'épaisseur, pubescent ou glabre; stipules lancéolées, longues de 2,5 cm, pubescentes, très caduques. Inflorescences de 7–12×6–18 cm, multiflores; unités ultimes denses, glabres ou pubescentes; pédoncules atteignant 3 cm de longueur; rameaux primaires longs de 1,5–4 cm; pédicelles atteignant 6 mm de longueur; bractéoles longues d'environ 1 mm, situées près de la base du pédicelle. Fleurs odorantes. Calice long de 3-4 mm, excurvé, à marge ± entière à légèrement crénelée. Corolle blanc cireux; tube long de 2,2 cm; lobes oblongs, 8–9 × 2,5–3 mm. Anthères longues de 4 mm, juste incluses. Style blanc, exsert sur environ 1 mm; lobes stigmatiques blancs, longs de 3,5 mm. Fruit blanchâtre, subsphérique et lisse sur le frais, obovoïde sur le sec, 2,3–2,8 × 1,2–1,6 cm, acuminé et fortement anguleux ou ailé.

Maurice. Endémique. Espèce rare, actuellement connue par quelques pieds dans la réserve de Perrier. Deux variétés peuvent être distinguées.

var. **longifolia**. Feuilles nettement oblancéolées, glabres. Inflorescences glabres ou presque glabres.

var. **pubescens** Verdc., Kew Bull. 37: 542 (1983). Type: Maurice, La Nouvelle Découverte et forêts de Grand Bassin, *Bouton* (K, holo.!)
— *G. longifolia* auct. non Bojer *sensu stricto*: Baker, F.M.S.: 232, *pro parte*; R.E. Vaughan, Maur. Inst. Bull. 1: 45 (1937), *pro parte*

Feuilles étroitement oblongues-elliptiques, 21–40 × 6–11 cm, courtement acuminées au sommet, à plus grande largeur à mi-longueur, à pubescence assez dense sur la face inférieure. Axes de l'inflorescence portant un indument pubescent-tomenteux, dense.

Maurice. Endémique. Connue seulement par le type, dont la localité d'origine n'est pas précise et par un vieil échantillon sans étiquette dans l'herbier TCD à Dublin. Quelques fruits pouvant lui être rapportés sont adjoints à un échantillon de la var. *longifolia* venant de Perrier.

13. G. sp. A Verdc., Kew Bull. 37: 542 (1983)

Petit arbre haut d'environ 6 m, à ramilles assez fortes, à écorce liégeuse, sillonnée. Feuilles à limbe oblong-elliptique ou ± obovale, 17–25 × 7–10,5 cm, aigu au sommet mais souvent endommagé et en apparence arrondi, cunéiforme à la base, coriace mais mince, pubescent sur la face inférieure; pétiole fort, pubescent, long de 2,5–4 cm; stipules foliacées, très caduques. Inflorescences amples, 13 × 22 cm, pubescentes; pédoncules longs d'environ 4 cm; rameaux longs de 1,5–6,5 cm; pédicelles longs de 5–8 mm, portant des bractéoles lancéolées, longues de 1,5–3 mm. Calice long de 7–9 mm, largement évasé, large de 1,3 cm. Les plus longs boutons ayant environ 1,8 cm.

Nom vernaculaire: Bois la soupe.

Maurice. Endémique. Espèce insuffisamment connue, récoltée une seule fois à Bassin Blanc en 1969.

14. G. calycina Bojer, H.M.: 217; A. DC. in DC., Prodr. 9: 35 (1845); Bojer, Planches *Gaertnera*, t. 2 (1847); Nouv. Mém. Soc. Helv. Sc. Nat. Neuchâtel 10, t. 2 (1849); Baker, F.M.S.: 232; R.E. Vaughan, Maur. Inst. Bull. 1: 45 (1937). Types: les forêts épaisses situées vers le milieu de l'île, autour du Grand Bassin et dans les grandes forêts autour de l'habitation de Chamarel, *Bojer* (holo.?, BM, MAU, isosyns.!)

Arbrisseau ou arbre nain?, de 0,90–1,20 m de hauteur; ramilles glabres, les plus âgées à écorce liégeuse. Feuilles à limbe elliptique à oblong-elliptique, 9,5–17,5 × 4,5–9 cm, brusquement acuminé au sommet, largement cunéiforme à la base, coriace mais mince, glabre; pétiole long de 1,7–3 cm; gaine stipulaire longue d'environ 4 mm, portant de chaque côté 1 soie (ou plus?) atteignant 1 cm de longueur; stipules non vues en bon état. Inflorescences largement corymbiformes, atteignant 20 cm de largeur; pédoncules et rameaux longs de 3–5 cm; pédicelles longs de 0,4–1,4 cm, accrescents, de 1–2 cm après l'anthèse; bractées bien visibles et foliacées, oblongues-lancéolées, ou étroitement elliptiques, 7–40 × 1,5–12 mm, s'effilant au sommet, avec une trace stipulaire ± linéaire ou subulée de chaque côté de la base; bractéoles jumelées, insérées à 1–5 mm au-dessous du calice, lancéolées ou ± spatulées, 4–10 × 0,5–1,5 mm. Calice vert ou blanc, ample, largement campanulé, long de 6–15 mm, à lobes largement arrondis, long de 2–5 mm. Corolle à tube long d'environ 1,5 cm; lobes ovales-lancéolés, 8 × 4 mm, à plages de pubescence blanche à la base, en dedans. Anthères incluses et stigmate exsert sur environ 4 mm. Fruit fusiforme, 20 × 7 mm.

Nom vernaculaire: Bois la soupe.

Maurice. Endémique. Espèce peut-être éteinte? Il n'existe pas de récoltes récentes. Le spécimen le plus récent est celui de Dupont in Herb. *Ayres* (K). Auparavant connu de Grand Bassin, La Nouvelle Découverte et Quartier Militaire.

Nous n'avons pas vu de matériel de la var. *variegata* Bojer, H.M.: 217, des Trois Ilots, qu'il distinguait par le " calice très évasé, blanc ainsi que les fleurs ". [Peut-être s'agit-il du *G.* sp. A?- W. Marais, réd.]

MORINDEAE

5. MORINDA L.

Sp. Pl.: 176 (1753); Gen. Pl. ed. 5: 81 (1754)

Arbres, arbrisseaux ou, plus rarement, lianes. Stipules foliacées, entières, libres ou soudées et formant une gaine intrapétiolaire ou soudées aux pétioles. Feuilles opposées ou rarement verticillées par 3, parfois solitaires aux noeuds fleuris. Fleurs hétérostyles (? toujours), ordinairement hermaphrodites, sessiles, en capitules compacts, axillaires, terminaux, souvent opposés à une feuille, les fleurs le plus souvent soudées au moins par les bases des calices, les capitules portant parfois une seule bractée, grande, colorée ou, occasionnellement, de nombreuses bractées plus petites; capitules 1-plusieurs par noeud, souvent groupés en ombelles, pédonculés ou sessiles. Calice urcéolé ou hémisphérique, à tube libre court, tronqué ou ± denté, persistant. Corolle ± coriace, en entonnoir ou hypocratériforme; lobes (4–) 5 (–7), valvaires; gorge glabre ou poilue selon l'insertion des étamines. Étamines (4–) 5 (–7), insérées à la gorge ou plus bas. Disque renflé ou annulaire. Ovaire 2–4-loculaire, parfois à cloisons incomplètes; style bilobé; ovules solitaires, sub-basaux, ascendants, anatropes ou amphitropes. Fruits soudés en fruit composé succulent, contenant plusieurs à de nombreux pyrènes cartilagineux ou osseux, uniséminés, ou soudés en noyau ligneux, 2–4-loculaire. Graines obovoïdes ou réniformes, à testa membraneux et albumen charnu.

Genre pantropical, d'environ 80 espèces. Une espèce est naturalisée aux Mascareignes. En outre, 2 autres ont été signalées dans le passé, une, de statut douteux, a vraisemblablement aujourd'hui disparu de nos îles, l'autre, *M. umbellata* L., autrefois cultivée, est traitée seulement dans la clé.

1. Fruits composés mûrs grands, atteignant 10 × 3,5 (–6) cm, ovoïdes; feuilles glabres, 10,5–25 (–45) × 4,5–17 (–24) cm; tube de la corolle long de 1 cm, à lobes d'environ 3,5 mm; arbrisseau ou petit arbre. **1. M. citrifolia**
— Fruits composés mûrs beaucoup plus petits, sphériques; feuilles plus petites, atteignant 15 × 4 cm. **2**

2. Arbrisseau grimpant; capitules de fleurs groupés par 4–7 en ombelles pseudo-terminales ; fruit composé de 0,5–1,2 cm de diamètre, rouge orangé à maturité. **M. umbellata**
— Arbrisseau à rameaux flexueux; capitules de fleurs solitaires, axillaires ou pseudo-terminaux; corolle longue de 1,5–2 cm ; fruit composé atteignant 2,5 cm de diamètre. **2. M. pubescens**

1. M. citrifolia L., Sp. Pl.: 176 (1753); Bojer, H.M.: 167; Baker, F.M.S.: 153; H. H. Johnston, Trans. Proc. Bot. Soc. Edinb. 20: 396 (1895); R. E. Vaughan, Maur. Inst. Bull. 1: 45 (1937); Sauer, Coastal Pl. Geogr. Maurit.: 147 (1961). Décrit de Ceylan

Pl. 8 — **Morinda citrifolia: 1,** rameau fleuri ×2/3; **2–3,** fleurs ×2; **4–5,** fruit et coupe longitudinale du fruit ×2/3; **6,** coupe transversale de l'ovaire ×6; **7,** graines ×4. (**1,** *Bristol* 3287; **2** et **6,** *Jeffrey* 810; **3,** *Forman* 41; **4, 5** et **7,** *Lalouette* in MAU 13290).

Arbrisseau ou petit arbre de 3–6 m de hauteur, à rameaux assez robustes, creux, tétragones, glabres, ornés de cicatrices foliaires; écorce blanc jaunâtre. Feuilles vert vif, opposées; stipules oblongues, 0,6–1,2×0,6–1 cm, obtuses, persistantes; pétiole long de 1–1,5 cm; limbe elliptique, 10,5–25 (–45)×4,5–17 (–24) cm, aigu à acuminé au sommet, luisant et glabre, un peu charnu ou coriace, à domaties glanduleuses aux aisselles des nervures latérales sur la face inférieure. Fleurs en capitules solitaires, opposés aux feuilles et pseudo-terminaux, sphériques ou ovoïdes, 1,5–2×1,5 cm, à l'exclusion des corolles; pédoncules longs de 1,2–2,5 cm. Calice généralement tronqué. Corolle blanche, à tube d'environ 1 cm et lobes de 3–3,5×1,5 mm, aigus. Fleurs longistyles à stigmates exserts sur 2,5 mm et le sommet des anthères juste exsert; fleurs brévistyles à stigmates inclus et à anthères exsertes sur 2 mm; une troisième forme a les stigmates juste exserts et les étamines à ± mi-hauteur du tube. Fruit composé, ovoïde, 2,5–10×2–3,5 (–6) cm, très charnu, blanchâtre, puant à maturité, contenant de nombreux pyrènes; pyrènes brun grisâtre, étroitement ovoïdes-trigones, comprimés, ressemblant à des pignons, 10–12×5–6×3–4 mm, portant quelques raphides en surface, une extrémité munie d'une aile concave-convexe, pointue. (Pl. 8).

Noms vernaculaires: Malaye (R.); Bois tortue, Mûrier de Java (M.).

La Réunion, Maurice. Naturalisé et cultivé. Originaire d'une zone allant de l'Inde et Ceylan à la Malaisie, le N. de l'Australie et les îles du Pacifique. A La Réunion on la trouve à: Ravine de la Grande Chaloupe; La Saline; Ste Suzanne; St Denis. A Maurice elle est par endroits naturalisée le long des côtes et sur l'île aux Aigrettes.

2. M. pubescens J. E. Smith in Rees, Cyclop. 24, n° 3 (1813); DC., Prodr. 4: 447 (1830); Bojer, H.M.: 167; Baker, F.M.S.: 153; Verdc., Kew Bull. 37: 543 (1983). Type: Maurice, échantillon envoyé par Thouin à L.f. (LINN–SM, holo.)

Arbrisseau à ramilles grêles, flexueuses, glabrescentes à tomenteuses, jaune chamois. Feuilles à stipules triangulaires, longues de 2 mm; pétiole long de 0,7–1 cm; limbe elliptique ou oblancéolé-elliptique à oblancéolé-oblong, 7,5–15 × 2,5–4,5 cm, aigu au sommet, longuement cunéiforme à la base, mince, à petits poils clairsemés sur la face supérieure, à pubescence lâche ou glabrescent sur la face inférieure. Capitules de fleurs de 5–8 mm de diamètre, à l'exclusion des corolles, pauciflores, axillaires, solitaires ou plusieurs, rarement pseudoterminaux; pédoncules ascendants, longs de 1,5–3 cm, glabrescents à tomenteux. Boutons floraux glabrescents à tomenteux. Calice tronqué. Corolle blanche, longue de 2 cm. Fruit composé atteignant 2,5 cm de diamètre, contenant jusqu'à 4 pyrènes d'environ 7,5–8,5 × 5 mm.

La Réunion, Maurice. Cette espèce était auparavant considérée comme une espèce endémique éteinte, mais une étude des *Morinda* asiatiques a montré que le nom de Smith était le premier pouvant s'appliquer à une espèce cultivée bien connue, nommée auparavant *M. tomentosa* Roth ou *M. coreia* Buch.-Ham. ou *M. tinctoria* Roxb. La description ci-dessus est largement basée sur le matériel des Mascareignes disponible. Dans son ensemble l'espèce est très variable; il existe plusieurs variétés allant de glabres à densément tomenteuses-veloutées. Une de ces formes glabres, à feuilles étroites, existe au jardin de l'État, à St Denis, La Réunion.

PAEDERIEAE

6. PAEDERIA L. *nom. cons.*

Mant. : 7, 52 (1767)

— *Siphomeris* Bojer, H.M. : 170, *nom. illegit.*

Arbrisseaux grimpants, habituellement fétides, à tiges flexueuses, plus rarement subdressées. Feuilles opposées ou en verticilles de 3; stipules intrapétiolaires, ovales à étroitement deltoïdes, non divisées en lobes, ou parfois bifides sous forme de bractées à la base des inflorescences, caduques. Fleurs généralement petites et pédicellées, rarement subsessiles, non hétérostyles, en cymes ou panicules ramifiées, axillaires ou terminales, ou en fascicules. Calice à 4–5 lobes triangulaires ou subulés, persistants. Corolle à préfloraison indupliquée-valvaire, à tube cylindrique, campanulé ou en entonnoir étroit, pubescente ou glabre à la gorge, la base séparée souvent par de petites fentes en 4 ou 5 parties, laissant voir des poils denses, d'une façon caractéristique; lobes 4–5, courts, étroits ou larges, souvent pubescents, parfois ciliés. Étamines 4–5, insérées sur le tube; anthères incluses ou exsertes, insérées souvent à des niveaux différents. Disque le plus souvent hémisphérique. Ovaire 2–3-loculaire, chaque loge contenant un ovule dressé; styles 2–3, filiformes, libres ou soudés; stigmates filiformes, inclus ou exserts. Fruit sphérique, comprimé-ovoïde ou comprimé-ellipsoïde, à épicarpe mince, cassant, habituellement luisant, se séparant en 2–3 pyrènes unispermes, arrondis ou elliptiques, dorsalement comprimés, avec ou sans aile marginale, membraneux à coriaces, à la fin souvent pendant par la nervure médiane externe détachée. Graines de la même forme que les pyrènes, dorsalement très comprimées; albumen charnu; embryon grand, à 2 cotylédons cordiformes, foliacés.

Genre d'une cinquantaine d'espèces des tropiques des deux hémisphères. Outre l'espèce traitée ci-dessous, il existe à P un échantillon sans localité, de Barthe, médecin de la frégate La Sybille, récolté en 1837. Cet échantillon en fruit appartient peut-être à *P. bojeriana* (A. Rich.) Drake subsp. *foetens* (Hiern) Verdc. du continent africain, qui diffère de *P. foetida* par les feuilles à pubescence dense, vélutineuse, les lobes du calice subulés, courbés, longs de 3–7 mm et par les anthères et les stigmates exserts.

P. foetida L., Mant.: 52 (1767); Verdc., Kew Bull 37: 543 (1983). Décrit de l'Inde et de l'Amboine

— *P. sessiliflora* Poiret, Encycl. Suppl. 2: 449 (1812); DC., Prodr. 4: 472 (1830); Bojer, H.M.: 171. Type: Ile de France, Herb. *Desfontaines* (fragment ex Herb. *Poiret*, P !)

— *P. foetida* var. *sessiliflora* (Poiret) Baker, F.M.S.: 158

— *P. tomentosa* Blume, Bijdr : 968 (1826) var. *glabra* Kurz, J., Asiatic Soc. Bengal 46 : 139 (1877) ; R.E. Vaughan, Weeds of Mauritius n° 19, Leaflets Maurit. Sugar Ind. 13 (1973). Décrit de l'Inde

Plante grimpante, ligneuse, à tiges grêles, volubiles, s'enroulant de gauche à droite, glabres ou portant des poils courts, épars, sur des parties jeunes, devenant souvent noires en séchant, les tiges plus âgées chamois; feuilles froissées fétides. Feuilles opposées, à limbe oblong, ovale à lancéolé, 1,5–9 ×0,8–6 cm, courtement acuminé au sommet, cunéiforme à tronqué à la base, sur le frais vert luisant sur la face supérieure, pratiquement glabre, à l'exception de quelques petits poils sur la nervure médiane et sur les marges; pétiole long de 1–4,5 cm; stipules deltoïdes, longues de 1,5 mm, à marges presque fimbriées-ciliées. Fleurs en cymes bipares, les rameaux inférieurs des cymes souvent à l'aisselle de feuilles réduites, formant des panicules parfois grandes, atteignant 12 cm de longueur ou davantage quand les feuilles sont réduites ou absentes; pédoncules primaires longs de 1,5–5 cm, les secondaires longs de 1–1,5 cm; fleurs sessiles, à l'exception de la fleur terminale de chaque rameau qui est portée par un pédicelle atteignant 8 mm de longueur. Calice vert, à partie adnée ovoïde, longue de 1,5 mm; tube libre long de 1 mm environ, divisé jusqu'à mi-longueur en dents triangulaires, persistantes. Corolle blanche à jaune pâle à l'extérieur, à gorge rouge foncé ou pourpre; tube blanc, lavé de pourpre, en entonnoir, long de 6–7 (–10) mm, à pubescence farineuse grise, la gorge bouchée par de longs poils glanduleux entrelacés; lobes oblongs, longs et larges de 2 mm, portant des poils semblables à ceux de la gorge. Étamines à filet blanc lavé de pourpre ou pourpre foncé; anthère blanche. Style jaune pâle, long de 1 cm environ, à deux branches papilleuses. Fruit ellipsoïde à subsphérique, vert, de 5–6 mm de diamètre, à péricarpe luisant, brun jaunâtre sur le sec, glabre; mésocarpe vert; pyrènes 2, larges de 4–5 mm, concaves-convexes, pâles, jaunâtres, devenant noirs en séchant, couverts de raphides. (Pl. 9).

Noms vernaculaires: Liane coup de pet (R.); Liane caca, Lingue, Liane cacapoule, Liane lingue (M.).

La Réunion, Maurice. Espèce asiatique. A Maurice, mauvaise herbe des champs de canne à sucre et des lieux incultes, à toutes altitudes. A La Réunion, commune dans l'Est, à basse altitude.

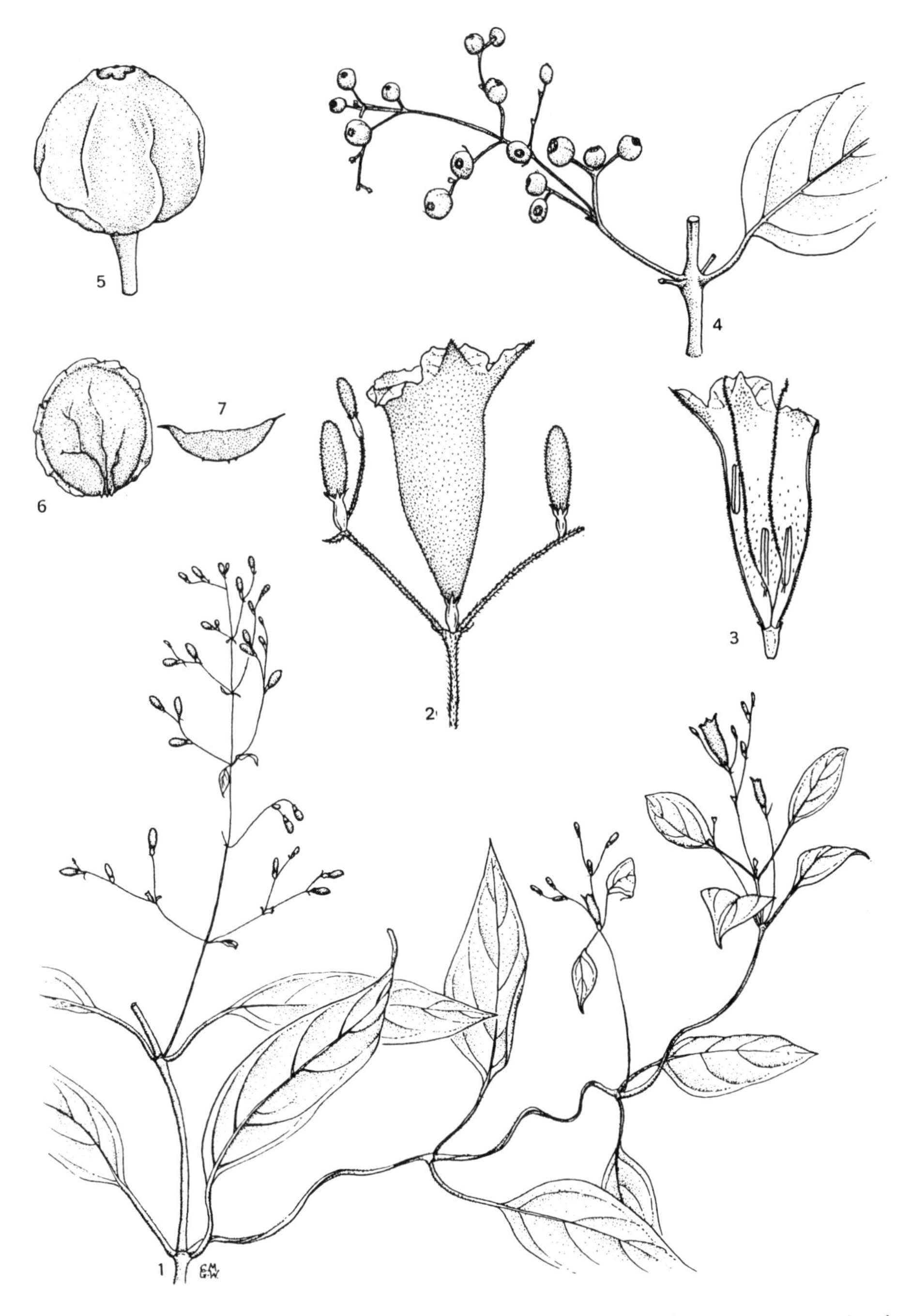

Pl. 9 — **Paederia foetida:** **1**, rameau en fleurs × 2/3; **2**, détail de l'inflorescence × 3; **3**, coupe longitudinale d'une fleur × 3; **4**, infrutescence × 2/3; **5**, fruit × 4; **6**, graine × 4; **7**, coupe transversale d'une graine × 4. (**1–3**, *Thouars* s.n.; **4–7**, sans collecteur (P)).

Le nom de *P. foetida* L. a été employé souvent pour désigner une autre espèce des monts Himalayas et d'ailleurs, à fruits ovoïdes plus grands et plus comprimés. Linné basait ce nom sur un dessin d'une plante originaire de l'Amboine et sur des échantillons venant de " l'Inde " (nom utilisé par Linné dans un sens très large), probablement LINN 294/1 et 294/2, tous les deux ayant seulement des fleurs. La plante de l'Amboine appartient certainement à la même espèce que notre plante des Mascareignes.

Spermadictyon Roxb. (*Hamiltonia* Roxb.)

Quoiqu'il n'ait pas été récolté récemment, *Spermadictyon suaveolens* Roxb. (*Hamiltonia suaveolens* (Roxb.) Roxb.), originaire de l'Inde, a été inclus dans la clé des genres, parce qu'il est possible qu'il soit encore cultivé quelque part à Maurice. L'espèce a autrefois existé dans le Jardin des Pamplemousses. C'est un arbrisseau atteignant 3 m de hauteur, à feuilles elliptiques et à inflorescences terminales, corymbiformes; fleurs odorantes, blanches, bleues ou mauves, à tube de la corolle tubuleux, grêle, long de (8–) 10–15 mm.

HAMELIEAE

Hamelia Jacq.

Hamelia patens Jacq. est un arbrisseau ou un arbuste atteignant 3 ou 4 m de hauteur, à cime dense, étalée. Feuilles en verticilles de 3–4, à limbe elliptique, aigu. Fleurs en cymes terminales, ramifiées, orangées ou rouge orangé, tubuleuses, à courts lobes imbriqués; pétioles, pédoncules, pédicelles et calices rouge rosâtre; anthères incluses, très longues, égalant ± les 3/4 du tube de la corolle; ovaire à 5 loges multi-ovulées; style filiforme, à stigmate entier, fusiforme; fruit une baie.

H. patens est une espèce variable et des formes presque glabres ainsi que des formes à pubescence dense sont cultivées aux Mascareignes. A La Réunion elle est plantée près de "Pont de l'Escalier, route de Salazie". A Maurice elle est cultivée au Jardin des Pamplemousses, à Vacoas et à Beau Bassin; à Curepipe on la trouve parfois à l'état subspontané dans des haies ou au voisinage d'habitations.

HEDYOTIDEAE

7. DANAIS Vent.

Tabl. 2 : 548 (1799)

Verdc., Kew Bull. 37 : 544–545 (1983)

Arbrisseaux dressés ou grimpants; parfois grandes lianes. Feuilles opposées ou verticillées par 3 ou 4; stipules interpétiolaires, ovales-deltoïdes, aiguës. Fleurs petites, dimorphes, en cymes axillaires et terminales, formant souvent de grandes panicules. Calice à partie adnée subsphérique; lobes courts, sub-égaux, persistants. Corolle en entonnoir ou hypocratériforme, à gorge pubescente, surtout dans les fleurs longistyles; lobes 5–6, valvaires. Étamines 5–6, incluses dans les fleurs longistyles, exsertes dans les fleurs brévistyles. Ovaire biloculaire; loges pluri-ovulées; style filiforme à 2 (–3) stigmates filiformes. Capsule à déhiscence loculicide. Graines apprimées sur le placenta, entourées d'une aile lacérée ou érodée, les ailes imbriquées.

Genre d'environ 40 espèces, originaires des Mascareignes, des Comores et de Madagascar sauf une espèce de Tanzanie. Trois espèces, dont deux endémiques, aux Mascareignes.

La présence de raphides dans les tissus, l'existence d'une hétérostylie complète, les détails de la morphologie de la fleur, sont des facteurs justifiant le rattachement du genre aux *Hedyotideae* plutôt qu'aux *Cinchoneae*, malgré la présence de graines ailées. Je suis entièrement d'accord avec Bremekamp, Verh. K. Nederl. Akad. Wetensk. Afd. Natuurk. ser. 2, 48, 2 : 14–15 (1952) à ce sujet.

1. Fruit de 2,5–5 mm de diamètre; lobes du calice longs de 0,5 mm. **2**
— Fruit de 5–7 mm de diamètre; lobes du calice longs de 5–7 mm. **3. D. sulcata**
2. Feuilles lancéolées, très courtement pétiolées; inflorescences terminales; tube de la corolle long de 3–4 mm, la gorge tellement bourrée de poils qu'ils s'étalent sur la partie basale des lobes. **2. D. corymbosa**
— Feuilles largement lancéolées, elliptiques, oblongues-elliptiques ou ovales, nettement pétiolées; inflorescences axillaires, rarement paraissant terminales; tube de la corolle long de 5–10 mm; poils de la gorge ne s'étendant pas sur les lobes. **1. D. fragrans**

1. D. fragrans (Lam.) Pers., Syn. Pl. 1 : 198 (1805); Gaertner f., Suppl. Carp. : 83, t. 195, fig. 2 (1806); Bojer, H.M. : 164; Baker, F.M.S. : 137; Bourdon, Étude Fam. Rubiac., *Danais fragrans* : 89 (1882); Cordem., F.R. : 501; R.E. Vaughan, Maur. Inst. Bull. 1 : 44 (1937). Type : Maurice, Bois de Palma, *Commerson* (P-LA, holo.; P, iso.)

— *Paederia fragrans* Lam., Encycl. 2 : 260 (1786)

— *D. fragrans* var. *coronata* Pers., Syn. Pl. 1 : 198 (1805). Type : non indiqué. Il existe à Paris un échantillon de *Commerson* portant ce nom

— *D. rotundifolia* Poiret, Encycl. Suppl. 2 : 450 (1812); DC., Prodr. 4 : 361 (1830); Bojer, H.M. : 164. Type : La Réunion, *Bory* (P, holo.)

— *D. laxiflora* DC., Prodr. 4 : 361 (1830); Bojer, H.M. : 164. Type : La Réunion ou Maurice (G, holo.)

Plante grimpante ligneuse (ou arbrisseau sarmenteux), longue de 0,90–4 (–25) m, ± glabre ou très finement pubérulente; écorce grise ou gris brunâtre. Feuilles opposées; limbe largement lancéolé, elliptique, oblong-elliptique ou ovale, 1,5–15 × 1–8 cm, courtement acuminé au sommet, ± arrondi à cunéiforme à la base, coriace mais mince, souvent vert jaunâtre sur le sec; nervation parfois jaune vif, proéminente et réticulée sur la face inférieure; pétiole long de 0,5–2 (–3) cm; stipules triangulaires, longues de 1 mm, aiguës, acuminées ou légèrement bifides. Fleurs odorantes, (4–) 5-mères, en thyrses axillaires, rarement pseudoterminaux, finement pubérulents à pubescents; pédoncules longs de 0,6–2 (–4) cm; rameaux primaires longs de 0,5–1 (–2) cm; pédicelles longs de 2–10 mm. Calice à partie adnée subsphérique ou ovoïde, longue de 1–1,2 mm; tube libre long d'environ 1 mm, divisé sur la moitié de sa longueur en dents triangulaires. Tube de la corolle vert ou blanchâtre, grêle, long de 0,5–1 cm, élargi vers la gorge dans les fleurs longistyles; poils de la gorge vert pâle; lobes rouge orangé ou brun rougeâtre, elliptiques-lancéolés, 2–5 × 1–1,5 mm, aigus ou obtus, à marges révolutées, portant parfois quelques poils au sommet. Style exsert sur 2–3 mm dans les fleurs longistyles; stigmates 2 (–3), verts, longs de 2,5–3 mm, filiformes, légèrement épaissis au sommet; style des fleurs brévistyles atteignant environ la moitié du tube, à stigmates longs de 3 mm, exserts sur ± 1 mm. Capsule vert jaunâtre, devenant brune, de 2,5–5 mm de diamètre, à valves résistantes, couronnée par le tube du calice contracté à la base, donnant une forme urcéolée au fruit. Graines noires ou brun pâle, luisantes, rondes ou arrondies-oblongues, de 0,8 mm de diamètre, très comprimées, à aile fortement réticulée. (Pl. 10).

Noms vernaculaires: Liane jaune (R., M.); Liane de boeuf, Lingue noir (R.).

La Réunion, Maurice. Espèce très commune dans les deux îles; aussi de Madagascar. Plante médicinale bien connue; l'écorce est utilisée pour traiter des affections cutanées.

2. D. corymbosa Balf. f., Journ. Linn. Soc. Bot. 16: 13 (1877); B. Ro.: 345; Baker, F.M.S.: 137. Type: Rodrigues, Grande Montagne, *Balfour* (K, holo.!; E, P, iso.!)

Arbrisseau sarmenteux, à rameaux glabres, ± tétragones, jaunâtres sur le sec. Feuilles opposées ou par 3; limbe étroitement oblong-elliptique à lancéolé, 4–7 (–10) (fide Balf. f.) ×0,9–2 cm, étroitement atténué au sommet, cunéiforme à la base, la face inférieure jaunâtre sur le sec; pétiole long de 3–4 mm; stipules triangulaires, longues de 1 mm. Inflorescences en cymes ramifiées, denses, corymbiformes, terminales, atteignant 3 cm de longueur, toutes les parties finement pubérulentes; pédoncules longs de 0,8–1,2 cm; rameaux primaires longs de 0,3–1,7 cm; pédicelles longs de 3 mm. Calice à partie adnée ovoïde, longue d'environ 1 mm; tube libre ± aussi long, divisé en dents triangulaires longues d'environ 0,4 mm. Fleurs brévistyles seules vues. Tube de la corolle long de 3–4 mm, finement pubérulent, poils denses de la gorge s'étendant sur ± le 1/3 basal des lobes; lobes elliptiques, 3 × 1,3 mm.

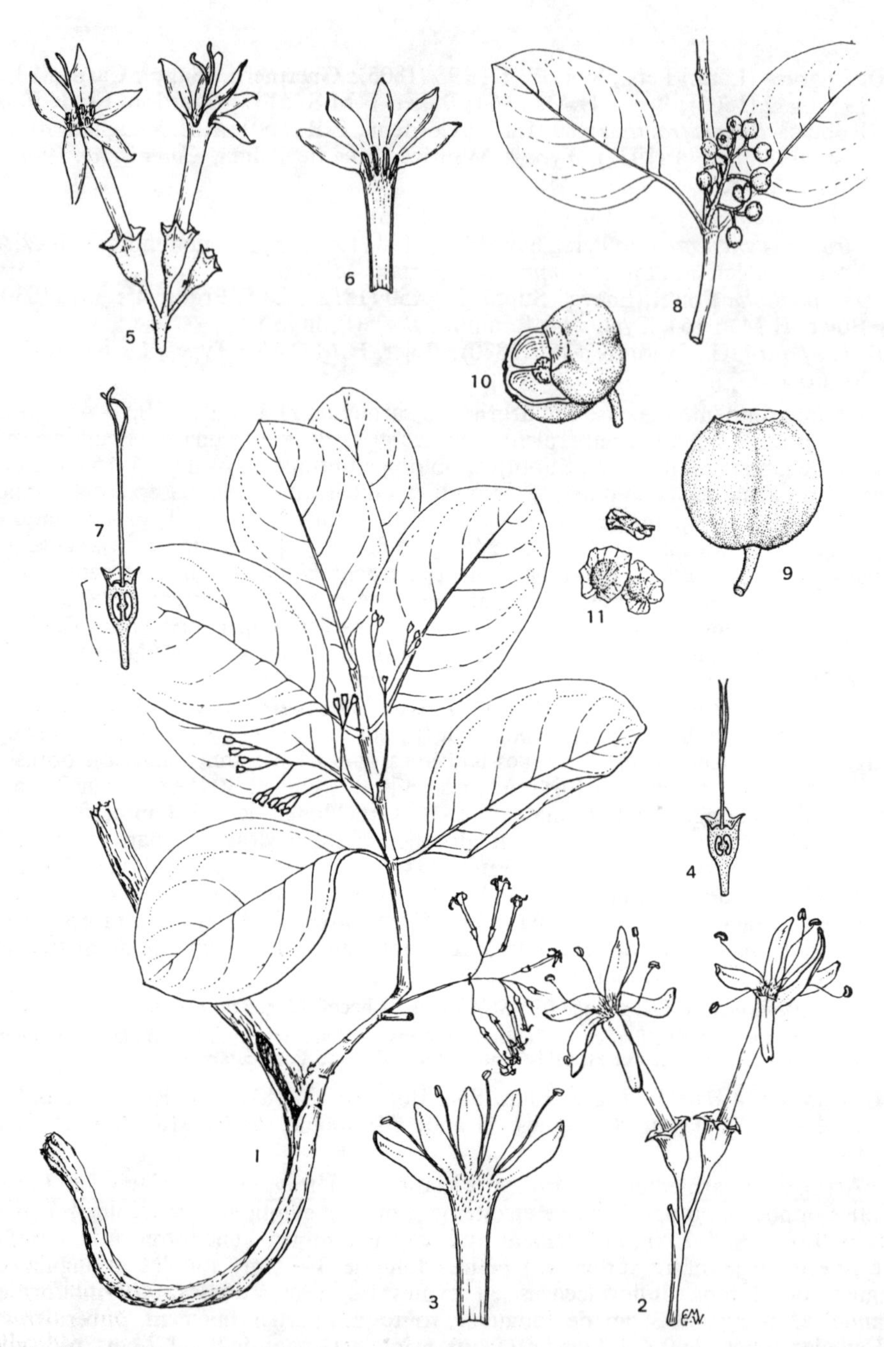

Pl. 10— **Danais fragrans: 1,** rameau fleuri × 2/3; **2,** fleurs brévistyles × 2; **3,** corolle et étamines d'une fleur brévistyle étalée × 2; **4,** coupe longitudinale d'un gynécée d'une fleur brévistyle × 2; **5,** fleurs longistyles × 2; **6,** corolle et étamines d'une fleur longistyle × 2; **7,** gynécée d'une fleur longistyle × 2; **8,** fruits × 2/3; **9,** fruit × 4; **10,** fruit entrouvert × 4; **11,** graines × 6. (**1–4,** *d'Unienville* in MAU 10304; **5–7,** *Anderson* s.n.; **8–10,** *Vaughan* 1681; **11,** *Lesouëf* in MAU 18575)

Étamines à filet exsert sur 3 mm; anthère longue de 1,8 mm. Style long de 4,5 mm; stigmates longs de 2 mm, exserts. Capsule subsphérique, de 2,5–4 mm de diamètre, à pédicelle atteignant 7 mm de longueur. Graines non vues.

Rodrigues. Endémique, probablement éteinte, connue seulement par le type. Les fleurs sont vraisemblablement de la même couleur que celles de *D. fragrans*, elles contiennent certainement une matière jaune, soluble dans l'eau.

3. **D. sulcata** Pers., Syn. Pl. 1: 198 (1805); Poiret, Encycl. Suppl. 2: 450 (1812); DC., Prodr. 4: 361 (1830); Bojer, H.M.: 164; Verdc., Kew Bull. 37: 544 (1983). Type: Maurice, *Thouars* (P?, holo.; peut-être le même échantillon que le type de *D. thouarsii*?)

— *D. thouarsii* Drake, Bull. Soc. Bot. Fr. 45: 350 (1898). Type: Maurice, autour du Grand Bassin, *Thouars* (P, holo.!)

Arbrisseau sarmenteux (fide Bouton), mais le matériel d'herbier montre des rameaux ultimes rigides et droits; tronc assez court; écorce liégeuse, gris brunâtre. Limbe foliaire elliptique, 4,5–12 × 2,5–5 cm, acuminé au sommet, cunéiforme à la base, glabre; pétiole atteignant 2,3 cm de longueur; stipules triangulaires, longues de 3–4 mm, s'épaississant et devenant liégeuses. Inflorescences axillaires. Fleurs vues sans la corolle, selon Bouton elles sont jaunes et odorantes. Calice à partie adnée longue de 1,5 mm; lobes foliacés, 5–7 × 1–6 mm. Fruit subsphérique ou turbiné, de 5–7 mm de diamètre, porté par un pédicelle long de 3–8 mm. Graines comme celles de *D. fragrans*.

Maurice. Endémique. Outre le type, trois spécimens seulement ont été vus en fleurs, tous de Grand Bassin. Un à K, récolté par Bouton, porte une note de la main de Baker: " semble être une forme monstrueuse de *D. fragrans*, sans pétales et à dents du calice très larges, etc." Cependant Bouton écrivait: " Fleurit en mars. Fleurs jaunes, odoriférantes". Les 2 autres échantillons: MAU 785 et 785a furent récoltés en 1933.

Je pense qu'il est possible de l'accepter comme une espèce distincte, très localisée. Quelques échantillons stériles, à jeunes tiges, pétioles, etc., plutôt densément pubescents, récoltés autour ou au sommet du Piton Grand Bassin, par exemple: *Vaughan* in MAU 10392, 12.4.1962 et *Vaughan* s.n., 17.11.1933, appartiennent certainement à cette espèce.

8. DENTELLA J.R. et G. Forster

Char. Gen. Pl.: 13 (1775); ed. 2: 25, t. 13 (1776)

Airy Shaw, Bull. Misc. Inf. Kew 1934: 290–301 (1934)

Petites herbes annuelles ou pérennes, grêles, prostrées, très rameuses, s'enracinant souvent aux noeuds. Feuilles opposées; stipules scarieuses, adnées aux pétioles. Fleurs petites, solitaires, axillaires, surtout aux ramifications des tiges. Calice à partie adnée ellipsoïde-subsphérique, glabre ou portant des trichomes creux, obtus; tube libre bien distinct, divisé en 5 lobes étroitement triangulaires, l'ensemble persistant. Corolle en entonnoir, à tube poilu à l'intérieur; lobes indupliqués-valvaires, 2–3-dentés vers le sommet. Étamines 5, insérées vers le milieu du tube, à filet court et anthère dorsifixe, incluse. Ovaire biloculaire; ovules nombreux, sur un placenta hémisphérique attaché au septum; style court, à deux branches filiformes portant des surfaces stigmatiques papilleuses. Fruit petit, subsphérique, sec, indéhiscent. Graines minuscules, nombreuses, subtrigones, à testa fortement réticulé.

Petit genre de 7–8 espèces, originaire de l'Inde, de la Malaisie et de l'Australie. Une espèce a été trouvée aux Mascareignes.

D. repens J.R. et G. Forster, Char. Gen. Pl.: 13 (1775); Baker, F.M.S.: 143. Type non indiqué

var. **serpyllifolia** (Wall. ex Craib) Verdc., Kew Bull. 37: 545 (1983). Décrite de Thailande

— *D. serpyllifolia* Wall. ex Craib, Fl. Siam. Enum. 2: 27 (1932)

— *Oldenlandia* sp., R.E. Vaughan, Maur. Inst. Bull. 1: 46 (1937)

Herbe formant des tapis atteignant 60 cm de diamètre; tiges glabres à pubescentes. Feuilles à limbe ovale à oblancéolé, 2–12×1–4 mm. Calice à partie adnée glabre, longue de 1-1,5 mm; tube libre long de 1,2 mm, et dents longues de 1,2 mm. Corolle blanche, atteignant 8 mm de longueur. Fruit de 3×2,2–2,5 mm, glabre, à tube du calice accrescent, long d'environ 2,5 mm. Graines brunes, longues d'environ 0,5 mm.

Maurice. Mauvaise herbe, originaire de l' Inde et du S.E. asiatique, récoltée le long de la voie ferrée de Curepipe. Un seul échantillon a été vu. Baker signale que l'espèce est répertoriée dans le catalogue de Dupont mais dit qu'il n'a pas vu de spécimen. Pour ma part, je fais un compromis entre le traitement d'Airy Shaw et les idées de Bakhuizen van den Brink qui ne reconnait pas du tout le taxon *serpyllifolia.* Airy Shaw estime que le nom de Craib est invalide, mais jusqu'en 1935 une diagnose latine n'était pas nécessaire pour qu'une description soit valable.

9. PENTAS Benth.

Bot. Mag. 70, t. 4068 (1844)

Verdc., Bull. Jard. Bot. Brux. 23: 237–371 (1953)

Herbes ou arbrisseaux, le plus souvent pérennes (rarement herbes bisannuelles), dressés ou trainants. Feuilles opposées ou en verticilles de 3–5; stipules divisées en 2 à plusieurs segments filiformes terminés par des colléters. Fleurs petites à très grandes, hermaphrodites, hétérostyles, le plus souvent en inflorescences cymeuses complexes, très ramifiées, terminales, les rameaux ultimes devenant souvent spiciformes à la fructification. Calice à partie adnée ovoïde ou sphérique, parfois, au sommet, à partie libre annulaire; lobes le plus souvent 5, égaux ou inégaux, 1–3 étant plus grands que les autres et parfois foliacés. Tube de la corolle cylindrique, parfois étroit, 2–40 fois plus long que large, pubescent à la gorge; lobes ovales ou oblongs. Fleurs soit longistyles, à tube brusquement évasé, à étamines incluses dans une dilatation brusque, apicale, du tube et à style exsert, soit brévistyles, à dilatation du tube graduelle, ou rarement étamines et style inclus dans le tube. Ovaire biloculaire; ovules nombreux sur un placenta inséré sur le septum. Capsule obtriangulaire ou ovoïde, côtelée, rostrée, s'ouvrant au sommet, le bec se fendant en 4 valves; parfois le fruit se divisant en deux coques. Graines minuscules, brunâtres, tétraédriques ou irrégulièrement sphériques, à testa réticulé. Raphides abondantes.

Genre d'environ 40 espèces, réparti de l'Afrique de l'Ouest au Natal dans l'Est, et jusqu'à l'Angola dans l'Ouest; présent aussi en Arabie, aux îles Comores et à Madagascar. Une espèce aux Mascareignes.

P. lanceolata (Forsskal) Deflers, Voy. Yemen: 142 (1889); Verdc., Bull. Jard. Bot. Brux. 23: 339, t. 35, D et G (1953). Décrit du Yémen
— *Ophiorrhiza lanceolata* Forsskal, Fl. Aegypt. — Arab.: 42 (1775)

Herbe ou sous-arbrisseau à tiges dressées ou ± trainantes, pubescentes, hautes de 0,50–1,30 m. Feuilles à limbe ovale à lancéolé ou elliptique, 3–13×1–6 cm, aigu au sommet, cunéiforme à la base, pubescent à densément velouté sur les deux faces; pétiole long de 0–5 cm; stipules formées de 3–9 (–14) soies, à partir d'une base courte, longues de 2–9 mm. Inflorescences formées d'éléments axillaires et terminaux, groupés en une seule unité. Calice à partie adnée pubescente, longue de 1–3 mm, large de 1,5–2,5 mm; lobes très inégaux, le plus grand lancéolé, 5–13×0,5–3 mm, le plus petit long de 1–3 mm. Fleurs hétérostyles, dimorphes ou parfois même trimorphes, soit à style exsert et anthères incluses, soit à style inclus et anthères exsertes, ou encore à style et anthères inclus. Tube de la corolle long de 1–4 cm, nettement dilaté au sommet dans les fleurs longistyles, pubescent ou glabre à l'extérieur; lobes oblongs-ovales à elliptiques, 3–10×1–4,5 mm. Style exsert sur 1,5–5,5 mm dans les fleurs longistyles, à lobes stigmatiques longs de 2–5 mm. Fruit obtriangulaire, de 4–6 mm de hauteur et de largeur, muni d'un bec long de 1–2 mm. (Pl. 11).

Pl. 11 — **Pentas lanceolata: 1,** rameau en fleurs et en fruits × 2/3 ; **2–3,** fleurs longistyles × 2 ; **4–5.** fleurs brévistyles × 2 ; **6,** fruit × 4 ; **7,** graine × 27. (**1,** d'après *Bosser* 20958 et *Cadet* 1123 ; **2–3** et **6-7** *Cadet* 1123 ; **4–5**, *Schlieben* 11253).

Espèce très polymorphe traitée dans ma monographie du genre comme composée de nombreuses sous-espèces et variétés.

Une révision des variétés horticoles fait grandement défaut. Beaucoup d'entre elles sont difficiles à placer dans ma classification à cause d'un manque d'information sur leur origine. Le matériel des Mascareignes peut être divisé en 2 groupes: le premier comprend les récoltes faites entre 1780 et 1860, le second les récoltes récentes à partir de 1957. Je crois qu'elles représentent pour la plupart, sinon toutes, des dérivés de la plante souvent appelée par erreur *P. carnea* Benth. (nom semble-t-il encore très utilisé par les fleuristes et les jardiniers aux Mascareignes), communément cultivée au siècle dernier mais aujourd'hui disparue. Pour moi, *P. carnea* est un cultivar de la subsp. *cymosa* (*P. carnea* var. *comorensis* Scott Elliot).

subsp. **cymosa** (Klotzsch) Verdc., op. cit.: 345 (1953). Décrit des Comores — *Pentanisia cymosa* Klotzsch in Peters, Reise Mossamb. Bot. 1: 288 (1862)

Très semblable à la subsp. *lanceolata* mais à fleurs le plus souvent plus petites, roses ou pourpre pâle, plus rarement blanches; tube de la corolle long d'environ 2 cm. Feuilles pour la plupart plus minces et à pétiole long.

La Réunion, Maurice. Largement cultivée dans les 2 îles. Naturalisée à La Réunion dans le lit de la Rivière St Denis et à St Philippe (Brûlé de Takamaka). D'anciennes récoltes existent de Commerson 1766–1771, de Boivin 1847–1852, et Andersson 1853 qui la dit "fréquemment cultivée". Un échantillon de Adam (MAU 15142), venant de Vacoas, est annoté: "plusieurs variétés horticoles, couleur des fleurs variant de rose pourpre pâle à mauve lilas". Certains de ces spécimens sont semblables à la subsp. *quartiniana* (A. Rich.) Verdc. d'Afrique, mais je suis certain que ces variations peuvent toutes s'expliquer si on considère ces plantes comme dérivées du matériel originel obtenu des Comores. Elle était cultivée à Maurice depuis un demi siècle avant de faire ses débuts européens en Belgique.

10. **KOHAUTIA** Cham. et Schlechtend.

Linnaea 4: 156 (1829)

Bremekamp, Verh. K. Nederl. Akad. Wetensk., Afd. Natuurk. sér. 2, 48: 56 (1952)

Herbes annuelles ou vivaces, rarement sous-arbrisseaux, pour la plupart dressés, souvent rameux. Feuilles opposées, habituellement linéaires et uninerves, moins souvent penninerves ou 3–5-palminerves; stipules à (1–) 2-plusieurs soies. Fleurs jamais hétérostyles, en panicules ou en corymbes, occasionnellement en capitules, plus rarement par paires, en triades ou même solitaires. Lobes du calice 4 (–5), petits, égaux. Corolle à tube étroitement cylindrique, poilu à l'intérieur ou à gorge glabre; lobes 4 (–5). Étamines toujours incluses dans la partie apicale dilatée du tube ou juste les sommets des anthères exserts. Ovaire biloculaire; ovules nombreux, ensevelis dans des placentas peltés, charnus; style toujours inclus, à stigmate simple, cylindrique ou divisé en 2 lobes filiformes. Capsule sphérique ou ellipsoïde, à peine rostrée, à déhiscence loculicide, apicale. Graines nombreuses, anguleuses, un peu alvéolées, généralement ne devenant pas visqueuses en présence d'eau.

Genre d'une soixantaine d'espèces, ± partout en Afrique, à Madagascar et en Inde. Une espèce s'est récemment installée aux Mascareignes. Une seconde, *K. virgata* (Willd.) Bremek., représentée par un échantillon de Boivin, probablement mal étiqueté comme étant de La Réunion, est incluse dans la clé.

— Inflorescences à bractées divergentes et longuement acuminées, à peine soudées; feuilles lancéolées, larges de 1,5–10,5 mm; tube de la corolle long de 0,5–1,5 cm et lobes longs de 1,3–4,5 mm. **K. lasiocarpa**

— Inflorescences à bractées soudées en involucre cupuliforme, fimbrié; feuilles linéaires, larges de 0,5–5 mm; tube de la corolle long de 3,5–5,5 mm et lobes longs de 1–2 mm. **K. virgata**

K. lasiocarpa Klotzsch in Peters, Reise Mossamb. Bot. 1: 296 (1862). Décrit du Mozambique

Herbe dressée, annuelle ou vivace, haute de 15–55 (–100) cm; tiges très ramifiées, parfois assez ligneuses à la base, rendues scabérules par des papilles blanches ou

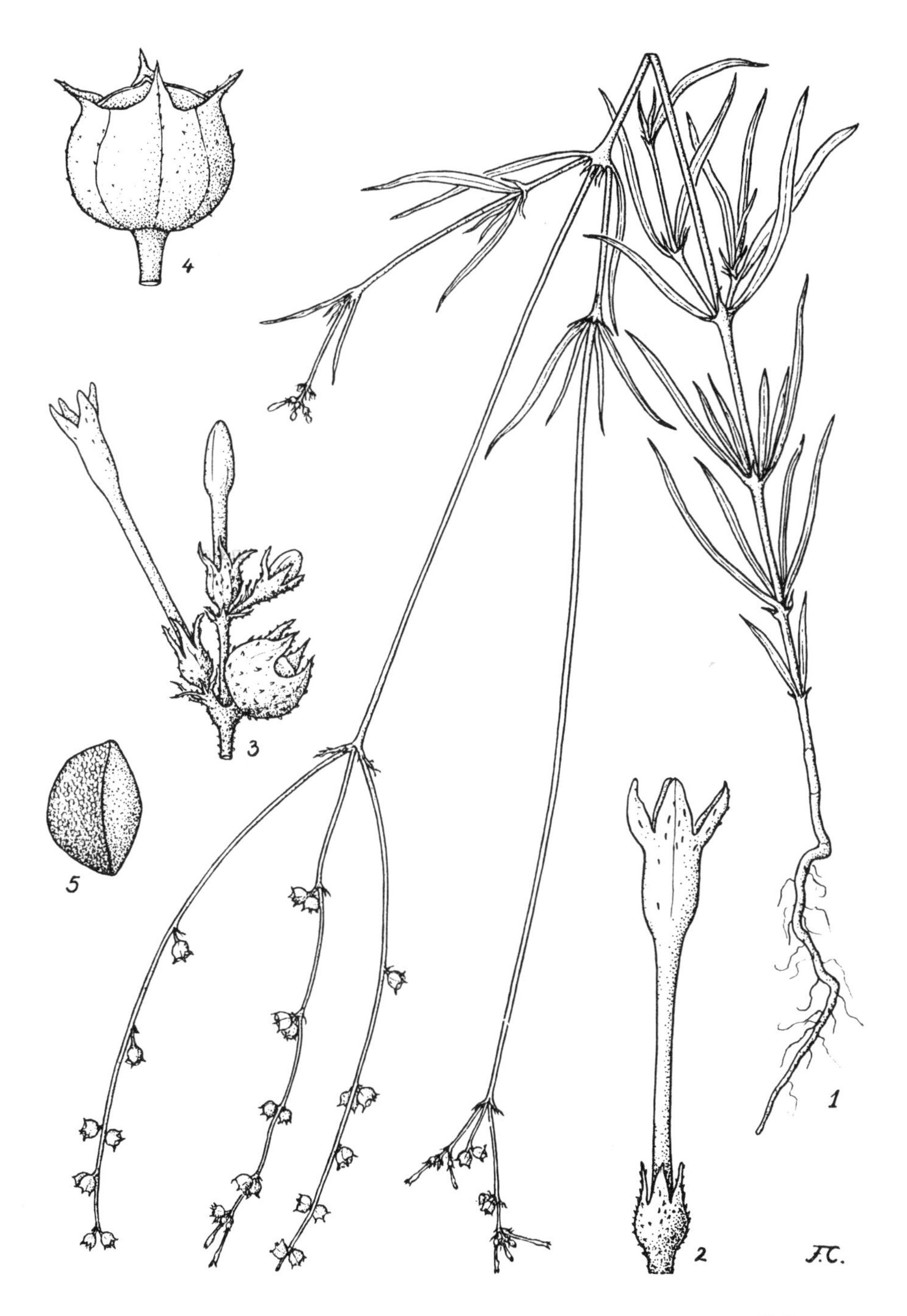

Pl. 12 — **Kohautia lasiocarpa: 1,** une plante en fruits × 2/3; **2,** fleur × 9; **3,** fragment d'inflorescence × 6; **4,** fruit × 7; **5,** graine × 40. **(1–5,** *Friedmann* 2469 (P)).

finement tomenteuses. Feuilles à limbe lancéolé à elliptique-lancéolé, 15–60 × 1,5–10,5 mm, aigu au sommet, cunéiforme à la base, ± glabre ou scabérule sur la face supérieure et sur la nervure médiane sur la face inférieure; gaine stipulaire longue de 1–2 (–3) mm, portant 1–7 soies longues de 1–5 mm et de petites dents latérales supplémentaires. Inflorescences habituellement amples et rameuses à ramification trichotomique ou dichotomique, les branches elles-mêmes souvent ramifiées; fleurs ± sessiles, presque toujours par paires aux noeuds ou portées par de faux pédicelles atteignant 8 (–13) mm de longueur. Calice à partie adnée subsphérique, de 1–1,2 mm de diamètre, verruculeux à pubescent-scabre; lobes lancéolés à triangulaires, longs de 0,8–2 mm. Corolle blanche, de couleur chamois ou jaunâtre, rarement verdâtre ou bleue; tube filiforme-cylindrique, long de 0,5–1,5 cm, la partie évasée de 0,8–2,5 × 0,5–1,2 mm; lobes elliptiques-oblongs, (1–) 1,3–4,5 × 0,5–1,3 mm. Style long de 2,5–5 mm; lobes stigmatiques longs de 1,5–2 mm, ± au niveau des anthères. Capsule subsphérique, 2–3,3 × 2,5–3,5 (–4) mm, verruculeuse, pubescente-scabre ou presque glabre. Graines brun pâle à brun foncé, irrégulièrement ellipsoïdes à anguleuses, longues d'environ 0,5 mm, granuleuses. (Pl. 12).

La Réunion. Le matériel réunionnais est proche de la var. *subverticillata* (K. Schum.) Bremek., à tube de la corolle long de (4–) 5–6,5 (–7) mm, et à lobes longs de 1–2 mm. Cependant, il en diffère par la nature de l'indument de l'ovaire et de la capsule. Semble être d'introduction récente, ayant été trouvé 4 fois depuis 1967 : Savane, Plaine des Galets; lieux incultes, Ste Suzanne; bord de mer, Plaine des Galets.

L'espèce est originaire d'Afrique tropicale méridionale. Son aire s'étend de la Tanzanie et du Mozambique à l'Est à l'Angola et à la Namibie à l'Ouest.

11. OLDENLANDIA L.

Sp. Pl.: 119 (1753); Gen. Pl. ed. 5: 55 (1754)

Bremek., Verh. K. Nederl. Akad. Wetensk., Afd. Natuurk. ser. 2, 48: 183 (1952)

Herbes annuelles ou vivaces, rarement sous-arbrisseaux, dressées ou prostrées, simples ou ramifiées, formant rarement des coussinets. Feuilles opposées; stipules à 1-plusieurs soies à partir d'une base courte, adnée à la base de la feuille. Fleurs hermaphrodites, hétérostyles ou non, groupées en inflorescences terminales ou axillaires, lâches ou denses, parfois solitaires ou fasciculées aux noeuds. Lobes du calice 4, rarement plus. Corolle à tube souvent court, cylindrique, souvent pubescent à la gorge; lobes 4. Étamines exsertes ou incluses. Ovaire biloculaire; ovules habituellement nombreux sur des placentas peltés; style filiforme; lobes stigmatiques linéaires à subsphériques. Capsule subsphérique à oblongue, généralement rostrée, le bec à déhiscence loculicide. Graines souvent nombreuses, anguleuses à subsphériques, lisses ou alvéolées, devenant souvent visqueuses en présence d'eau; cellules du testa lisses à nettement ponctuées ou granuleuses.

Grand genre dont le nombre d'espèces, parfois estimé à 300, doit se situer autour d'une centaine. Pour ce qui est de la taxonomie et des affinités du genre, voir, Verdc., Fl. Trop. East Afr., Rubiaceae 1 : 269 (1976). 5 espèces, dont 1 endémique, existent aux Mascareignes.

1. Inflorescences terminales et axillaires, sessiles, contractées, 9–25-flores. **1. O. goreensis**
— Inflorescences axillaires, lâches, 1–5 (–6) -flores; fleurs nettement pédicellées. **2**
2. Inflorescences à plusieurs fleurs. **4. O. corymbosa** var. **corymbosa**
— Inflorescences uniflores. **3**
3. Capsule nettement plus large que longue, ± sacciforme à la base; herbe ± couchée, allongée; pédicelles longs de 0,5–3 cm. **2. O. lancifolia**
— Capsule ± sphérique ou oblongue, pas du tout sacciforme à la base. **4**
4. Capsule nettement rostrée; corolle étroitement tubuleuse, longue de 2-4 mm. **3. O. herbacea**
— Capsule moins rostrée; corolle longue de 0,6–1 mm. **5**

5. Feuilles plus longues que ou égalant ± les pédicelles du fruit. **4. O. corymbosa** var. **caespitosa**
— Feuilles plus courtes que les pédicelles du fruit. **5. O. sieberi**

1. O. goreensis (DC.) Summerh., Kew Bull. 1928: 392 (1928); R.E. Vaughan, Maur. Inst. Bull. 1: 46 (1937). Décrit du Sénégal
— *Hedyotis goreensis* DC., Prodr. 4: 421 (1830)
— *H. hispida* auct. non DC.: Bojer, H.M.: 167
— *O. trinervia* auct. non Hiern: Baker, F.M.S.: 139
— *O. serpyllifolia* auct. non (Poiret) DC.: Cordem., F.R.: 502
— *Borreria ocymoides* auct. non (Burm.f.) DC.: R.E. Vaughan, Maur. Inst. Bull. 1: 43 (1937) *pro parte*

Heibe annuelle ou parfois peut-être pérenne mais de courte longévité, à tiges prostrées, décombantes ou ascendantes, longues de (7–) 10–40 (–80) cm, ramifiées dès la base, s'enracinant parfois aux noeuds, glabrescentes à lâchement pubescentes. Feuilles à limbe elliptique à ovale, 0,5–2,5 (–3,3)×0,3–1,5 (–2) cm, obtus à sub-aigu au sommet, arrondi à cunéiforme à la base, glabre à l'exception des marges ciliées et des nervures portant des poils apprimés; pétiole long de 0,5–2 mm, glabre ou cilié; gaine stipulaire longue de 0,7–1 (–2) mm, portant un lobe bifide, cilié, long de 1–2 mm. Inflorescences terminales, sessiles, 9–25-flores, subsphériques, celles des rameaux latéraux raccourcis des aisselles inférieures semblant être des fascicules axillaires; pédicelles longs de 1–3 mm, glabres à poilus. Fleurs homomorphes, 4 (–6) -mères. Calice à partie adnée subsphérique, longue de 1 mm environ, glabre à poilue; lobes étroitement triangulaires, 1–1,5× ±0,5 mm, ciliés. Corolle blanche, moins souvent rose ou rouge, glabre à poilue à l'extérieur; tube à gorge poilue; lobes longs de 0,8–1,2×0,7 mm, ovales-deltoïdes. Capsule subsphérique, 1,5×2 mm, glabrescente à poilue; bec un peu élevé, pubérulent. Graines noires, anguleuses, longues de 0,4 mm. (Pl. 13, 1).

var. **goreensis.** Tiges glabres ou glabrescentes.

La Réunion, Maurice. Variété d'Afrique tropicale, naturalisée aux Mascareignes. La Réunion : St Paul, Ravine Divon; bords de l'Étang de St Paul; La Marine-Ste Rose; Bois Blanc. Maurice : Rivière la Chaux, Mahébourg; Mare aux Vacoas; Rivière du Poste; Ferney Sugar Estate; Rivière de Moka; Grande Rivière S.E., près du réservoir de La Pipe.

2. O. lancifolia (Schumach.) DC., Prodr. 4: 425 (1830). Type: Décrit du Ghana
— *Hedyotis lancifolia* Schumach. in Schumach. et Thonn., Beskr. Guin. Pl.: 72 (1827)
— *O. heynii* auct. non G. Don: H.H. Johnston, Trans. Proc. Bot. Soc. Edinb. 20: 396 (1895)

Herbe pérenne, trainante ou prostrée, souvent très ramifiée, près de la base, en tiges ± simples, longues de (5–) 20–60 (–90) cm, s'enracinant parfois aux noeuds, glabres ou d'abord finement scabérules, formant parfois des tapis ± lâches. Limbe foliaire linéaire à linéaire-lancéolé, moins souvent elliptique ou lancéolé, 1–6× 0,2–1,2 cm, aigu au sommet, cunéiforme à la base, scabérule près des marges sur la face supérieure, glabre ou à nervure médiane scabérule sur la face inférieure; pétiole très court et adné à la gaine stipulaire longue de 1 mm et portant 2–6 soies longues de 1,5 mm. Fleurs homomorphes, souvent solitaires aux noeuds (pseudo-axillaires) ou parfois plusieurs par noeud, portées, en fait, par des rameaux latéraux très courts; pédicelles grêles, longs de 0,5–3 cm, glabres ou scabérules. Calice à partie adnée déprimée, 0,8×1,5 mm, glabre ou portant de très courts poils clairsemés; lobes deltoïdes, longs de 1–1,8 mm, acuminés, glabres ou lâchement scabérules. Corolle blanche, teintée parfois de rose ou de pourpre; tube long de 1 mm, glabre à l'intérieur;

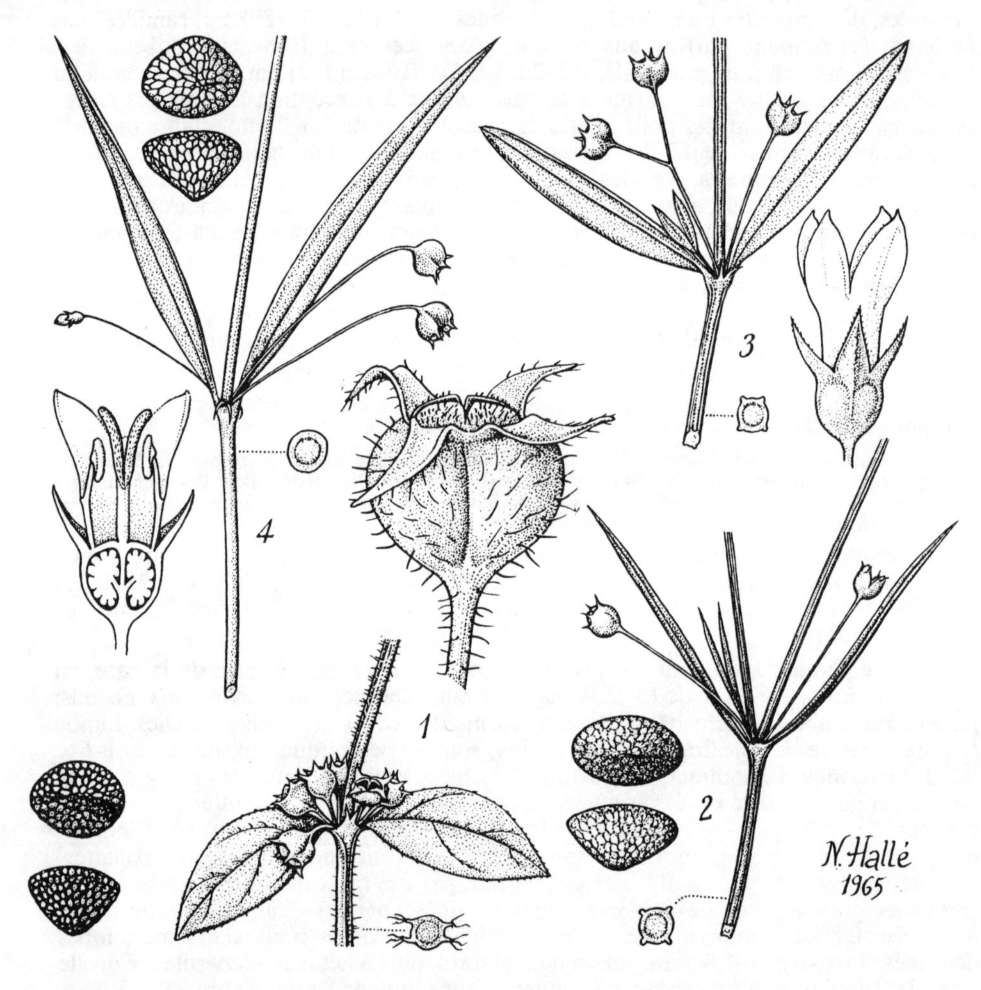

Pl. 13 — **Oldenlandia goreensis: 1,** infrutescence, fruit et graines. — **O. herbacea: 2,** fruits et graines.— **O. corymbosa: 3,** infrutescence et fleur.— **O. lancifolia: 4,** rameau, fleur en coupe et graines. Cliché Fl. Gabon 12, t. 17 (1966).

lobes deltoïdes, longs de 1–2 mm. Style légèrement plus long que le tube; lobes stigmatiques longs de 0,7–1,4 mm. Capsule déprimée-subsphérique, 1,2–3 × 3,2–5 mm, surmontée d'un bec long de 1 mm, sillonnée à mi-hauteur. Graines brun pâle, anguleuses, longues de 0,3–0,4 mm, fortement réticulées. (Pl. 13, 4).

Maurice. Espèce de large répartition en Afrique où elle existe sous forme de plusieurs variétés. Les échantillons trouvés à Maurice appartiennent tous à la variété typique : Cratère Kanaka; Macabé; Curepipe; Réservoir de la Mare aux Vacoas; Bois Chéri. Mauvaise herbe des lieux humides, des champs de canne à sucre, des plantations de thé, des bords de route.

3. **O. herbacea** (L.) Roxb., Hort. Beng.: 11 (1814); Fl. Ind. ed. Carey 1: 445 (1820). Type: Ceylan, *Hermann* 4.19 (BM, holo.!)
— *Hedyotis herbacea* L., Sp. Pl.: 102 (1753)

Herbe annuelle ou pérenne, dressée, décombante ou ascendante, haute de 7–60 cm, à tiges glabres, tétragones. Limbe foliaire linéaire-lancéolé, 6–55 × 1–3,5 (–4) mm, aigu au sommet, cunéiforme à la base, glabre ou portant quelques soies marginales; pétiole nul; gaine stipulaire courte, dépassant rarement 0,5 mm, tronquée, portant quelques soies longues de ± 0,3 mm, mais non fimbriée. Fleurs généralement isostyles, mais chez une variété (non aux Mascareignes) nettement hétérostyles, solitaires ou géminées aux noeuds; pédicelles grêles, étalés, longs de (0,3–) 0,8–3 cm. Calice à partie adnée ovoïde, longue de 0,5–1 mm, glabre, papilleuse ou portant des poils courts; lobes étroitement deltoïdes, longs de 0,5–2,5 mm, à marges scabérules. Corolle blanche, lilas ou mauve, ou à tube vert et lobes mauves marqués de pourpre; tube cylindrique, long de 0,2–1,1 cm (aux Mascareignes, 3–4 mm); lobes ovales, longs de 1–3 mm. Lobes stigmatiques filiformes, longs de 0,7–0,9 mm. Capsule de couleur paille pâle, subsphérique, 2–2,5 × 1,5–2 mm, surmontée par des lobes du calice noirâtres, glabre, papilleuse ou portant des poils courts; bec long de 0,8–1 mm. Graines brunes, ovoïdes à ellipsoïdes, anguleuses, longues de 0,2–0,4 mm, réticulées. (Pl. 13, 2).

La Réunion, Maurice. Espèce africaine, semblant être assez rare aux Mascareignes. La Réunion: Hauts de Moka, champs de géraniums, alt. 1300 m, *Bosser* 12138 (1957). Maurice: Mare aux Vacoas près de Trou de Mme Bouchet, *Barclay* 2911 (in MAU 15472) (1972).

4. **O. corymbosa** L., Sp. Pl: 119 (1753). Type: Basé sur Plumier, Nov. Pl. Americ. Genera: 42, t. 36 (1703)

Herbe annuelle, peu à très ramifiée près de la base; tiges prostrées à dressées, longues de 1,5–30 cm, côtelées, glabres ou scabérules ou pubescentes sur les côtes. Limbe foliaire linéaire à étroitement elliptique, 6–35 (–53) × 0,5–7 mm, aigu et apiculé au sommet, rétréci sur la base, glabre à légèrement scabérule sur la face supérieure et le long des marges, aussi sur la face inférieure surtout sur la nervure médiane; pétiole nul; gaine stipulaire longue de 0,5–2 (–3) mm, à prolongation médiane et portant (2–) 3–5 soies inégales, longues de 0,5–1 (–2,5) mm. Fleurs isostyles, soit 1 à plusieurs fleurs par aisselle foliaire ou groupées en inflorescences ombelliformes, pédonculées, de 2–5 (–6) fleurs, les deux dispositions présentes sur un même rameau, voire à un même noeud; pédoncules et pédicelles habituellement longs et grêles mais rarement les fleurs fasciculées; pédoncules longs de (0–) 0,5–1,8 (–2,3) cm; pédicelles longs de (1,8–) 3–6 (–13) mm. Calice à partie adnée ellipsoïde, longue de 0,7–1 mm; lobes triangulaires, longs de 0,5–1,8 mm, à marges sétuleuses. Corolle blanche ou teintée de bleu, de rose ou de pourpre ou encore chaque lobe à 2 raies roses; tube long de 0,6–1 mm; lobes ovales à oblongs, longs de 0,5–1,2 mm. Style long de 0,5–1,5 mm. Capsule ovoïde, haute de 1,2–2,2 mm, le bec à peine marqué. Graines brun pâle, ellipsoïdes ou déprimées-coniques, très obtuses, longues d'environ 0,3 mm, réticulées. (Pl. 13, 3).

— Inflorescences presque toutes 3–5 (–6)-flores. var. **corymbosa**

— Inflorescences presque toutes uniflores. var. **caespitosa**

var. **corymbosa.** Plante dressée ou prostrée. Limbe foliaire généralement étroitement elliptique. Style glabre.

La Réunion, Maurice. Vraisemblablement originaire d'Afrique et de l'Inde; est aujourd'hui une mauvaise herbe répandue dans la plupart des régions chaudes du monde. Elle est rare aux Mascareignes. Le spécimen le plus récent de La Réunion est de *Bréon* (vers 1820), du Brûlé de St Denis. De Maurice, il y a un spécimen de *Boivin* (1847–52) et un autre récolté en 1977 sur une plante croissant entre les dalles d'un trottoir à Port Louis.

var. **caespitosa** (Benth.) Verdc., Kew Bull. 30: 298 (1975). Type: Libéria, Cape Palmas, *Vogel* 51 (K, holo.!)
— *O. herbacea* var. *caespitosa* Benth. in Hook., Fl. Niger: 403 (1849)
— *O. burmanniana* auct. non R. Br. ex G. Don: Cordem., F.R.: 502
— *O. sieberi* auct. non Baker: H.H. Johnston, Trans. Proc. Bot. Soc. Edinb. 20: 323 (1895)

Petite herbe haute de 2–30 cm, à plusieurs tiges prostrées, parfois dressée et non ramifiée. Limbe foliaire habituellement petit, étroitement elliptique, 7–20 (–28) × 1,5–3 (-4,5) mm. Fleurs en général solitaires aux noeuds, mais souvent quelques-unes en cymes biflores ou, parfois, sur des rameaux latéraux courts, sans feuilles, ressemblant à des cymes 2–3-flores. Style souvent lâchement pubescent à mi-hauteur.

La Réunion, Maurice. Originaire d'Afrique; plante de bords de routes et de décombres. La Réunion: route du Grand Brûlé, alt. 100 m; Ste Rose, rochers littoraux; Brûlé de Ste Rose; Rivière Langevin (1972); St Benoît; Pointe du Tremblet; fissures du lit rocheux de la Rivière Ste Suzanne, alt. 400 m. Maurice : Ile aux Aigrettes (1890 et 1968).

5. O. sieberi Baker, F.M.S.: 138. Types: Maurice, *Sieber*, Fl. Maurit. II, n° 207 (K, syn.!; E, isosyn.!); *Ayres* (K, syn.!)

Herbe annuelle ou pérenne, diffuse ou contractée, à tiges nombreuses, glabres, très courtes, formant ± une rosette ou longues de 2,5–15 cm et étalées. Feuilles étroitement elliptiques, 2–4,5 × 1–2 mm, rétrécies à la base sur un pétiole très court, obtuses ou sub-aiguës au sommet, subcoriaces, portant sur la face supérieure de très courts poils triangulaires, écailleux, qui rendent les marges très finement serrulées; stipules scarieuses, longues d'environ 1 mm, portant 2–3 soies longues de moins de 0,5 mm. Fleurs glabres, solitaires, une par noeud; pédicelles longs de 0,6–1,4 cm, dépassant les feuilles. Calice à partie adnée longue d'environ 1 mm; lobes ovales-triangulaires, longs d'environ 0,5 mm, aigus. Corolle blanche, de 2 mm de diamètre environ (selon Johnston); tube blanc; lobes blancs, teintés de rose pâle. Capsule comprimée-obovoïde, longue de 2,1–4 mm, glabre. Graines brunes, oblongues ou anguleuses-sphériques, longues de 0,4 mm, réticulées.

Maurice, Rodrigues. Espèce endémique, très semblable, comme l'a signalé déjà Balfour (B. Ro. : 346), à *O. capillipes* Griseb. de Cuba, espèce connue par le spécimen type seulement. La présence d'une variété distincte à Rodrigues indique qu'il s'agit bien d'une espèce des Mascareignes. A mon avis *O. sieberi* ne représente qu'une dérivation spécialisée de *O. corymbosa* var. *caespitosa* à qui elle est étroitement liée.

var. **sieberi.** Plante de port diffus, à rameaux habituellement assez allongés.

Maurice. Variété rare, connue, outre les syntypes, par une récolte de Blackburn faite à Grand Baie.

var. **congesta** (Balf. f. ex Baker) Balf. f., B. Ro.: 346. Type: Rodrigues, *Balfour* (K, holo. !; E, iso.)
— *O. congesta* Balf. f. ex Baker, F.M.S.: 138

Plante pérenne, cespiteuse, dense, à tiges généralement si courtes que les feuilles sont groupées, le plus souvent, en rosette plaquée contre le sol, parfois rampantes sur 5–7,5 cm.

Rodrigues. Plante du littoral et des îlots, surtout sur des sols coralliens : Pointe Coton; Plaine Corail; Trou d'Argent; Ile aux Chats; Ile Frégate.

ANTHOSPERMEAE

12. SERISSA Commerson ex Juss.

Gen. Pl.: 209 (1789)

Petits arbrisseaux ramifiés, à ramilles grêles. Feuilles petites, opposées, subsessiles, souvent fasciculées sur des pousses courtes, subcoriaces, ovales à elliptiques, à tissu bourré de raphides; stipules soudées au pétiole, formant une courte gaine portant 3 ou plusieurs soies subulées, persistantes. Fleurs axillaires ou terminales, solitaires ou fasciculées, sessiles, hétérostyles. Calice à partie adnée obconique; lobes 4–6, persistants. Corolle blanche ou lilas; tube en entonnoir, pubescent à la gorge et à l'intérieur; lobes 4–6, indupliqués-valvaires, souvent faiblement trilobés, portant sur la face interne des poils aplatis très caractéristiques. Étamines 4–6; anthères soit incluses soit exsertes. Ovaire à 2 loges uni-ovulées; ovules basaux, dressés; style filiforme, divisé en 2 courts lobes stigmatiques, inclus ou exserts. Fruit obconique, surmonté par les lobes du calice persistants. Graines allongées-ellipsoïdes, ornées de fortes côtes sinueuses, brunes, séparées par des sillons foncés contenant des formes blanches, allongées, élevées; hile étroit, légèrement courbé, parcourant toute la longueur de la graine.

Genre de 2 ou 3 espèces asiatiques dont une cultivée et aussi naturalisée aux Mascareignes depuis plus d'un siècle.

S. japonica (Thunb.) Thunb., Nov. Gen. Pl. 9: 132 (1798). Type du Japon
— *Lycium japonicum* Thunb., Nov. Act. Reg. Soc. Sc. Upsal. 3: 197, 207 (1780)
— *L. foetidum* L. f., Suppl.: 150 (1781). Décrit de Chine et d'Indonésie
— S. *foetida* (L. f.) Poiret, Illust. 2: 211 (1819); Lam., Illust. 1, t. 151 (1792), sans nom; Bojer, H.M.: 174; Baker, F.M.S.: 158; Cordem., F.R.: 506

Arbrisseau ou sous-arbrisseau dressé ou ± étalé, de 0,50–1,50 m de hauteur; rameaux grêles; écorce s'exfoliant plus ou moins, de couleur paille à blanc argenté; ramilles parfois pourpres, glabres ou portant deux lignes de pubescence papilleuse. Stipules à base longue de 1,5 mm; soies longues de 1–3 mm. Limbe foliaire très étroitement elliptique à elliptique-rhombique, 7–30 × 3–9 mm, aigu et apiculé au sommet, cunéiforme à la base, glabre ou portant quelques poils épars sur les nervures sur la face supérieure; nervation proéminente sur les deux faces. Fleurs solitaires ou peu nombreuses, en groupes. Calice à lobes longs de 1,2–2 mm, finement ciliés. Corolle à tube long de 4–9,5 mm; lobes de 2–5 × 1–4 mm. (Pl. 14).

Noms vernaculaires: Miklande (R.); Niclande (M.).

La Réunion, Maurice. Cette espèce est cultivée aux Mascareignes depuis au moins 1770; elle s'est naturalisée depuis plus d'un siècle dans certaines localités en forêts, jusqu'à 1100 m d'altitude. La Réunion : Plaine d'Affouches; Rivière des Pluies; Brûlé de St Denis; Ilet à Guillaume; Plaine des Makes; Plaine des Palmistes; près de l'oratoire du sentier de l'Ilet à Guillaume, La Montagne. Maurice : Plaine de Moka; Curepipe; Mt du Pouce.

Pl. 14 — Serissa japonica: 1, rameau × 2/3; **2,** noeud × 6; **3,** fleur avec bractée × 4; **4,** bractée étalée × 4; **5,** corolle étalée × 4; **6,** gynécée × 4. (**1-2,** *Cadet* 2176; **3–6,** *Bosser* 11402).

SPERMACOCEAE

13. DIODIA L.

Sp. Pl.: 104 (1753); Gen. Pl. ed. 5 : 45 (1754)

Herbes annuelles ou pérennes, dressées ou le plus souvent décombantes ou prostrées; tiges souvent tétragones. Feuilles opposées, paraissant parfois verticillées par suite du développement de rameaux axillaires réduits, ± sessiles ou courtement pétiolées; limbe linéaire à ovale; base des stipules fimbriées adnée au pétiole. Fleurs pour la plupart petites, homostyles, en petits fascicules axillaires ou, dans un groupe d'espèces américaines, en capitules ou en épis terminaux. Calice à partie adnée ellipsoïde, ovoïde ou obconique; lobes 2–4 (–6), parfois quelques petits lobes supplémentaires, persistants. Corolle à tube en entonnoir, glabre ou pubescent à la gorge; lobes (2–) 4 (–6), valvaires. Étamines 4 (–6), exsertes, à filet inséré à la gorge. Ovaire 2 (–4) -loculaire; ovules solitaires, attachés au milieu du septum; style filiforme, exsert; stigmate bilobé ou ± capité. Fruit à 2 (–4) coques indéhiscentes. Graines nettement bilobées ou oblongues, convexes sur le dos, munies ventralement d'un sillon longitudinal, rarement à sillon transversal.

Genre de délimitation difficile, comprenant 30–50 espèces, la plupart du Nouveau Monde. Deux espèces sont naturalisées aux Mascareignes et une troisième, traitée dans la clé, *D. sarmentosa* Swartz, espèce américaine, a été trouvée par Bouton en 1830; l'échantillon est annoté : " cultivé dans quelques jardins de l'isle Maurice ". C'est une herbe procombante, trainante, à tiges longues de 1–3,50 m; feuilles à limbe elliptique, 1,8–6,3 × 0,7–2,8 cm; fleurs à corolle petite, blanche ou mauve, longue de 3 mm environ.

1. Herbe procombante ou ± trainante, atteignant 3,50 m de longueur; corolle longue d'environ 3 mm; fruit se séparant en 2 coques indéhiscentes, glabres. **D. sarmentosa**
— Herbes dressées ou ascendantes, de 8 cm à 1 m de hauteur; fruit à pubescence souvent très dense dans la partie supérieure. **2**
2. Herbe haute de 8–20 cm; tige munie de deux lignes portant une pubérulence très courte et parfois aussi des aiguillons clairsemés; calice à 4 lobes, 2 longs de 1–1,5 mm, 2 très petits; corolle à tube atteignant 1,6 mm de longueur, à 2–3 (–4) lobes; méricarpes du fruit se séparant tardivement. **2. D. dasycephala**
— Herbe haute de 0,50–1 m; tige jeune à pubescence dense, glabrescente; calice à 4 lobes ovales-triangulaires, longs de 0,5 mm; corolle à tube long de 2 mm; méricarpes du fruit à septum très mince, se déchirant facilement. **1. D. ocymifolia**

1. D. ocymifolia (Willd. ex Roemer et Schultes) Bremek., Recueil Trav. Bot. Neerl. 31: 305 (1934). Type des Antilles
— *Spermacoce ocymifolia* Willd. ex Roemer et Schultes, Syst. Veg. 3: 530 (1818)

Herbe pérenne (ou annuelle ?), souvent ligneuse à la base, de 0,50–1 m de hauteur; tiges brun rougeâtre foncé, subtétragones et sillonnées, d'abord à pubescence dense, puis glabrescentes. Feuilles à limbe elliptique à elliptique-lancéolé, 3–7,5 × 0,8–2,8 cm, aigu au sommet, cunéiforme à la base, sur la face supérieure finement scabérule le long de la nervure médiane mais ailleurs glabre, scabérule sur la face inférieure; pétiole long de 0,5–1,5 cm; stipules formant une gaine longue de 3,5–4 mm, à 5–7 soies longues de 1,5–4 mm. Fleurs 7–40, en glomérules axillaires, atteignant 1,3 cm de diamètre. Calice à partie adnée ovoïde, pubescente, longue de 1,5 mm; tube libre ± nul; lobes largement ovales-triangulaires, longs de 0,5 mm. Corolle blanche ou lavée de pourpre, à tube long de 2 mm; lobes lancéolés, longs de 2 mm environ. Style long de 1 mm, à stigmate capité. Fruit oblong, 2,5–3 × 1,5 mm, pubescent sur la partie supérieure; méricarpes à septum très mince, se déchirant facilement. Graines ellipsoïdes-oblongues, rouge très sombre, 2 × 1 mm environ, aplaties du côté du hile, le sillon un peu élargi aux deux bouts, ruguleuses et nettement grêles, à sillons latéraux peu nets. (Pl. 15).

La Réunion. Espèce largement répandue, d'Amérique tropicale, naturalisée dans les régions tropicales du Vieux Monde, surtout en Malaisie. D'introduction probablement récente à La Réunion où elle a été repérée en 1972 sur des alluvions de la Rivière de St Denis (alt. 100 m).

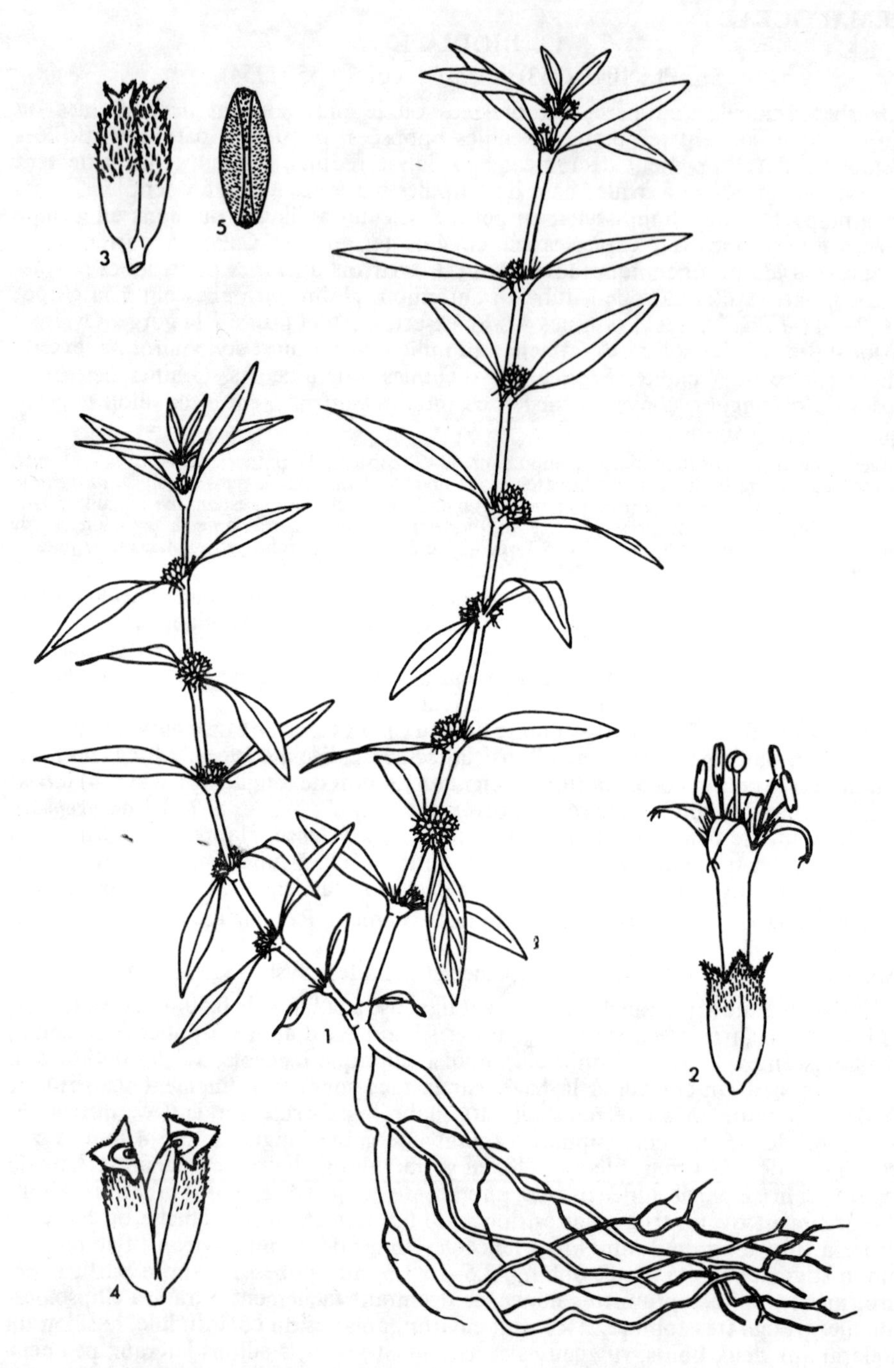

Pl. 15 — **Diodia ocymifolia: 1,** port × 2/3; **2,** fleur × 7; **3 et 4,** fruits × 13; **5,** graine × 13. (**1 et 3–5,** *Cadet* 586; **2,** *Ekman* 11228, des Antilles).

2. D. dasycephala Cham. et Schlechtend., Linnaea 3 : 348 (1828); K. Schum. in Mart., Fl. Bras. 6, 6 : 24 (1888). Décrit du Brésil

Petite herbe pérenne, ramifiée dès la base, haute de 8–20 cm; tiges nettement ligneuses à la base, munies de deux lignes portant une pubérulence très courte et parfois aussi des aiguillons clairsemés. Feuilles à limbe oblong-elliptique, 1–3 (–6,5) × 0,3–1,3 (–2) cm, obtus à sub-aigu au sommet, cunéiforme et décurrent sur une base pétiolaire légèrement ailée, glabre, à l'exception de quelques poils marginaux très courts et écailleux; le vrai pétiole adné aux stipules; stipules à base cupuliforme longue de 2 mm et à 5 (–11) soies filiformes atteignant 2 mm de longueur. Fleurs assez nombreuses, formant un glomérule sphérique de 0,8–1,4 cm de diamètre, aux deux noeuds apicaux rapprochés et sous-tendus par 4 feuilles. Calice à partie adnée d'à peine 1 mm, à pubescence dense; tube libre long de 0,2 mm, à 2 lobes linéaires à étroitement triangulaires, longs de 1–1,5 mm, et à 2 lobes très réduits, de 0,2 mm de longueur, ± fimbrié entre les lobes. Corolle blanche, à tube en entonnoir atteignant 1,6 mm de longueur; lobes 2–3 (–4), arrondis-triangulaires, 0,8–1 × 0,5–0,8 mm. Étamines 3–4, à filet long de 0,7 mm; anthère longue d'environ 0,5 mm, exserte. Style à branches stigmatiques ± sphériques, exsertes. Fruit à paroi mince, cartilagineuse, oblong à oblong-obovoïde, 2,5 × 1,5 mm, pubescent au sommet, en apparence indéhiscent. Graines rouge sombre, étroitement oblongues, 2 × 0,7 mm, portant une dépression médiane sur le dos et un sillon ventral large; surface très fortement réticulée.

La Réunion, Maurice. Espèce originaire du Sud du Brésil et d'Uruguay, naturalisée au bord des routes et au bord des fossés. La Réunion: Plaine des Palmistes; Plaine des Cafres; bas-côté de la route de St François, 700 m alt.; Le Tampon; Brûlé de St Denis; La Montagne. Plus rare à Maurice: Curepipe (1965). Existe aussi en Afrique du Sud (Cape Town, East London).

14. SPERMACOCE L.

Sp. Pl. : 102 (1753); Gen. Pl. ed. 5 : 44 (1754)

Verdc., Kew Bull. 37 : 545–547 (1983)

Herbes annuelles ou pérennes, ou petits sous-arbrisseaux, à tiges tétragones. Feuilles opposées ou en faux verticilles, sessiles ou pétiolées, les pétioles souvent soudés à la gaine stipulaire qui est le plus souvent divisée en 1–∞ soies filiformes. Fleurs hermaphrodites, souvent hétérostyles, sessiles, habituellement en groupes axillaires, sphériques, souvent multiflores ou, plus rarement, en capitules terminaux, sous-tendus par 1–2 ou plusieurs paires de feuilles réduites, ou 1 à peu nombreuses aux aisselles foliaires; parfois les groupes axillaires formant un ensemble spiciforme; dans les groupes sphériques, les fleurs souvent entremêlées de bractées nombreuses, scarieuses, filiformes. Calice 2–4 (–8) -lobé, souvent les lobes ± persistants, parfois muni de denticules entre les lobes. Corolle en entonnoir ou hypocratériforme, le tube parfois très grêle, glabre ou pubescent à la gorge; lobes (3–) 4, valvaires, d'ordinaire étalés. Étamines 4, à filet inséré dans le tube ou à la gorge; anthère incluse ou exserte. Ovaire biloculaire; ovules amphitropes, solitaires, fixés au milieu du septum; style filiforme, le plus souvent exsert; stigmate ± capité ou à 2 lobes courts. Fruit le plus souvent une capsule à 2 valves, s'ouvrant du sommet à la base, le septum disparaissant (sect. *Borreria* (G. Meyer) Verdc.), ou fruit à deux méricarpes, l'un déhiscent, l'autre restant ± fermé (sect. *Spermacoce*), ou, dans quelques espèces, la capsule s'ouvrant de la base vers le sommet, les valves restant attachées l'une à l'autre par le tube calicinal, l'ensemble tombant en forme de couvercle, laissant en place le septum persistant (sect. *Arbulocarpus* (Tennant) Verdc.). Graines oblongues, ellipsoïdes ou ovoïdes, en général brunes, luisantes, munies d'un sillon ventral, le testa souvent réticulé; albumen charnu ou corné.

Grand genre de vaste répartition sous les tropiques et dans les régions subtropicales, de 150–250 espèces, suivant les différents calculs. La plupart des espèces sont originaires du Nouveau Monde, mais de nombreuses espèces existent en Afrique et dans d'autres régions tropicales et subtropicales.

Beaucoup d'espèces sont devenues des mauvaises herbes des cultures. Beaucoup ressemblent à des plantes appartenant aux genres du groupe *Oldenlandia*, mais elles sont toujours reconnaissables par leur ovule solitaire et les grains de pollen discoïdes, pluricolpés.

Depuis environ un siècle, on avait l'habitude de séparer le genre en plusieurs; mais si le caractère de la déhiscence du fruit est, sur le papier, d'une clarté évidente, il n'est pas associé à d'autres caractères différentiels et, en ce qui concerne le matériel fleuri, il est impossible, sans connaissances supplémentaires, de le placer dans le genre qui convient. J'ai, pour cette raison, largement suivi Hooker in Gen. Pl. 2: 145 (1873) dans sa délimitation du genre. *Diodia* L. est un autre genre qui comprend des espèces étroitement reliées; en fait, j'aurais inclus les espèces africaines dans *Spermacoce*, car une étroite relation peut être constatée en comparant *Diodia sarmentosa* Swartz et *Spermacoce princeae* (K. Schum.) Verdc., mais une étude du matériel du Nouveau Monde m'a convaincu que ce ne serait pas une décision avisée.

Cordemoy, F.R.: 505, fait mention d'une herbe naturalisée à la Plaine des Palmistes, aux environs du village de Ste Agathe, que Schinz a rattachée à *S. ruelliae* DC., une détermination que Cordemoy trouvait très douteuse. Nous n'avons vu aucun échantillon qui puisse appartenir à cette espèce.

Un spécimen de Commerson, récolté en juin 1771 près du Gol à La Réunion, a des inflorescences qui ne portent que 2 ou 3 fruits, très semblables à ceux de *S. hispida*; les graines aussi sont semblables à celles de cette espèce mais les feuilles minces, oblancéolées, 2,5–3 × 0,75 cm, sont fortement rétrécies à la base, beaucoup moins pubescentes et les raphides sont beaucoup plus visibles sur le pétiole, les stipules et les tiges. C'est peut-être une forme anormale de *S. hispida*.

1. Corolle à tube long de 6 mm environ et à lobes longs de 2 mm environ; herbe procombante pérenne, portant habituellement des poils blancs étalés; lobes calicinaux 4. **4. S. hispida**
— Corolle beaucoup plus courte. **2**

2. Lobes calicinaux 2, rarement (non aux Mascareignes) 4. **3**
— Lobes calicinaux 4. **4**

3. Herbe annuelle faible, dressée à procombante; fleurs en petits groupes pauciflores, axillaires, formant des verticillasters de 3–6 mm de diamètre; corolle longue de moins de 1 mm; graines de 0,7–0,8 × 0,4 mm. **3. S. mauritiana**
— Herbe pérenne buissonnante ou sous-arbrisseau; fleurs en groupes multiflores de 0,7–1,4 cm de diamètre, aux noeuds apicaux et sub-apicaux; corolle longue de 2–3 (–4) mm; graines de 2 × 0,7–0,8 mm. **5. S. verticillata**

4. Tube de la corolle long de 2,2 mm; feuilles linéaires-elliptiques, étroitement elliptiques ou linéaires-lancéolées, 2,5–3 (–8) × 0,2–0,5 (–0,9) cm; tiges glabres ou finement scabérules sur les angles des sillons; méricarpes de la capsule s'ouvrant au sommet, la capsule semblant avoir 4 valves. **2. S. flagelliformis**
— Tube de la corolle long de 0,4–1 (–1,5) mm; feuilles elliptiques à linéaires-elliptiques, 1,5–7,5 × 0,25–2,2 cm; tiges pour la plupart glabres mais portant généralement des poils papilleux, courts et raides, sur les angles, juste au-dessous des noeuds; capsule déhiscente au sommet, le septum restant attaché à une des moitiés de la capsule, l'autre moitié étant ouverte. **1. S. tenuior**

1. S. tenuior L., Sp. Pl.: 102 (1753); Rendle, Journ. Bot. 72: 329, fig. A, t. 607/2, 608/3 (1934); Verdc., Fl. Trop. E. Afr., Rubiaceae: 349 (1976); Kew Bull. 37: 545 (1983). Type: Dillenius, Hort. Elth.: 370, t. 277, fig. 359
— *S. laevis* Lam., Encycl. 1: 273 (1792). Type: St Domingue, *J. Martin* (P–LA, holo!)
— *S. confusa* auct. non Rendle ex Gillis: Verdc., Fl. Trop. E. Afr., Rubiaceae: 348 (1976), *pro parte*

Herbe annuelle, dressée ou grimpante, haute de 30–90 cm, à tiges tétragones, pour la plupart glabres, à l'exception de quelques courts poils papilleux, raides, sur les angles, surtout juste au-dessous des noeuds, généralement non ramifiées mais parfois avec de longs rameaux latéraux. Feuilles à limbe elliptique à linéaire-elliptique, 1,5–7,5 × 0,25–2,2 cm, aigu au sommet, atténué sur une base ressemblant à un pétiole ailé, atteignant 4 mm de longueur, souvent mince, glabre ou pubérulent-scabre sur la face supérieure; gaine stipulaire longue de 1–2 mm, pubescente, portant 5–7 soies longues de 1–3 mm. Calice à partie adnée ± carrée de profil ou turbinée, longue de 1–1,5 mm, pubescente ou glabrescente; lobes inégaux, 2 minuscules, 2 ovales-deltoïdes, 0,5–1 × 0,5 mm. Corolle blanche, blanche et rose ou mauve pâle, légèrement plus large que longue, 1 × 1,2 mm, les lobes deltoïdes plus longs que le tube ou le tube long de 1,5 mm et les lobes de 0,5 mm. Anthères, style et stigmate très petits. Capsule obovoïde-subsphérique à ellipsoïde, 1,6–2,5 × 1,5 mm, glabre ou généralement très pubescente, surmontée par les lobes du calice, déhiscente au sommet, le septum restant attaché à une des moitiés de la capsule, l'autre moitié étant ouverte. Graines pourpre brun foncé, comprimées-ellipsoïdes, 1,6–1,8 × 0,8 × 0,4 mm, fortement réticulées, à cellules bien développées, celles de l'extrémité plus étroite sont isodiamétriques, celles de l'extrémité plus large sont un peu plus longues que larges; fossettes ± en forme de haltère, avec de nombreuses raphides superficielles.

var. **commersonii** Verdc., Kew Bull. 37: 546 (1983). Type: Maurice, sans localité, *Commerson* 351 (P, holo.!)

— *S. muriculata* DC., Prodr. 4: 554 (1830); Bojer, H.M.: 174. Type: Maurice ou La Réunion, sans collecteur (G-DC, holo.)

Fruit portant une pubescence molle, dense.

Maurice. Connue par 3 récoltes: le type de Commerson, le type de *S. muriculata* et un échantillon de Boivin des bords de la Rivière du Poste, sept. 1851. Cette variété n'existe probablement plus aux Mascareignes. Elle existe encore en Tanzanie. La variété typique, ± glabre partout, existe aux Antilles, en Amérique centrale et du Sud et également en Tanzanie. L'espèce est très proche de *Diodia ocymifolia* (Willd. ex Roemer et Schultes) Bremek. (*Spermacoce ocymifolia* Willd. ex Roemer et Schultes), et il est peu logique de placer les deux espèces dans 2 genres différents. Une révision complète des espèces américaines est nécessaire.

2. S. flagelliformis Poiret, Encycl. 7: 314 (1806); Bojer, H.M.: 174. Types: Maurice, sans collecteur (P–LA, holo.); Maurice, *Commerson* 312 (P, iso.?)

— *S. flagellaris* Willd. ex Roemer et Schultes, Syst. Veg. 3: 532 (1818). Type d'origine inconnue (B–W, holo.)

— *S. stricta* auct. non L.f.: Baker, F.M.S.: 159; Cordem., F.R.: 505

— *Borreria stricta* auct. non (L.f.) G. Meyer: R.E. Vaughan, Maur. Inst. Bull. 1: 43 (1937)

Herbe annuelle ou pérenne, habituellement dressée, non ramifiée à assez rameuse à partir de la base, de 15–65 cm de hauteur; tige glabre ou finement scabérule sur les côtés des sillons, ± anguleuse. Feuilles à limbe linéaire-elliptique, étroitement elliptique ou linéaire-lancéolé, 25–30 (–80) × 2–5,5 (–9) mm, aigu au sommet, rétréci sur la gaine stipulaire, finement scabérule sur la face supérieure et sur les marges, glabre sur la face inférieure; gaine stipulaire longue de 2,5–3,5 mm, glabre ou scabérule-pubérulente, à 7–9 soies longues de 1,5–3 mm. Fleurs en verticillasters aux noeuds apicaux et subapicaux, pauci- à pluriflores, de 5–9 mm de diamètre en fruits; fleurs entremêlées de nombreuses bractées filiformes, longues de 3 mm. Boutons floraux portant au sommet 4–5 poils, ayant l'air piquant. Partie adnée du calice oblongue, longue de 1,2 mm, à pubescence dense; lobes 4, linéaires-subulés, longs de 1,2 mm. Corolle blanche; tube long de 2,2 mm; lobes de 1,2 × 1 mm. Anthères noires, longues de 0,6 mm; filets exserts sur 1,2 mm. Style exsert; lobes stigmatiques sphériques, situés au-dessous ou au-dessus des anthères. Capsule oblongue-ellipsoïde, longue de 2,5 mm, portant de longs poils sur la partie apicale; méricarpes déhiscents par 2 valves apicales, la capsule ainsi à 4 valves. Graines brun rougeâtre foncé, mates, oblongues-ellipsoïdes, 2 × 0,9 mm, l'un des bouts habituellement ± pointu, fortement réticulées-pointillées; hile étroit. (Pl. 16).

La Réunion, Maurice. Endémique? Peu de récoltes récentes de La Réunion. Les localités connues sont: St Benoît; bords de la route traversant le Grand Brûlé; Mare Longue-St Philippe; Brûlé de Ste Rose; Rivière des Galets; une étiquette de Boivin porte: " lits des ravines du Chaudron, des Patates à Durand et de la Rivière St Denis; bords des sentiers du Mt St François et du Boucan Launay ". A Maurice l'espèce est rare. Une ancienne récolte de Bouton (MAU 757) porte la mention " croît dans les savanes à Flacq et à Moka ".

Cette espèce était connue le plus souvent sous le nom de *S. stricta* auct. non L.f., c.à.d. *S. pusilla* Wall. ex Carey, mais elle a des capsules plus grandes et plus pubescentes et des graines beaucoup plus

Pl. 16 — **Spermacoce flagelliformis: 1,** port × 2/3; **2,** infrutescence × 3 1/3; **3–4,** fruits × 13; **5,** graine × 13; **6,** fleur × 6 2/3. (Tous de *Boivin* 1186).

réticulées que le vrai *S. stricta*; elle ressemble aussi assez étroitement à *S. assurgens* Ruiz et Pavon (*S. laevis* auct.) mais n'a pas les sillons transversaux, anastomosants, sur les graines et elle a des feuilles plus étroites et plus longues. Il est impossible d'être certain de l'identité de ce taxon avant qu'une révision du genre ne soit faite sur le plan mondial.

3. S. mauritiana Osia Gideon in Verdc., Kew Bull. 37: 547 (1983). Type: Maurice, *Sieber*, Fl. Maurit. II, n° 144 (G, holo.; P, isos.!)
— *Borreria repens* DC., Prodr. 4: 544 (1830), non *Spermacoce repens* Willd. ex Cham. et Schlechtend. (1828)
— *B. ocymoides* auct. non (Burm. f.) DC.: R.E. Vaughan, Maur. Inst. Bull. 1: 43 (1937), *pro parte*
— *S. ocymoides* auct. non Burm. f.: Verdc., Fl. Trop. E. Afr., Rubiaceae 1: 361 (1976), *pro parte*

Herbe annuelle peu robuste, décombante, procombante ou dressée, haute de 3–40 cm, habituellement rameuse; tiges à poils crispés, lâches à assez denses sur les angles proéminents, ± aliformes. Feuilles à limbe elliptique à elliptique-lancéolé, 0,4–3,6 × 0,25–1,6 cm, arrondi à aigu au sommet, rétréci sur le pétiole, glabre sur les 2 faces à l'exception des marges et à pubescence ± dense sur la nervure médiane sur la face inférieure; pétiole atteignant 8 mm de longueur, à poils clairsemés; stipules longues de 2 mm, portant ± 7 soies longues de 1–3 mm. Fleurs en petits groupes pauciflores situés à un grand nombre de noeuds, de 3–6 mm de diamètre en fruits; bractéoles stipuliformes, à soies longues de 1,8–2 mm, parmi les fleurs. Partie adnée du calice transversalement oblongue, longue de 0,5 mm; lobes 2 (–4), longs de 0,6–0,8 mm, ciliés. Corolle blanche, longue, en tout, d'environ 0,6–0,7 mm. Fruit oblong, 1 × 0,8 × 0,5–0,7 mm, comprimé, finement ridé transversalement, pubescent. Graines châtaines, oblongues-ellipsoïdes, 0,7–0,8 × 0,4 × 0,3–0,35 mm, fortement réticulées par un réseau proéminent, les fovéoles transversalement allongées.

Maurice. Espèce occasionnelle des bords des réservoirs et autres lieux humides: Macabé (1962); Réservoir d'Eau Bleu (1976); Rivière des Galets en aval de Cascade 500 Pieds (1981). Elle appartient à un complexe largement répandu sous les tropiques. Un échantillon in TCD, étiqueté " Bory 1844, Maurice ", qui semble être le vrai *S. ocymoides* Burm. f., a des feuilles pubescentes sur la face supérieure et des calices 4-lobés.

4. S. hispida L., Sp. Pl.: 102 (1753); Baker, F.M.S.: 159; Cordem., F.R.: 505; Verdc., Kew Bull. 30: 307 (1975). Type: Ceylan, *Hermann* (BM-HERM, vol. 15, lecto.!)
— *S. articularis* L.f., Suppl. Pl.: 119 (1781): Bojer, H.M.: 174. Décrit d'après une plante cultivée
— *S. scabra* Willd., Sp. Pl. 1: 572 (1798); Bojer, H.M.: 174. Type de l'Inde

Herbe pérenne, rameuse, prostrée, formant des tapis de 20–40 cm de diamètre, mais quelques spécimens paraissant dressés; tiges teintées de rouge, à poils blancs, à entre-noeuds courts et feuillage assez dense. Feuilles à limbe elliptique ou oblong-elliptique, 0,6–3,5 (–5) × 0,15–1,2 (–2,5) cm, ± aigu au sommet, cunéiforme à la base, scabérule sur la face supérieure et surtout le long des marges, portant des poils sur les nervures sur la face inférieure; stipules à base pubescente, longue d'environ 2 mm, à 3–6 soies longues de 3–6 mm; partie libre du pétiole atteignant au plus 1 mm. Fleurs 1-plusieurs, sessiles, à la plupart des noeuds. Calice à partie adnée oblongue-ovoïde, longue de 2 mm, à pubescence dense; lobes 4, lancéolés, longs de 1,5–2 mm, ciliés. Corolle bleu pâle ou lilas, à tube cylindrique, long de 6 mm; lobes oblongs, 2 × 1 mm. Étamines à filet exsert sur 1 mm. Style exsert sur 2,5–5 mm; stigmate légèrement bifide, long de 0,8 mm. Capsule obovoïde, 3 × 2,7 mm, à poils blancs. Graines châtaines, oblongues-ellipsoïdes, 2,5 × 1,2 × 0,8 mm, finement réticulées, à sillon ventral.

La Réunion, Maurice. Espèce habituellement des zones littorales. Assez commune à La Réunion: Étang Salé les Bains; Les Avirons, Ravine du Trou; Le Port, lieux secs de la dune de la Batterie; Plaine des Galets; Mare à Cadet, St Paul. A Maurice non trouvée depuis Bouton qui a fait une récolte à la Rivière du Rempart à Flacq. Originaire de l'Inde, de Malaisie, d'Indochine, de Chine, des Philippines. Présente aussi en Tanzanie où elle est peut-être naturalisée.

5. S. verticillata L., Sp. Pl. : 102 (1753). Décrit de la Jamaïque et de la Gambie

Herbe pérenne buissonnante ou sous-arbrisseau de 0,30–1,20 m de hauteur, à base ligneuse; tiges tétragones, d'abord sétuleuses sur les angles, glabrescentes ou glabres. Feuilles en apparence verticillées par la présence de pousses axillaires non développées; limbe foliaire linéaire-lancéolé, 10–45 (–60) × 1,5–5 (–9) mm, aigu à acuminé au sommet, rétréci à la base sur un court pétiole, scabre sur les marges et sur la nervure médiane sur la face inférieure, ailleurs glabre; stipules à base longue de 2 mm, pubérulente, à 7 soies longues de 1,5 mm. Fleurs nombreuses, en groupes sphériques de 0,7–1,4 cm de diamètre, aux noeuds apicaux et sub-apicaux; feuilles sous-tendant les groupes de fleurs en général réfléchies et plus courtes que les feuilles insérées plus bas. Partie adnée du calice subcylindrique, longue de 1,25 mm; lobes 2 (–3), ± subulés, formant avec le tube une cupule fimbriée. Corolle blanche ou jaune pâle, parfois teintée de rouge, longue de 2–3 (–4) mm; les lobes ovales-triangulaires, étalés, égalant ± le tube. Fruit oblong, long de 1,5–2,5 mm. Graines châtaines, étroitement oblongues-ellipsoïdes, 2 × 0,7–0,8 mm, finement réticulées, les fovéoles larges et uniformes, ornées de nombreuses raphides le long de la ligne médiane.

La Réunion, Maurice. De La Réunion, connue par une seule récolte de Boivin faite au Jardin Botanique à St Denis. Trouvée plusieurs fois depuis 1968 à Maurice: Plaine l'Hièvre, le long de la route de Brise Fer, alt. 600 m; Rivière la Chaux; près du réservoir de Mare Longue (3 récoltes); le long de la route de Macabé à Brise Fer. Originaire des régions tropicales américaines et des Antilles. Présente aussi en Afrique de l'Ouest et à Madagascar.

Mitracarpus A. Rich.

Un échantillon de *M. squamosus* Cham. et Schlechtend. des Antilles, étiqueté " Maur. Sieb. Fl. Mixta (absq. no.) *Mitracarpus senegalensis* DC. " existe à Paris. Cette espèce n'a pas été retrouvée depuis lors et l'échantillon est vraisemblablement mal étiqueté. Le genre est facile à distinguer de *Spermacoce* par les capsules circumscissiles et par les graines munies d'un sillon en forme de X sur le côté ventral. Une autre espèce, *M. hirtus* (L.) DC. (= *M. senegalensis* DC.) est une mauvaise herbe qui, tôt ou tard, s'établira sans doute aux Mascareignes.

15. RICHARDIA L.

Sp. Pl. : 330 (1753); Gen. Pl. ed. 5 : 153 (1754)

Herbes annuelles ou pérennes, dressées ou prostrées, pubescentes. Feuilles opposées; stipules soudées au pétiole et formant une gaine portant plusieurs soies. Fleurs hermaphrodites ou parfois dites polygames, non hétérostyles, petites, en capitules denses, terminaux, entourés d'un involucre formé de (2–) 4 feuilles plurinerves à partir de la base. Partie adnée du calice turbinée ou subsphérique; tube libre profondément lobé; lobes 4–8, persistants. Corolle courtement en entonnoir; lobes 3–5; tube à gorge glabre mais avec une zone pubescente, étroite, à l'intérieur, près de la base. Anthères exsertes. Stigmates 3–4, exserts. Ovaire à 3–4 loges uni-ovulées; ovules fixés à mi-hauteur du septum. Capsule se divisant à la longue en 3–4 méricarpes, couronnée par le calice persistant; méricarpes obovoïdes, lisses ou, plus souvent, muriqués ou papilleux. Graines oblongues-ellipsoïdes ou obovoïdes, convexes sur le dos, à deux sillons ventraux; albumen corné.

Petit genre d'environ 15 espèces d'Amérique Centrale et du Sud dont plusieurs actuellement largement naturalisées sous les tropiques et les régions subtropicales. Une espèce aux Mascareignes.

R. brasiliensis Gomes, Mem. Ipecac. : 31, t. 2 (1801). Type : Brésil, Rio de Janeiro, *Gomes* (LISU, holo.)

Herbe prostrée, pérenne (ou annuelle?), formant souvent des tapis de 7–40 cm à partir d'une racine pivotante; tiges poilues. Limbe foliaire elliptique, 1–6,5 × 0,4–2,7 cm, aigu à sub-aigu au sommet, étroitement atténué à la base sur un faux pétiole atteignant 1,5 cm de longueur, à pubescence rase sur la face supérieure, sur les marges et sur les nervures sur la face inférieure; partie basale portant des poils plus longs; gaine stipulaire poilue, longue de 1–3,5 mm, à 3–5 soies longues de 1–4 mm. Inflorescences de 0,7–1,2 cm de diamètre; bractées ovales-elliptiques, arrondies à la base, les longues de 1,5–3,5 × 0,65–2 cm, les courtes de 10–17 × 4–9,5 mm ou parfois nulles, portant un indument semblable à celui des feuilles, mais vers la base à poils beaucoup plus longs; partie basale des bractées souvent ± hyaline. Calice à partie adnée longue de 1,2–1,7 mm; lobes 5–6, ovales-deltoïdes, 1–1,5 × 0,3–1 mm, nettement ciliés. Corolle blanche, longue de 2,7–3,2 mm; lobes 4–6, de 1–1,4 × 0,5–0,8 mm. Style long de 3–4 mm, à lobes stigmatiques spatulés. Méricarpes bruns, oblongs-obovoïdes, 2–2,6 × 1,4–1,6 mm, à face interne lisse, face dorsale portant de courts poils plats, ceux de la zone médiane plus longs, ou portant un mélange de poils plus longs et de poils papilleux. Graines brunes, comprimées, oblongues-obovoïdes, 2,5 × 1,8 mm, à face ventrale largement sillonnée, à deux processus basaux courts.

Maurice. Originaire d'Amérique méridionale, actuellement largement naturalisée dans les régions chaudes. Aux Mascareignes peu commune; mauvaise herbe des champs de canne à sucre près de Réduit, et des terrains vagues surtout du M.S.I.R.I.; récoltes datant de août 1929, août 1945, sept. 1970.

RUBIEAE

Asperula L., *nom. cons.*

Asperula orientalis Boiss. et Hohen. (*A. azurea* Jaub. et Spach), espèce du Proche Orient, a été trouvée près de la route de La Brasserie à Maurice, évidemment échappée de cultures. Les feuilles et les stipules sont semblables, rappelant celles de *Galium*, oblancéolées à linéaires, en verticilles de 6–8; les fleurs, hétérostyles, sont groupées en capitules terminaux, sous-tendus par des bractées ciliées bien visibles; corolle bleue ou bleu violet, longue de 0,7–1,3 cm.

16. GALIUM L.

Sp. Pl.: 105 (1753); Gen. Pl. ed. 5: 46 (1754)

Herbes annuelles ou pérennes, parfois ± suffrutescentes à la base; tiges dressées, décombantes ou ± grimpantes, tétragones, glabres à hispides, parfois à petits aiguillons. Feuilles en verticilles de 3–10 à nombreuses; limbe sétacé à ovale, parfois à marges munies de petits aiguillons; stipules foliacées et comptées comme représentant des feuilles. Fleurs habituellement hermaphrodites et très petites, groupées en inflorescences thyrsoïdes mais le plus souvent formant des cymes axillaires et terminales, sans bractées et sans involucre ou, rarement, fleurs solitaires; pédicelle articulé au calice. Calice à partie adnée ovoïde ou sphérique; tube libre ± absent, représenté souvent par un cercle de petits colléters sessiles. Corolle blanche, jaune ou rougeâtre, rotacée à cupuliforme ou occasionnellement en entonnoir; lobes (3–) 4 (–5). Étamines (3–) 4; filets courts, insérés dans le court tube. Ovaire biloculaire; ovules solitaires, insérés sur le septum; styles 2, courts, parfois soudés à la base; stigmates capités. Fruit bilobé, chaque lobe coriace et ± sec à charnu, lisse ou tuberculé, glabre, pubescent ou garni de glochidies. Graines à testa membraneux adhérant au péricarpe, dorsalement convexe, ventralement excavé; albumen corné.

Grand genre de 300–400 espèces, presque cosmopolite, surtout des régions tempérées mais, sous les tropiques, bien représenté aux altitudes élevées.

— Pédoncules et pédicelles ± droits ou courbés juste au-dessous du fruit; fruit portant des glochidies; feuilles le plus souvent pubescentes sur la face supérieure. **1. G. aparine**

— Pédoncules et pédicelles recourbés après la floraison; fruit typiquement verruqueux mais seulement faiblement verruqueux sur une partie du matériel des Mascareignes; feuilles glabres sur la face supérieure, à l'exception des aiguillons sur la nervure médiane et sur les marges. **2. G. tricornutum**

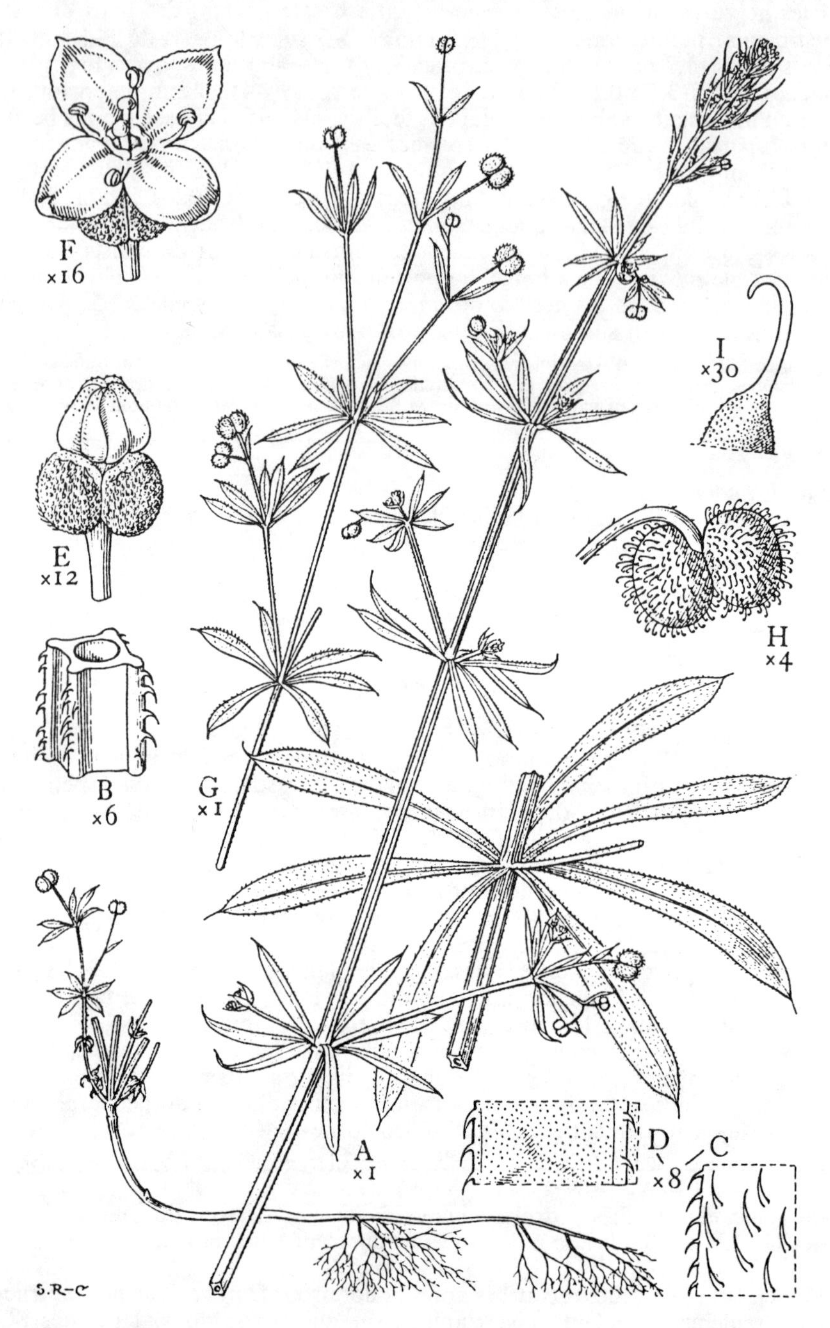

Pl. 17 — **Galium aparine; A,** parties basale, moyenne et haute d'une plante; **B,** coupe de tige; **C,** détail de la face supérieure d'une feuille; **D,** détail de la face inférieure d'une feuille; **E,** bouton floral; **F,** fleur; **G,** rameau en fruits; **H,** fruit; **I,** glochidie du fruit. Cliché S. Ross-Craig, Drawings of British Plants. G. Bell & Sons Ltd., London, 1960.

1. G. aparine L., Sp. Pl.: 108 (1753). Décrit d'Europe
— *G. borbonicum* var. *makianum* Cordem., F.R.: 518. Type: La Réunion, *M. J. Hermann* (MARS, holo.!)

Tiges faiblement grimpantes, longues de 0,30–1,80 m, souvent robustes, aiguillonnées. Feuilles et stipules verticillées par 6–8 (–9); limbe linéaire-lancéolé ou linéaire-oblancéolé, 10–40 (–47) × 1–3 (–6) mm, muni au sommet d'une arête filiforme; marges et nervure médiane portant des aiguillons rétrorses, rendant la plante entière scabre et accrochante. Inflorescences étroitement ovoïdes à cylindriques, parfois réduites; cymes 1–7 (–9)-flores; pédoncules et pédicelles étalés, longs de 1–3,2 (–3,7) cm, droits ou souvent brusquement courbés juste au-dessous du fruit. Corolle blanche, blanc verdâtre ou jaunâtre, de 1,5–2 mm de diamètre. Fruit à lobes de 3–5 mm de diamètre, portant des glochidies denses; parfois un seul lobe se développant aux Mascareignes. (Pl. 17).

La Réunion. Espèce européenne, devenue une mauvaise herbe cosmopolite. Assez commune à La Réunion: Plaine des Cafres, Piton de Villers (*Richard*); Grand Bénard, crête du Grand Rempart de la Rivière des Galets (*Boivin*); forêts des Hauts du Bois de Nèfles, St Paul, 1500 m (*Rivals*); Ravine des Patates (St Louis, Plaine des Makes) (*Cordemoy*); Caverne du Pas de Bellecombe; Plateau des fleurs jaunes, Plaine des Makes (*Cadet*).

2. G. tricornutum Dandy, Watsonia 4: 47 (1957). Décrit de Grande Bretagne
— *G. tricorne* Stokes in Withering, Bot. Arr. Brit. Pl. ed. 2, 1: 153 (1787), *pro parte, nom. illegit.*
— ? *G. borbonicum* Cordem., F.R.: 517. Type: La Réunion, *Cordemoy* (MARS, holo.!; P, ? iso.!)

Herbe annuelle, atteignant 1 m de hauteur, à tiges faiblement grimpantes-trainantes, tétragones, portant des poils rétrorses, scabres. Feuilles et stipules en verticilles de 6–8, linéaires-oblancéolées à oblancéolées, 10–35 × (1,5–) 2–4 (–8) mm, longuement acuminées au sommet, glabres sur la face supérieure mais la nervure médiane et les marges portant des aiguillons rétrorses. Cymes (1–) 3–5 (–7)-flores; pédoncules longs de 0,5–2 cm; pédicelles atteignant 8 mm de longueur, robustes, recourbés après la floraison. Corolle cupuliforme, large de 1–1,7 mm, à lobes ovales-oblongs, aigus. Méricarpes le plus souvent 2, parfois 1 par avortement, de 2,5–5 mm de diamètre, couverts de courtes verrues denses.

La Réunion, Maurice. Introduite des régions tempérées de l'hémisphère Nord où elle est répandue. Mauvaise herbe de bords de routes et des jardins. A Maurice elle n'est connue que de 2 localités: Beau Bassin et Bassin Anglais (environs de La Marie), où elle a été trouvée récemment (1980–82).

Les fruits de certains échantillons sont bien moins verruqueux que sur le matériel européen typique. Le type et ce qui est peut-être un isotype à P de *G. borbonicum*, sont malheureusement en très mauvais état et sans fruits. Le matériel de l'herbier de Cordemoy comprend aussi quelques fragments qui appartiennent peut-être à d'autres taxons. Je n'ai, pour cette raison, pas utilisé ce nom pour cette espèce bien connue, mais, s'il pouvait être prouvé que *G. borbonicum* est bien conspécifique, c'est le nom le plus ancien pour l'espèce. Dans sa description Cordemoy ne mentionne pas les verrues et dit que les fruits sont glabres.

CINCHONOIDEAE—NAUCLEEAE

Nauclea L.

Nauclea diderrichii (De Wild.) Merr. est planté au Jardin des Pamplemousses et à l'Institut de Maurice à Port Louis. C'est un arbre de haute futaie atteignant 33 m de hauteur. Des pieds à Maurice ont des troncs d'une soixantaine de centimètre de diamètre. Bois jaune à jaune orangé; bois de coeur jaune d'or. Feuilles elliptiques-oblongues, atteignant 30 × 17 cm, cunéiformes à tronquées à la base; stipules bien visibles, elliptiques-oblongues à oblongues-ovales, 1,7–5,5 × 0,8–3 cm, obtuses, souvent persistantes. Fleurs jaunes, petites, nombreuses, en capitules sphériques, terminaux, longuement pédonculés, de 3–4 cm de diamètre; stigmates claviformes, exserts, blancs. Fruits soudés en fruit composé sphérique, d'environ 3 cm de diamètre, dont la surface est couverte de fossettes séparées par un réseau élevé formé des restes calicinaux. C'est une espèce d'Afrique tropicale.

D'après Rivals, Esp. Fruit. Introd. Réunion: 58 (1960), *Nauclea orientalis* (L.) L. (*Sarcocephalus cordatus* Miq.), est planté sur la place de l'Institut de Maurice à Port Louis, nous n'avons pas vu de matériel de cette espèce.

Sarcocephalus Afzel. ex R. Br.

Sarcocephalus latifolius (J.E. Smith) Bruce (*S. esculentus* Afzel. et Sabine; Rivals, Esp. Fruit. Introd. Réunion : 58 (1960)), est cultivé au Jardin des Pamplemousses à Maurice où il se présente sous forme d'arbres à fût court et branches arquées-étalées. Bois de coeur brun rougeâtre. Feuilles elliptiques-oblongues à ovales, atteignant 21 × 16 mm, tronquées à subcordées à la base; stipules largement triangulaires, longues de 5 mm environ, persistantes sur quelques noeuds mais finalement caduques. Fleurs blanches, odorantes, très nombreuses, en capitules terminaux, courtement pédonculés, de 4–5 cm de diamètre; stigmates fusiformes, exserts. Fruit composé, rouge rosâtre, ellipsoïde à sphérique, de 5–7,5 cm de diamètre, ayant un trognon solide et une chair sucrée, rouge, comestible, renfermant de nombreuses petites graines. Originaire d'Afrique tropicale.

Breonia A. Rich. ex DC.

Outre les deux genres précédents, il existe à Paris deux spécimens d'une plante appartenant à la tribu des *Naucleeae* : *Breonia chinensis* (Lam.) Capuron. L'un de ces spécimens est le type de *B. mauritiana* Havil. (Journ. Linn. Soc. Bot. 33 : 35 (1897)) autrefois considérée comme une espèce autochtone de l'île Maurice. Cette plante est d'origine malgache et était autrefois vraisemblablement cultivée à Maurice. Commerson en avait fait des échantillons dont des parts ont servi à décrire cette espèce.

CINCHONEAE

Cinchona L.

Comme dans la plupart des pays tropicaux, le genre *Cinchona* a été cultivé aux Mascareignes, mais pas sur une grande échelle. La plupart du grand nombre d'espèces qui ont été décrites ne sont que des cultivars qu'on ne peut distinguer que par les variations de leur teneur en alcaloïdes. Nous avons vu des spécimens d'un hybride issu principalement de *C. pubescens* Vahl. Ce cultivar, ± équivalent à *C. succirubra* Pav. et Klotzsch (*Susplugas* 1007, La Réunion, Cirque de la Rivière des Pluies, Ilet à Quinquina, 21 juin 1967), a de grandes feuilles finement pubescentes, elliptiques à arrondies-ovales et des capsules allongées, oblongues-ellipsoïdes. (Le vrai *C. succirubra* a des capsules beaucoup plus longues). La plupart des échantillons appartiennent à *C. officinalis* L. Des échantillons à feuilles glabrescentes, largement elliptiques, du Brûlé de St Denis, Plaine d'Affouches, Ilet à Quinquina à La Réunion, se rapportent probablement au cultivar *C. calisaya* Wedd. ou au cultivar *C. josephinae* (Wedd.) Wedd. Des échantillons originaires de La Réunion, sans indications précises, à feuilles étroites, oblongues-elliptiques, glabrescentes, se rattachent sans doute au cultivar *C. ledgeriana* (Howard) Moens ex Trimen.

RONDELETIEAE (incl. **CONDAMINEEAE)**

Un échantillon d'une espèce de *Wendlandia* proche de *W. burkillii* Cowan de Malaisie et de *W. erythroxylon* Cowan de Taiwan, a été récolté par Boivin en 1854 au " H.B. Bourbon " (Herb. TCD). *Wendlandia* diffère de *Rondeletia* et de *Pogonopus* par ses grandes panicules amples de petites fleurs blanches.

Rondeletia L.

Rondeletia odorata Jacq. (*R. speciosa* Lodd.), belle espèce des Antilles, est un arbrisseau cultivé au Jardin des Pamplemousses à Maurice et dans des jardins particuliers à La Réunion. Les feuilles sont elliptiques, le plus souvent obtuses. Fleurs par groupes de 10–30, en inflorescences contractées, terminales; corolle rouge brique à cramoisie sur fond jaune, à tube très étroit et lobes arrondis.

Pogonopus Klotzsch

P. speciosus (Jacq.) Schum. est cultivé à Maurice. Il rapelle un peu un *Mussaenda*, surtout par le calice qui a un des lobes agrandi. Néanmoins facile à reconnaître par les lobes de la corolle beaucoup plus petits et par les étamines et le style exserts. La corolle est rose et rose blanchâtre et le lobe du calice agrandi rouge à rose. C'est une espèce originaire d'Amérique Centrale et du Sud ainsi que des Antilles.

ISERTIEAE (*MUSSAENDEAE*)

17. MUSSAENDA L.

Sp. Pl. : 177 (1753); Gen. Pl. ed. 5 : 85 (1754)

Arbrisseaux parfois grimpants, ou lianes. Stipules entières ou bilobées, persistantes ou caduques. Feuilles opposées ou par 3, pétiolées, habituellement elliptiques. Fleurs souvent hétérostyles, jaunes à rouges ou parfois blanches, groupées en panicules terminales. Lobes du calice 5, généralement subulés, linéaires, spatulés ou parfois courts et dentés ou arrondis, persistants ou caducs; parfois, dans une inflorescence, plusieurs lobes se développant en limbe stipité, élargi, blanc, jaunâtre ou rouge. Corolle à préfloraison rédupliquée, à 5 lobes connés au-dessus de la gorge, souvent pubescente. Anthères 5, incluses dans le tube, linéaires. Ovaire 2 (-3-4)-loculaire; ovules nombreux; placentas charnus; style grêle, parfois bilobé; stigmates inclus ou exserts. Fruit charnu ou ± sec, indéhiscent, parfois surmonté par le calice. Graines nombreuses, brun pâle à noirâtres, réticulées.

Genre d'une centaine d'espèces, largement répandu sous les tropiques sauf dans le Nouveau Monde et le Nord de l'Australie. 4 espèces, dont 2 sont indigènes, existent aux Mascareignes. Le genre contient plusieurs espèces spectaculaires qui sont maintenant largement cultivées; les lobes du calice sont développés, blancs, jaunes, cramoisis ou de différentes nuances de rouge. *M. erythrophylla* Schumach. et Thonn. et *M. frondosa* L., Paper Chase, sont aussi plantés aux Mascareignes.

1. Lobes foliacés du calice absents ou, rarement, très peu développés, les 5 lobes généralement petits et égaux; espèces indigènes. **2**
— Lobes foliacés du calice nettement développés; espèces cultivées. **3**
2. Corolle jaune vif; feuilles ordinairement glabres; fruit ellipsoïde, charnu. **1. M. arcuata**
— Corolle blanche ou à tube verdâtre; feuilles ordinairement pubescentes; fruit oblong, ± sec. **2. M. landia**
3. Lobes foliacés du calice cramoisis; corolle le plus souvent blanchâtre à centre cramoisi. **M. erythrophylla**
— Lobes foliacés du calice blancs; corolle orangée à centre jaune. **M. frondosa**

1. M. arcuata Poiret in Lam., Encycl. 4 : 392 (1797); Bojer, H.M. : 165; Baker, F.M.S. : 140; Cordem., F.R. : 503; R.E. Vaughan, Maur. Inst. Bull. 1 : 46 (1937). Type : Maurice, *Commerson* (P–LA, holo. ; K ?, P, iso. !)

Arbrisseau parfois grimpant, atteignant 0,50–7 (–14) m de hauteur; rameaux habituellement glabres, parfois à indument de poils étalés, ± courts; lenticelles peu nettes sur les jeunes rameaux. Stipules entières ou lobées ± jusqu'à la base, longues de 3–12 mm, caduques, laissant un rang de poils rouges ou bruns au-dessus de la cicatrice. Feuilles parfois par 3, à pétiole long de 0,3–2,2 cm; limbe coriace, elliptique à arrondi, 3–16,5 (–20) × 1,2–8,5 (–10,8) cm, acuminé à caudé au sommet, cunéiforme à arrondi à la base, à 5–7 paires de nervures latérales, sur le sec à marbrure cuivrée ou noirâtre caractéristique entre les nervures tertiaires, glabre dessus, glabre ou lâchement pubescent dessous. Panicules denses ou lâches, multi- ou pauciflores; pédoncules longs de 0,8–4 cm; pédicelles atteignant 5,3 (–7) mm de longueur ou fleurs ± sessiles. Fleurs isostyles ou hétérostyles, odorantes. Calice à partie adnée turbinée à ellipsoïde, longue de 2–4 mm; lobes linéaires à subspatulés, 7–15 × 0,25–2,5 mm, dentés, occasionnellement un limbe élargi, blanchâtre, ayant tendance à se développer. Corolle à tube jaune verdâtre, long de 1,3–2,7 cm, glabre, pubescent, ou à 5 rangs verticaux

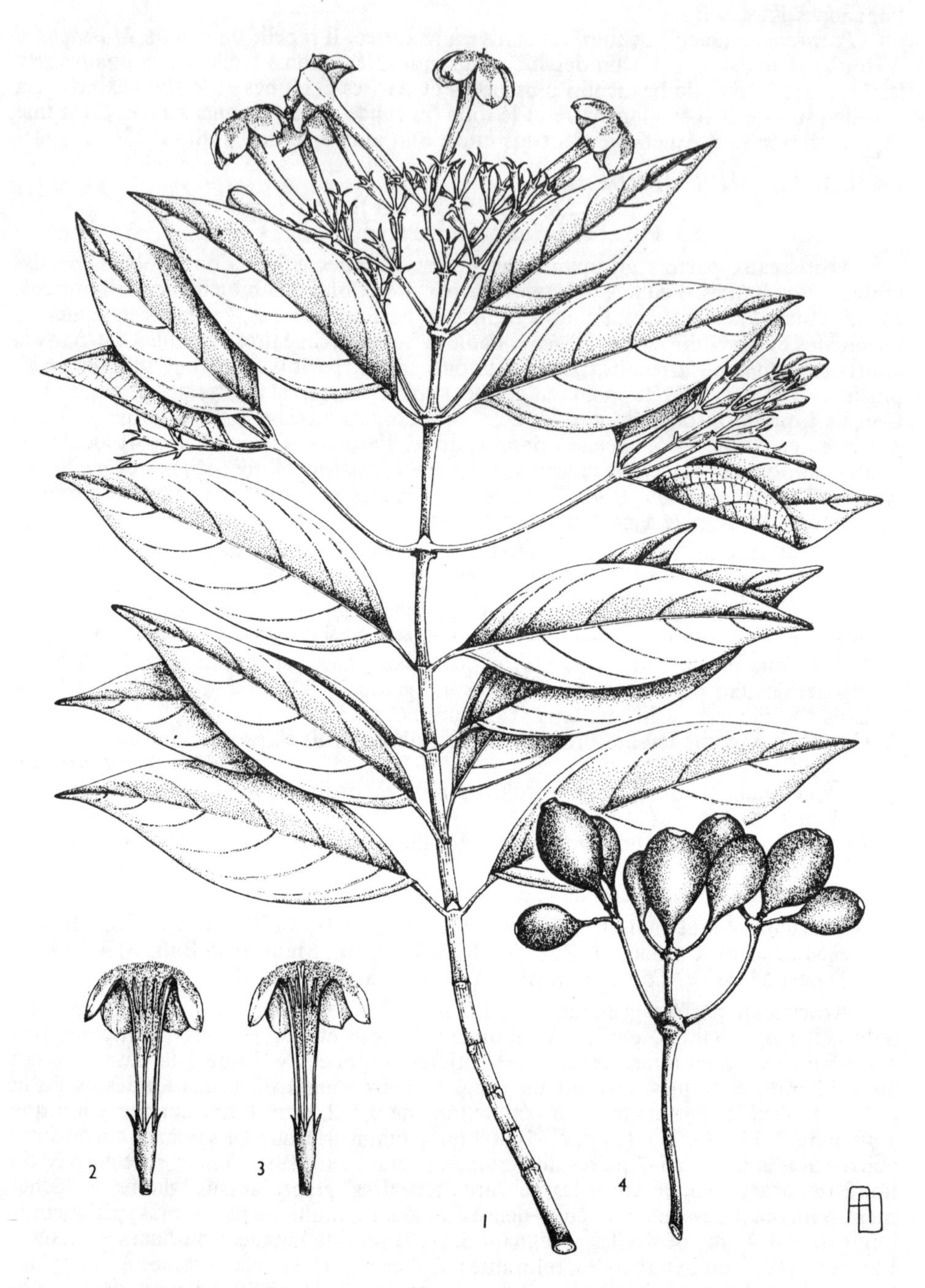

Pl. 18 — Mussaenda arcuata: 1, rameau fleuri × 2/3; **2,** fleur brévistyle × 1; **3,** fleur longistyle × 1; **4,** fruits × 2/3. (**1,** *Sieber*, Fl. Maurit. II, n° 78; **2-3,** *Bauer* 186; **4,** *Coode* 5249).

de poils; lobes jaune vif, ornés, au centre, d'une étoile de poils rouge orangé, devenant brun chocolat ou pourpre noir, étroitement à largement ovales, 4–19 × 2,5–11 mm, à nervure médiane saillante. Fruit vert pâle à jaune, ellipsoïde ou subsphérique, (0,8–) 1,1–2,5 × (0,6–) 0,8–1,8 cm, à cicatrice blanchâtre, arrondie, au sommet. (Pl. 18).

Noms vernaculaires: Gros lingue, Lingue, Lingue café (R.); Liane cacapoule (M.).

La Réunion, Maurice. Encore assez commun sur les deux îles. La Réunion: Mare Longue, St Philippe; Ravine Langevin; Pointe du Tremblet; Takamaka; Plaine des Palmistes; St François, Ravine des Citrons Galets. Maurice: Rivière du Poste; Réserve de Perrier; Mare aux Vacoas; Montagne Blanche; Rivière Papaye; Curepipe; Rivière Patates derrière Perrier. Existe aussi en Afrique et à Madagascar.

Les feuilles froissées ont une odeur fétide.

2. M. landia Poiret in Lam., Encycl. 4: 392 (1797); Lam., Illust. 1, t. 157, fig. 2 (1792), sans nom; DC., Prodr. 4: 372 (1830); Bojer, H.M.: 165; Baker, F.M.S.: 140; Cordem., F.R.: 503; R.E. Vaughan, Maur. Inst. Bull. 1: 46 (1937). Type: Maurice, *Commerson* (P–LA, syn.; P, isosyn.!)

Petit arbre droit, haut de 4,50–7 m, à rameaux étalés; écorce lisse, gris brun, vert jaunâtre à l'intérieur; parties jeunes ± strigueuses, à écorce devenant glabre, brun rougeâtre, ridée longitudinalement, s'exfoliant plus ou moins. Stipules à base triangulaire longue d'environ 2 mm, et lobe subulé, long d'environ 6 mm, à pubescence dense, finalement caduques. Feuilles presque glabres à veloutées, à pétiole long de 1,3–2,5 (–5,5) cm; limbe elliptique, étroitement ovale-elliptique, ou oblong, 6–22 (–25) × 2,3–7,5 (–12) cm, courtement acuminé au sommet, arrondi à la base, à pubescence apprimée clairsemée ou ± dense, surtout sur la nervation sur les deux faces, sur le sec à nervation finement réticulée sur la face inférieure. Inflorescences multiflores; pédoncules longs de 1,5–3 cm; pédicelles atteignant 8 mm de longueur et jusqu'à 2,8 cm sur le fruit. Fleurs odorantes. Calice à partie adnée habituellement obconique-oblongue, longue de 6 mm; lobes linéaires-lancéolés, longs de 3–10 mm. Corolle à tube verdâtre à la base et au sommet, rougeâtre au milieu, long de 3,6–4,6 cm, à pubescence dense, apprimée; lobes blancs, elliptiques, 1,8–2,3 (–2,7) × 1,2–1,5 cm, apiculés, veloutés sur les deux faces. Style et stigmates verts, dans les fleurs longistyles dépassant les anthères d'environ 1 cm; style à pubescence dense. Anthères longues de 4–4,5 mm. Fruit oblong, 1,5–1,9 (–3) × 0,7–0,9 cm, pubescent, ± sec et, d'après Cordemoy, déhiscent.

Trois variétés existent aux Mascareignes.

1. Ramilles jeunes glabrescentes à pubescentes; limbe foliaire glabre à lâchement pubescent sur la face supérieure, à pubescence lâche ou dense sur la face inférieure, surtout sur la nervation; lobes du calice lancéolés, longs de 0,4–2,3 cm. **2**

— Ramilles jeunes à pubescence dense, ferrugineuse, ± apprimée; limbe foliaire à pubescence dense sur la face supérieure, ferrugineuse-veloutée sur la face inférieure; calice et corolle à pubescence veloutée, dense; lobes du calice courts, triangulaires, longs de 3 mm environ. var. **holosericea**

2. Ovaire et fruit moins allongés, le fruit d'environ 16 × 8,5 mm à maturité; lobes du calice en général longs de moins de 1 cm. var. **landia**

— Ovaire et fruit plus allongés, le fruit atteignant 23 × 8,5 mm à maturité; lobes du calice atteignant 2,3 cm de longueur. (Maurice). var. **stadmanii**

var. **landia**

— *M. latifolia* Lam., Illust. 2: 229 (1819); 1, t. 157, fig. 2 (1792), sans nom; Poiret, Dict. Sc. Nat. 33: 452 (1824). Type: Maurice, *Commerson* (P–LA, holo.!)

— *Rondeletia landia* (Poiret) Sprengel, Syst. Veg. 1: 707 (1824)

— *M. mauritiensis* Wernh., Journ. Bot. 52: 66 (1914). Types: Maurice, *Bojer, Blackburn* (K, syns.!)

. 19 — **Mussaenda landia: 1,** rameau fleuri × 2/3; **2,** fruits × 2/3; **3,** graine × 24. **(1,** *Lorence* 1072; **2-3,** *Bouton,* s.n.).

Ramilles jeunes glabrescentes à pubescentes. Limbe foliaire glabre à lâchement pubescent sur la face supérieure, à pubescence lâche ou dense, ± apprimée sur la face inférieure, surtout sur la nervation. Calice à pubescence très lâche à assez dense, les lobes à l'ordinaire ne dépassant pas 1 cm environ de longueur. Fruit de 16×8,5 mm environ à maturité. (Pl. 19).

Noms vernaculaires: Quinquina indigène (M.); Lingue en arbre, Quinquina du pays (R.).

La Réunion, Maurice. Endémique et encore assez commune sur les deux îles. La Réunion: Mare Longue, St Philippe; Basse Vallée; sentier du volcan par Le Tremblet; Hauts de Ste Rose; route de Takamaka; Plaine des Palmistes; Rampes Le Tort; Brûlé de St Denis; Boucan Launay. Maurice: Moka; Mt du Pouce; Mt Butte Chaumont; Bel Ombre; Macabé; Midlands; Mt Cocotte; Piton Grand Bassin.

L'espèce malgache *M. trichophlebia* Baker n'est peut-être qu'une variété de *M. landia.*

var. **stadmanii** (DC.) Verdc., Kew Bull. 37: 549 (1983). Type: Maurice, *Bory* (G, syn.); *Sieber*, Fl. Maurit. II, n° 79 (G, syn.; K, isosyn.!)
— *M. stadmanii* DC., Prodr. 4: 372 (1830), [*stadmanni*]; Bojer, H.M.: 165, [*stadtmanni*]

Indument semblable à celui de la var. *landia*; lobes du calice longs de 1,2–2,3 cm; fruit atteignant 23×8,5 mm.

Nom vernaculaire: Quinquina sauvage (M.).

Maurice. Endémique. Piton Grand Bassin; Mt Cocotte; Macabé; Mt Savanne.

M. erectiloba Wernh. var. *scabrella* Wernh., de Madagascar, est très semblable et est peut-être un synonyme.

var. **holosericea** (J.E. Smith) Verdc., Kew Bull. 37: 549 (1983). Type: La Réunion, *Commerson* (LINN-SM 352/7, holo.; P-LA, iso.; P, iso.!)
— *M. holosericea* J.E. Smith in Rees, Cyclop. 24, n° 6 (1819)
— *M. landia* auct. non Poiret: DC., Prodr. 4: 372 (1830), *pro parte*
— *M. stadmanii* auct. non DC.: R.E. Vaughan, Maur. Inst. Bull. 1: 46 (1937) [*stadtmannia*]

Ramilles jeunes à pubescence dense, ferrugineuse, ± apprimée. Limbe foliaire à pubescence dense sur la face supérieure, ferrugineuse-veloutée sur la face inférieure. Calice et corolle à pubescence veloutée, dense. Lobes du calice triangulaires, longs de 3 mm environ.

Nom vernaculaire: Quinquina sauvage.

La Réunion, Maurice. Endémique et probablement éteinte. Connue seulement par les échantillons suivants: *Commerson*, Villebague, 1773, Maurice; *Commerson*, le Gol, 1771, La Réunion. Deux autres spécimens sont sans indications (P et E).

HEINSIEAE

18. BERTIERA Aubl.

Hist. Pl. Guiane Franç. 1: 180, t. 69 (1775)

Wernham, Journ. Bot. 50: 110–117 et 156–164 (1912); Verdc., Kew Bull. 37: 549–551 (1983)

Petits arbres ou arbrisseaux, rarement lianes. Stipules persistantes, habituellement connées au-dessus des noeuds. Feuilles à pétiole court, souvent canaliculé; limbe mince, généralement à nervation proéminente sur la face inférieure. Fleurs en thyrses, en cymes ou en capitules compacts. Calice à tube libre cupuliforme, tronqué ou 5-denté ou -lobé. Disque glabre, charnu, cupuliforme ou annulaire. Corolle pubescente à la gorge; tube souvent à paroi épaissie ou ± durcie, plus long que le tube du calice; lobes 5, souvent acuminés ou apiculés, contortés. Anthères (4–) 5, subsessiles, incluses, linéaires, sagittées à la base; connectif prolongé en apicule. Ovaire bilobé; ovules nombreux, sur un placenta épaissi; stigmate ± claviforme, formé de 2 lobes aplatis, apprimés, à 10 ailettes membraneuses, linéaires, qui, dans le bouton, s'enclavent entre les anthères. Fruit indéhiscent, ovoïde ou sphérique, souvent coriace; calice persistant; pédicelles parfois accrescents. Graines nombreuses, brun rougeâtre à noires, anguleuses, rugueuses ou granuleuses.

Genre d'environ 55 espèces, d'Afrique, de Madagascar, des Mascareignes, d'Indonésie et d'Amérique. Traditionnellement et dans la révision de Wernham, 4 espèces sont reconnues aux Mascareignes. Baker, et apparemment N. Hallé si on en juge par ses annotations sur les échantillons, considèrent qu'il ne s'agit que d'une même espèce variable. Le matériel très important que j'ai pu examiner peut facilement être réparti dans plusieurs espèces et il n'existe que peu d'échantillons intermédiaires qui, vraisemblablement, peuvent être considérés comme des hybrides plutôt que comme des représentants d'une variation continue.

1. Rameaux, feuilles et surtout inflorescences à pubescence ferrugineuse dense, ± étalée; lobes du calice longs de 1,5–4 mm, dressés et persistant sur le fruit. (La Réunion). **4. B. rufa**
— Rameaux, feuilles et inflorescences à pubescence fine, apprimée, soyeuse, ou glabrescents. 2

2. Inflorescences pour la plupart cylindriques, à rameaux latéraux courts, longs de 1–2,5 cm; intervalle jusqu'à la première fleur habituellement court, 0,3–1 (–1,7) cm; tube du calice, y compris les lobes, long d'environ 1 mm; stipules en général longues de 0,5–1 cm, rarement quelques-unes atteignant 1,8 × 0,7 cm. (Maurice). **1. B. zaluzania**
— Inflorescences en général plus coniques, à rameaux latéraux atteignant 7,5 cm de longueur; intervalle jusqu'à la première fleur habituellement plus long, de plus de 1 cm et souvent de 2–3 cm. 3

3. Stipules très grandes, atteignant 3,5 × 1–1,8 cm; lobes du calice minuscules, le tube, au total, long de moins de 1 mm. (Maurice). **2. B. bistipulata**
— Stipules généralement longues de 0,5–1 cm, mais pouvant atteindre 2,5 × 1 cm (var. *stipulata*); lobes du calice triangulaires à linéaires-lancéolés, longs de 0,5–2,5 mm. (La Réunion). **3. B. borbonica**

1. B. zaluzania Gaertner f., Suppl. Carp.: 74, t. 192, fig. 7 (1806); DC., Prodr. 4: 392 (1830); Bojer, H.M.: 166; Baker, F.M.S.: 141, *pro parte*; R.E. Vaughan, Maur. Inst. Bull. 1: 43 (1937), *pro parte*. Type: Maurice, *Commerson* (P, lecto.!)
— *B. zaluzania* Poiret, Encycl. Suppl. 1: 625 (1811), *pro parte*; Lam., Illustr. 1, t. 165, fig. 2 (1792), sans épithète spécifique. Type: Maurice, *Commerson* (P-LA, holo.!)

Arbrisseau ou arbuste haut de 0,50–3 m, à tronc grêle, de 4,5 cm de diamètre, à écorce brun pâle, fendillée longitudinalement; rameaux assez épais, noduleux, étalés; ramilles glabrescentes ou à pubescence apprimée, ferrugineuse, clairsemée à ± dense. Stipules brunes, généralement petites, longues de 0,5–1 cm, rarement quelque-unes atteignant 1,8 × 0,7 cm, courtement acuminées, à base épaisse. Feuilles à limbe elliptique à oblong, 4–22 × 1,2–8,5 cm, aigu à très brusquement acuminé au sommet, cunéiforme à ± arrondi à la base, luisant dessus, glabre sauf sur la nervation; pétiole long de 0,3–1,5 cm. Inflorescences ± étroitement cylindriques, longues de 7–21 cm, formées de nombreuses cymes bipares, souvent pendantes; pédoncules longs de 3–7 cm; rameaux latéraux longs de 1–2,5 cm, intervalle jusqu'à la première fleur généralement court, 0,3–1 (–1,7) cm; bractées et bractéoles linéaires à étroitement triangulaires, longues de 1–3 mm. Boutons floraux apiculés, portant un indument dense, apprimé, soyeux, ferrugineux. Calice à partie adnée longue de 2 mm; tube libre long de 1–1,2 mm, y compris les lobes triangulaires de 0,5–0,8 mm. Corolle crème, vert pâle ou jaunâtre à l'extérieur; tube largement en entonnoir, long de 4–4,5 mm; lobes pâles, blanc verdâtre, ovales-triangulaires, 3–3,5 × 1,5–2 mm, acuminés. Anthères blanchâtres ou pourpres, longues de 2 mm, apiculées. Style blanchâtre, long de 5 mm, la partie stigmatique plus épaisse et cannelée. Fruit succulent, bleu, sphérique, atteignant 1,4 cm de diamètre sur le frais, en séchant ridé, noir ou brun foncé, de 5–7 mm de diamètre, couronné par les lobes du calice persistants, dirigés vers l'intérieur. Graines brun rougeâtre, luisantes, comprimées, en coin, longues de 1–1,2 mm, fortement réticulées-fovéolées. (Pl. 20, 1–6).

Pl. 20 — **Bertiera zaluzania: 1,** rameau fleuri × 2/3; **2,** fleur, corolle enlevée × 4; **3,** corolle étalée × 4; **4,** grappe de fruits × 2/3; **5,** coupe transversale d'un fruit × 4; **6,** graines × 6. — **B. bistipulata: 7,** stipules × 1. **(1–3,** *Lorence* 1494; **4–6,** *Ayres* s.n.; **7,** *Bouton* s.n.).

Noms vernaculaires: Bois maigre bâtard; Bois bleu; Bois de raisin.

Maurice. Endémique. Encore assez commune entre 450 et 700 m d'altitude: Curepipe; Grand Port; Mt du Pouce; Pétrin; Gorges de la Rivière Noire; Mt Cocotte; Les Mares; Moka; Piton du Milieu; Macabé; Bel Ombre; Bassin Blanc; Alexandra Falls; Réserve de Perrier; Mare aux Vacoas; Plaine Champagne; Plateau de Mare Longue.

2. B. bistipulata Bojer ex Wernh., Journ. Bot. 50: 159 (1912); Bojer, H.M. 166, *nom. nud.* Types: Maurice, Grand Port et Moka, *Bouton* (K, *syn.; MAU, isosyn. !); sans localité, *Blackburn* (K, syn. !); *Grey* (K, syn. !)

— *B. zaluzania* auct. non Gaertner f.: Baker, F.M.S.: 141, *pro parte*; R.E. Vaughan, Maur. Inst. Bull. 1: 43 (1937), *pro parte*

Petit arbre; rameaux à pubescence ferrugineuse, apprimée. Stipules oblongues-ovales, soudées en gaine, foliacées, 2–3,5 × 1–1,8 cm, acuminées, glabres, membraneuses. Feuilles à limbe elliptique, 8–18 × 3–8 cm, acuminé au sommet, cunéiforme à subtronqué à la base, glabre sur les 2 faces, à l'exception de poils peu distincts sur la nervation; pétiole long de 1–1,6 cm, glabre ou à pubescence apprimée, orné de corps ± superficiels blancs ressemblant à des raphides. Inflorescence, un thyrse formé de cymes bipares, souvent ample, à pubescence fine ou dense, apprimée, ferrugineuse, atteignant 15 cm de longueur; pédoncule atteignant 13 cm; rameaux latéraux épaissis à la base, souvent ramifiés, longs de 3–7,5 cm; bractées et bractéoles linéaires-lancéolées, longues de 0,3–1,3 cm, les bractées inférieures profondément trifides, d'origine stipulaire et des vestiges foliaires; fleurs sessiles, sauf la fleur la plus âgée de chaque cyme. Boutons floraux nettement apiculés, les 5 lobes à sommet atténué, tordu, variant de glabrescents à pubescents, sétacés. Calice à partie adnée urcéolée-oblongue, longue de 1,5–2 mm, à pubescence lâche ou dense, le tube, y compris les lobes minuscules, de moins de 1 mm. Corolle à tube long d'environ 3 mm; lobes longs de 3–3,5 mm, y compris les mucrons très visibles. Fruit mûr inconnu. (Pl. 20, 7).

Maurice. Endémique, peut-être éteinte. Semblable à *B. borbonica* mais à stipules beaucoup plus grandes. J'ai l'impression que des plantes semblables, à grandes stipules, furent les ancêtres de tous les taxons actuellement présents dans les îles.

3. B. borbonica A. Rich. ex DC., Prodr. 4: 392 (1830); A. Rich., Mém. Fam. Rubiaceae: 174 (1830); Mém. Soc. Hist. Nat. Paris 5: 254 (1834); Bojer, H.M.: 166; Wernh., Journ. Bot. 50: 159 (1912). Type: " Ins. Borboniae, v.s. sine fl., comm. a Mus. reg. Paris " (G, holo.)

— *B. zaluzania* auct. non Gaertner f.: Cordem., F.R.: 504

Petit arbre de 1,50–7 m de hauteur; rameaux finement apprimés-pubescents ou glabrescents. Stipules longues de 0,5–2,7 cm, acuminées à cuspidées. Feuilles à pétiole long de 0,6–2 cm; limbe oblong-elliptique à lancéolé, 6,5–21 × 1,2–6,5 cm, étroitement et longuement acuminé au sommet, cunéiforme à arrondi à la base, assez mince, luisant, glabre à l'exception de la pubescence fine, apprimée, sur la nervure médiane sur la face supérieure et sur la nervation de la face inférieure. Inflorescences étroitement coniques, longues de 7–20 cm, à pubescence fine à dense, apprimée; pédoncules longs de 5–10,5 cm; rameaux latéraux longs de (0,8–) 5–7,5 cm, les inférieurs bien ramifiés, intervalle jusqu'à la première fleur long de 1–3 (–6) cm; bractées et bractéoles linéaires-filiformes, élargies et souvent adnées entre elles à la base, longues de 0,15–1,50 cm, les plus longues à lobes basaux filiformes. Boutons floraux nettement apiculés, à pubescence sétacée, apprimée. Calice à partie adnée longue d'environ 2 mm; tube long de ± 1 mm et lobes largement triangulaires à linéaires-lancéolés, longs de 0,5–2,5 mm. Corolle blanche; tube en entonnoir, long de 2,5–4 mm; lobes de 3 × 1,5 mm, apiculés. Fruit bleu ou bleu noirâtre, sphérique ou ellipsoïde, de 5–9 mm de diamètre, pubescent à presque glabre, souvent à lobes du calice persistants, dressés.

---

*sauf la partie en fruit.

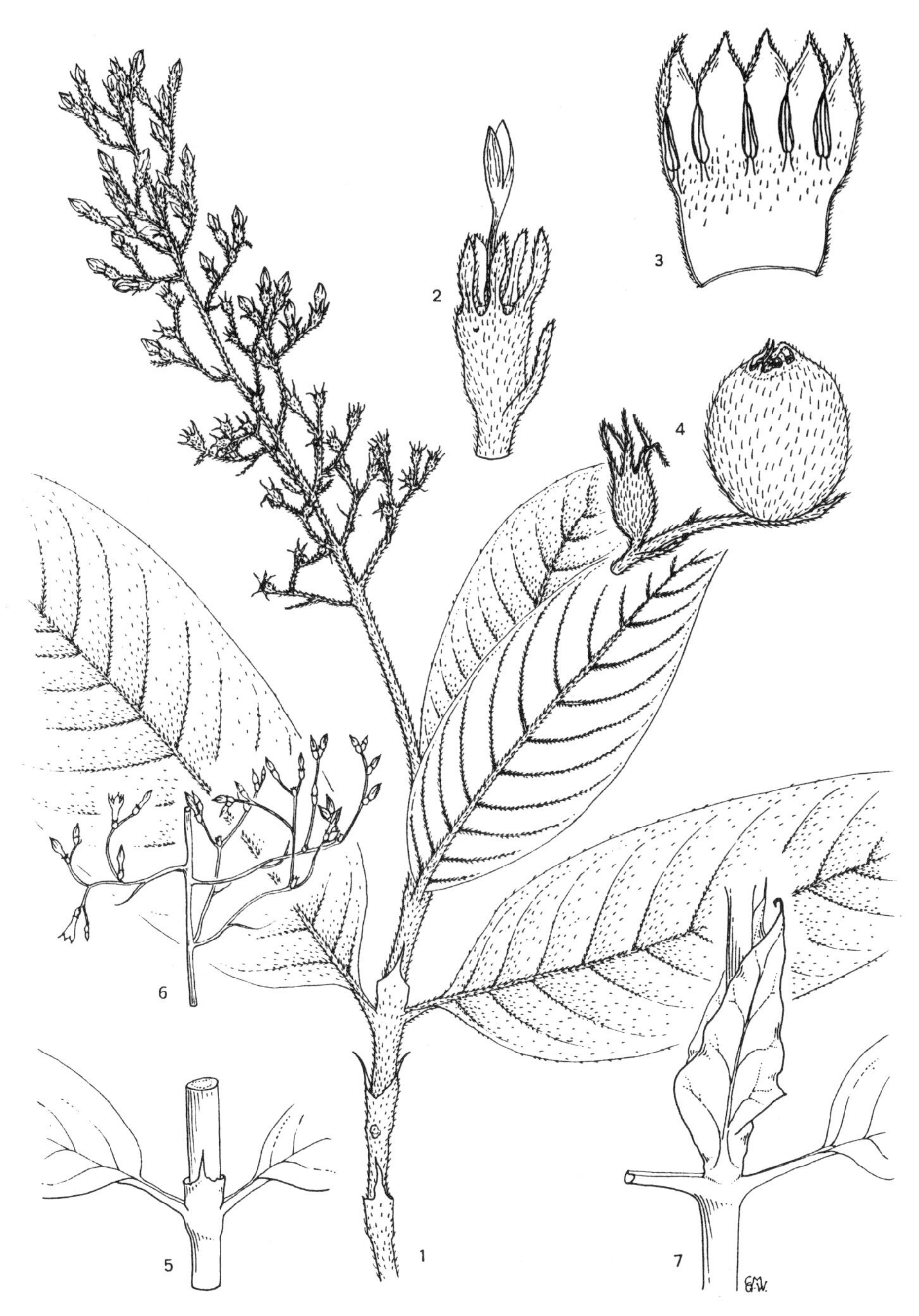

Pl. 21 — **Bertiera rufa: 1,** rameau fleuri × 2/3; **2,** fleur, corolle enlevée × 4; **3,** corolle étalée × 4; **4,** fruit × 3. — **B. borbonica** var. **borbonica: 5,** stipules × 1; **6,** partie d'une inflorescence × 2/3. — **B. borbonica** var. **stipulata: 7,** stipules × 1. (**1–3,** *Cadet* 4617; **4,** *Cadet* 1148; **5–6,** *Bernardi* 15051; **7,** *Cadet* 4425).

var. **borbonica**. Stipules pour la plupart courtes, triangulaires, longues de 0,5–1,1 cm. (Pl. 21, 5–6).

Noms vernaculaires: Bois d'oiseau, Bois de raisin.

La Réunion. Endémique. En forêt humide et ombragée, entre 200 et 1100 m d'altitude, sur des sols jeunes, rocheux, sur lave peu décomposée: Brûlé de St Denis; Hauts du Bois de Nèfles; Ravine de la Grande Chaloupe; Ravine de Langevin; Col de Fourche; Cirque de Mafate; Bélouve; Plaine d'Affouches; St Philippe, forêt de Mare Longue; Basse Vallée.

Bosser 21450 du Bord de Martin et *Cadet* 5261 de la Vallée du Bras Bémale, stations proches dans le Cirque de Mafate, sont probablement des hybrides avec *B. rufa*. Le spécimen de Cadet a des inflorescences très étroites, l'intervalle jusqu'à la première fleur plus court, des feuilles très étroites et les lobes du calice plus longs.

var. **stipulata** Verdc., Kew Bull. 37: 550 (1983). Type: La Réunion, sentier de Takamaka à Ilet à Bananes, *Barclay* 1239 (K, holo.!; MAU, iso !)

Stipules grandes, ovales à elliptiques, atteignant 2,5×1 cm. (Pl. 21, 7).

Nom vernaculaire: Bois de raisin.

La Réunion. Endémique. Dans la végétation naturelle, entre 500 et 900 m d'altitude: Bras des Cavernes; sentier de Takamaka à l'Ilet à Bananes; partie haute de Basse Vallée; vallée de la Rivière des Marsouins, Hauts de St Benoît.

4. B. rufa DC., Prodr. 4: 392 (1830); Cordem., F.R.: 504. Type: La Réunion, *Richard* 29 (P, holo.)

— *B. fera* A. Rich., Mém. Fam. Rubiaceae: 174 (1830); Mém. Soc. Hist. Nat. Paris 5: 254 (1834); Wernh., Journ. Bot. 50: 159 (1912). Type comme ci-dessus

— *B. zaluzania* auct. non Gaertner f.: R.E. Vaughan, Maur. Inst. Bull. 1: 43 (1937), *pro parte*

Arbrisseau de 2–4 m de hauteur, à plusieurs tiges; rameaux portant des poils ferrugineux, denses, plutôt étalés. Stipules triangulaires, soudées en gaine, longues de 1,2–2 cm, acuminées. Feuilles à pétiole long de 0,5–2 cm; limbe oblong-elliptique à lancéolé, 6–32×2,5–12 cm, aigu ou, moins souvent, ± obtus au sommet, cunéiforme à arrondi à la base, discolore, en général plus épais que les feuilles de *B. borbonica*, même ± coriace, un peu bullé entre les nervures, à nervation ± imprimée dessus, et aussi plus proéminente et réticulée sur la face inférieure, pubescent à poilu dessus, l'indument parfois apprimé, plus dense sur les nervures, et, sur la face inférieure, à pubescence dense, ± étalée, parfois même assez velu, surtout sur les nervures. Inflorescences souvent pendantes, ± coniques, longues de 9–24 cm, à pubescence ferrugineuse dense; pédoncules longs de 4,5–10 cm; rameaux latéraux longs de 2,5–13 cm; bractées et bractéoles lancéolées, 12–20×3,5 mm, les basales munies, à la base, de petits lobes latéraux. Boutons floraux très acuminés. Calice à partie adnée longue de 2 mm; lobes dressés, lancéolés à linéaires-oblongs, longs de 1,5–4 mm. Corolle blanche; tube long de 2,5–4 mm et lobes de 3,5–4 mm. Fruit bleu foncé ou bleu poupre, sphérique, de 6–9 mm de diamètre, habituellement à pubescence ferrugineuse dense, couronné par les lobes du calice dressés. Graines en coin ou rhomboïdes, comprimées, rouge très foncé, longues de 1,5 mm, fortement réticulées. (Pl. 21, 1–4).

Nom vernaculaire: Bois de raisin.

La Réunion. Endémique. Espèce commune des forêts humides entre 400–1700 m d'altitude: Plaine des Chicots; Plaine d'Affouches; Plaine des Fougères; Bébour, bassin supérieur de la Rivière des Marsouins; Bélouve; Plaine des Palmistes et Petite Plaine; Plaine des Cafres, Piton Mare à Boue, Piton Bleu; Basse Vallée; Hauts de Moka; Hauts de La Bretagne; Hauts de la Plaine des Makes; Hauts de Petite France; Le Tévelave près des Avirons.

GARDENIEAE

Catunaregam Wolf

Un proche parent de *Gardenia*, *Catunaregam spinosa* (Thunb.) Tirvengadum (*Gardenia spinosa* Thunb., *Xeromphis spinosa* (Thunb.) Keay), est cultivé au Jardin des Pamplemousses. Arbrisseau ou petit arbre de 1–6 m de hauteur; rameaux inermes ou plus souvent très épineux, les épines soit alternes, soit décussées; feuilles pour la plupart fasciculées, soit sur des épines, soit sur des rameaux latéraux très courts, souvent en forme de coussinets; limbe foliaire obovale à obovale-spatulé, 1,2–13 × 0,7–5,8 cm, ± arrondi ou moins souvent aigu au sommet; fleurs terminales sur de courts rameaux, en cymes 1–7-flores; corolle blanche ou blanc jaunâtre virant au jaune en se fanant, à tube long de 4–6 cm, lobes de 0,6–1,5 × 0,4–1 cm; fruit oblong, ellipsoïde ou ± sphérique, 1,8–3,3 × 1,7–3 cm.

Espèce largement répandue de l'Afrique de l'Est jusqu'à la Chine.

Gardenia Ellis

Au moins 4 espèces de *Gardenia* sont ou ont été cultivées aux Mascareignes. *G. augusta* (L.) Merr. (*G. florida* L., *G. jasminoides* Ellis), le Gardenia ubiquiste des horticulteurs, est parfois planté à Maurice, par exemple à Macabé, au belvédère des gorges de la Rivière Noire et le long du sentier allant des Mares au cratère de Bassin Blanc. Un échantillon de La Réunion, appelé Rose de Condé, a été vu. *G. thunbergia* L. f., originaire d'Afrique du Sud, est planté au Jardin des Pamplemousses. *G. volkensii* K. Schum., originaire d'Afrique tropicale de l'Est, et *G. latifolia* Aiton, espèce indienne, ont aussi, dans le passé, été cultivés au Jardin des Pamplemousses à Maurice.

On peut distinguer ces espèces comme suit:

1. Calice (partie adnée plus le tube libre) long de 3–4,5 cm, le tube plus de 2 fois plus long que l'ovaire, généralement fendu et spathacé, les lobes linéaires ou plus souvent nettement spatulés. **G. thunbergia**
— Calice (partie adnée plus le tube libre) habituellement long de beaucoup moins de 3 cm, le tube ayant moins de 2 fois la longueur de l'ovaire. **2**
2. Placentas 2; limbe foliaire le plus souvent long de moins de 10 cm, acuminé; plante glabre ou ramilles jeunes pubescentes; fleurs souvent doubles. **G. augusta**
— Placentas 4–9; limbe foliaire obtus; fleurs jamais doubles. **3**
3. Limbe foliaire obovale, grand, atteignant 23 × 18 cm; nervation tertiaire formée de nervures rapprochées, parallèles, perpendiculaires aux nervures latérales principales; tube de la corolle à pubescence dense à l'exterieur. **G. latifolia**
— Limbe foliaire obovale, n'atteignant que 3 × 2 cm sur le seul échantillon vu des Mascareignes (mais beaucoup plus grand sur des spécimens africains); nervation tertiaire moins nettement et régulièrement parallèle; tube de la corolle glabre à l'extérieur. **G. volkensii**

Genipa L.

Genipa americana L., Marmalade Box (M.); espèce originaire des Antilles, d'Amérique centrale et tropicale, est cultivée à Maurice au Jardin des Pamplemousses et à Barkly Experimental Station. Petit arbre de (3–) 6–10 (–20) m de hauteur, à grandes feuilles étroitement obovales ou obovales-lancéolées, 11–42 × 5–18 cm, obtuses ou sub-aiguës. Fleurs ressemblant à celles de *Gardenia*, les femelles solitaires, les mâles en cymes pouvant avoir jusqu'à 15 fleurs; corolle assez grande, crème ou blanche, à pubescence soyeuse, apprimée à l'extérieur, à tube long de 0,5–1,2 cm et à 5–6 lobes de 1–2 × 0,5–1,2 cm, fortement contortés; étamines insérées à la gorge, à anthères subsessiles, exsertes. Fruit sphérique, oblong-sphérique ou ovoïde, 5,5–9,5 × 5,5–8 cm, contenant plusieurs rangées de graines aplaties, noyées dans une pulpe visqueuse.

Il semble qu'il y ait quelque doute quant au sexe des fleurs. Ni Hooker in Benth. et Hook., Gen. Pl. 2, 1: 90 (1873), ni Bremekamp in Pulle, Fl. Suriname 4: 172 (1934), ni Steyermark in Lasser, Fl. Venezuela 9, 2: 660–669 (1974), ne mentionnent que les fleurs sont unisexuées. Mais, la fig. 105, in Steyermark, représente clairement une fleur mâle. Il peut y avoir des variations, mais, en règle générale, on peut dire que les fleurs solitaires sont femelles et les fleurs groupées sont mâles. On trouve cependant parfois des inflorescences portant plus d'un fruit. Les fleurs des inflorescences pluriflores que j'ai pu examiner étaient mâles, avec un ovaire non développé.

Euclinia Salisb.

Un spécimen d'*E. longiflora* Salisb., espèce originaire d'Afrique tropicale, existe dans l'herbier de Maurice, récolté sur un pied cultivé au Jardin des Pamplemousses en 1942. C'est un arbrisseau ou un petit arbre de 2,50–6 m de hauteur. Feuilles à limbe oblong ou oblong-obovale, 7–28 × 2,2–11 cm, acuminé au sommet, en coin à la base, glabre dessus, pubescent dessous; stipules scarieuses, persistantes, 0,5–1,6 × 0,4 cm. Fleurs odorantes, solitaires, terminales, 5 (–6–8) -mères; lobes du calice linéaires à triangulaires-lancéolés, 9–16 × 1,5–2,2 mm; tube de la corolle long de 16–24 cm, très grêle, à partie apicale élargie en entonnoir sur 2,5–6 cm. Fruit subsphérique à largement ellipsoïde, 3–3,5 × 2,8–3,2 cm.

HYPOBATHREAE

19. RAMOSMANIA Tirvengadum et Verdc.
Nordic J. Bot. 2: 326 (1982)

Arbrisseau, très hétérophylle, glabre au stade adulte. Feuilles opposées, les juvéniles linéaires-lancéolées, les adultes oblongues. Stipules intrapétiolaires, d'abord acuminées, formant une courte gaine subtronquée sur des rameaux âgés. Inflorescences supra-axillaires, cymeuses, 1-5-flores; bractées et bractéoles très petites, les dernières formant un petit involucre à la base des très courts pédicelles. Partie adnée du calice allongée-urcéolée, pentagone; tube libre très court, portant, à l'intérieur, des poils et des colléters, très légèrement denté. Tube de la corolle cylindrique, pubescent à la gorge; lobes 5, contortés vers la droite, lancéolés, aigus. Étamines insérées vers le sommet du tube, leur sommet seul exsert; pollen simple, sphérique, tricolporé, réticulé. Ovaire biloculaire; placentas attachés au septum, portant de nombreux ovules insérés en rangs linéaires. Disque annulaire, peu développé. Style court, à lobes plus longs, subulés. Fruit étroitement oblong-ellipsoïde, côtelé. Graines comprimées, plutôt carrées, non enfouies dans une pulpe; cellules du testa allongées, sans ornementation.

Genre monotypique de Rodrigues. L'espèce avait été auparavant placée par Balfour dans *Randia* Houst. ex L., genre américain, mais il n'est pas possible de l'y maintenir. On ne peut non plus l'assimiler à aucun genre africain connu.

R. heterophylla (Balf. f.) Tirvengadum et Verdc., Nordic J. Bot. 2: 327 (1982). Type: Rodrigues, *Balfour* s.n. (K, syns. !; A, BM, E, MAU, P, S, isosyns. !)

— *Randia heterophylla* Balf.f., Journ. Linn. Soc. Bot. 16: 14 (1877); B. Ro.: 346, t. 22; Baker, F.M.S.: 141; Tirvengadum, Maur. Inst. Bull. 9: 1–21, t. 1–2 (1980)

Arbrisseau montrant une hétérophyllie prononcée. Stade jeune: rameaux portant une pubescence plutôt rigide; feuilles vert noirâtre, panachées de taches gris clair, à limbe linéaire-lancéolé à linéaire, atteignant 30 × 0,8–2,2 cm, ± aigu au sommet, cunéiforme à la base, finement pubescent sur la face supérieure et portant des poils plus longs, clairsemés, sur la face inférieure; sur le frais nervure médiane seule bien visible, teintée de rose; nervures latérales très arquées, espacées; pétiole long de 6 mm; stipules formant une gaine longue de 3–9 mm, acuminées, ciliées, pubescentes sur les deux faces. Stade intermédiaire: feuille à limbe de 6–12 × 1,5–2 cm. Stade adulte: rameaux et feuilles glabres; feuilles à limbe vert clair dessus, rougeâtre dessous, oblong, 6,5–11 × 2,8–5,8 cm, légèrement échancré au sommet, arrondi-tronqué à la base; nervure médiane et nervures secondaires saillantes dessous; pétiole long de 5 mm; stipules glabres à l'extérieur, ± tronquées, ciliées. Inflorescences à pédoncule long de 1,5–3 cm; rameaux primaires longs de 2 cm environ; pédicelles atteignant, au plus, 1,5 mm de longueur. Partie adnée du calice longue de 1 cm; tube libre long de 1–2 mm, cilié, portant des dents larges, sinus peu profonds. Tube de la corolle vert clair, long de 1–2 cm; lobes blancs, 20–25 × 7,5 mm. Style et lobes stigmatiques atteignant 2 cm de longueur. Fruit long de 2,5–3 cm. Graines de 2,5–5 × 1,2–2,5 mm. (Pl. 22).

Pl. 22 — **Ramosmania heterophylla: 1,** rameau d'une plante jeune × 2/3; **2,** feuille d'une plante juvénile × 2/3; **3,** feuille adulte × 2/3; **4,** bouton floral × 2/3; **5,** corolle étalée × 1; **6,** étamines × 2; **7,** coupe longitudinale du gynécée × 2; **8,** coupe transversale de l'ovaire × 2; **9,** jeune fruit × 2/3. Cliché d'après Balfour, B. Ro. (1879).

Nom vernaculaire: Café marron.

Rodrigues. Endémique. Espèce actuellement très rare et en voie d'extinction, connue seulement par un pied retrouvé récemment par M. R. Ahkee près de Malabar.

20. FERNELIA Lam.

Encycl. 2: 452 (1788); Juss., Gen. Pl.: 199 (1789); Mém. Mus. Nat. Hist. Nat. Paris 6: 393 (1820)

Verdc., Kew Bull 37: 551–553 (1983)

Arbrisseaux ou arbustes rameux; écorce s'exfoliant plus ou moins. Feuilles opposées; stipules petites, deltoïdes, aiguës; limbe elliptique à presque circulaire, coriace, discolore, luisant sur la face supérieure, obtus, glabre, garni souvent de domaties aux aisselles des nervures latérales sur la face inférieure; feuilles des pieds juvéniles souvent très petites. Fleurs nombreuses, fonctionnellement unisexuées, odorantes, solitaires ou rarement géminées aux aisselles foliaires, subsessiles ou occasionnellement pédonculées; bractéoles basales formant une petite cupule glabre, soit à 4 dents courtes soit à 2 lobes longs. Partie adnée du calice obconique ou oblongue-ellipsoïde chez les fleurs femelles, réduite chez les fleurs mâles; tube libre court, à 4 lobes subulés ou étroitement deltoïdes ou, chez les fleurs mâles, ovales à sommet subulé, glabres ou pubescents à l'extérieur, avec un indument apprimé soyeux-poilu sur la face interne. Corolle blanche, glabre à soyeuse à l'extérieur; tube en entonnoir à très courtement cylindrique, à gorge glabre ou pubérulente; lobes 4, étalés, à préfloraison nettement contortée, ovales-elliptiques à oblongs-spatulés, sub-aigus et parfois obliquement réfléchis au sommet, à marges très faiblement poilues. Étamines 4, chez les fleurs mâles, insérées à la gorge, avec les anthères dorsifixes exsertes sur leur 1/3 apical; chez les fleurs femelles réduites. Ovaire biloculaire à l'extrême sommet, uniloculaire dans sa moitié basale; ovules nombreux, portés par 2 placentas oblongs, attachés au septum au sommet de l'ovaire; style court, à deux branches stigmatiques. Ovaire réduit chez les fleurs mâles, bifide ou portant un style filiforme se terminant en pointe conique. Disque annulaire, renflé. Fruit petit, subsphérique ou ovale, sec, uniloculaire, couronné par les lobes du calice. Graines nombreuses, diversement comprimées et ± anguleuses, à testa épais et coriace, formé de cellules très étroites, à parois épaisses, donnant un dessin caractéristique; albumen charnu; embryon droit à cotylédons ronds et plats, ayant environ la moitié de la longueur de la radicule.

Genre parfois considéré comme monotypique mais comportant certainement plusieurs taxons, mais le rang qui doit leur être accordé reste incertain. Quelques échantillons de Madagascar ont été rapportés à ce genre, mais il reste à confirmer qu'il existe bien en dehors des Mascareignes. Il se peut que *Baron* 282 de l'E. Betsileo lui appartienne.

Bentham et Hooker, Gen. Pl. 2, 1: 92 (1878), ne comptaient que 2 étamines. Balfour, en discutant sur l'hétérophyllie rencontrée dans ce genre, constate que cette variabilité explique la multiplication des espèces décrites. La forme du fruit et la longueur des pédoncules sont les caractères principaux qui ont été employés pour distinguer les espèces. Baker et Balfour, ne reconnaissent qu'une seule espèce, mais nous considérons qu'il y en a probablement 4; pour le moins, il existe 4 taxons, quelque soit le rang qu'on leur accorde.

1. Fleurs mâles (autant que connues) couvertes d'un indument dense, soyeux, à l'extérieur; feuilles ± rondes, atteignant 4,5×3,5 cm. **4. F. obovata**

— Fleurs mâles glabres ou au plus à pubescence lâche; feuilles habituellement plus petites. **2**

2. Fruit, dans le calicule, porté par un pédicelle; pédoncule bien développé, le stipe entier du fruit long d'environ 1 cm. **3. F. pedunculata**

— Fruit à peine pédicellé dans le calicule; pédoncule peu distinct ou atteignant 4 mm au plus. **3**

3. Fruit sphérique, de 4–7 mm de diamètre; lobes du calice courts, longs de 1,5 mm ou atteignant, rarement, 3,5 mm; feuilles de 0,9–2,5×0,7–1,6 cm, plutôt arrondies. **1. F. buxifolia**

— Fruit ellipsoïde, 10–15×7–9 mm; lobes du calice plus longs, de 3–5,5 mm; feuilles de 3,5–4,8×1,7–2,6 cm, elliptiques. **2. F. decipiens**

1. F. buxifolia Lam., Encycl. 2: 452 (1788); Illust. 1: 287 (1792); Gaertner f., Suppl. Carp.: 63, t. 197, fig. 6 (1806); Bojer, H.M.: 166; Baker, F.M.S.: 142; Balf. f., B. Ro.: 347, t. 23; Cordem., F.R.: 504; H.H. Johnston, Trans. Proc. Bot. Soc. Edinb. 20: 295 (1895); R.E. Vaughan, Maur. Inst. Bull. 1: 44 (1937), *pro parte*; A. Chev., Caféiers du Globe 2: t. 155, figs. 1–7 et 3, t. 254 (1947). Type: La Réunion et Maurice, *Commerson* (P-LA, fiche 289, I.5, holo.?; P, syns.!)

Arbrisseau ou petit arbre noueux, de 1–4 (–10) m de hauteur; tronc atteignant 10 cm de diamètre; branches souvent étalées et à ramification intriquée; ramilles brun rougeâtre, grêles, glabrescentes à pubescentes-ferrugineuses; écorce gris chamois pâle, striée longitudinalement, s'exfoliant par petites plaques. Plante hétérophylle; adulte à branches inférieures à feuilles très petites, probablement persistance du stade juvénile. Feuilles à limbe coriace, à marges révolutées sur le sec, dit ± charnu, elliptique à presque circulaire, 0,9–2,5×0,7–1,6 cm, sur des plantes juvéniles: 2–8×1,2–5 mm, vert sombre et très luisant sur la face supérieure, plus pâle dessous, glabre ou à pubérulence fine sur les nervures principales sur la face inférieure; pétiole long de 2–3 mm, un peu pubérulent, jaunâtre; stipules longues de 0,5–2 mm. Calicule long de 2–3 mm, à lobes longs de 1–2 mm et à dents courtes, d'environ 0,5 mm. Fleurs mâles: partie adnée du calice obconique, longue de 1–2 mm environ; tube libre long de 1 mm, à lobes de 1,5 (–3,5) mm environ, glabres ou à pubescence courte; corolle blanche, à tube en entonnoir, long de 2–3,2 mm; lobes oblongs, arrondis à acuminés au sommet, 3–4×2–3 mm, glabres à apprimés-pubescents à l'extérieur; anthères longues de 2,6 mm; ovaire sans ovules; style long de 2 mm, à 2 lobes oblancéolés, très aigus, longs de 1,5–2 mm. Fleurs femelles: partie adnée du calice oblongue-ovoïde, longue de 1,5–2,5 mm, à lobes longs de 1–2 mm; corolle à tube long de 0,8–1,2 mm, à lobes plus longs que le tube, oblongs-elliptiques, 3×2 mm, souvent obtus, ciliés et à pubérulence lâche; anthères avortées, longues de moins de 0,4 mm; style long de 1,8–2 mm, à lobes stigmatiques lancéolés, aigus, longs de 2 mm. Fruit blanchâtre, virant au rouge vif, souvent très finement pubérulent, sphérique, de 4–7 mm de diamètre, à pédoncule long de 0,5–4 mm. Graines foncées, longues de 3 mm environ. (Pl. 23, 1–9).

Noms vernaculaires: Bois de balai, Bois de buis, Faux buis, Petit quivi (R.); Bois buis, Bois de buis, Bois chauve souris (M.); Bois bouteille (Ro.).

La Réunion, Maurice, Rodrigues. A La Réunion, c'est une espèce de forêt et de bords de ravines, entre 100 et 600 m d'altitude, dans la partie N.O., plus sèche, de l'île: Montagne St Denis, Ravine de la Grande Chaloupe, Ravine Tamarin; Aurère (Cirque de Mafate); versant de la Rivière des Galets. A Maurice, on la trouve aussi à basse altitude, jusqu'à environ 150 m: Mt du Pouce; Tourelle de Tamarin; Tamarind Falls; Yémen; Montagne Bay; existait sur l'île Ronde; mais n'a plus été retrouvée. A Rodrigues, elle a été trouvée à Plaine Corail; Anse Mourouc; Cascade St Louis; Cascade Victoire; Mt Malartic; Mt Lubin. Le feuillage juvénile a été plus souvent observé sur des échantillons de Rodrigues. Cela s'explique peut-être parce que la plante y est plus souvent broutée par les animaux, ou peut-être aussi s'agit-il d'une population représentant un taxon un peu différent. Le fruit, petit et globuleux, est celui de *F. buxifolia* typique, mais les feuilles sont plutôt moins elliptiques et se rapprochent de celles de *F. obovata*.

2. F. decipiens Verdc., Kew Bull. 37: 553 (1983). Type: Maurice, entre Tamarin et Macabé, *Richardson, Coode et al.* 4062 (K, holo.!)

— *F. buxifolia* var. *ovata* Ayres ex Baker, F.M.S.: 142. Type: Maurice, Rivière de Moka, *Ayres*, 2 parts (K, syns.!)

— *F. obovata* auct. non Lam.:? Gaertner f., Suppl. Carp.: 62, t. 191, fig. 4 (1806); A. Chev., Caféiers du Globe 2, t. 155, figs. 8–10; 3: 254 (1947)

— *F. buxifolia* auct. non Lam.: R.E. Vaughan, Maur. Inst. Bull. 1: 44 (1937), *pro parte*

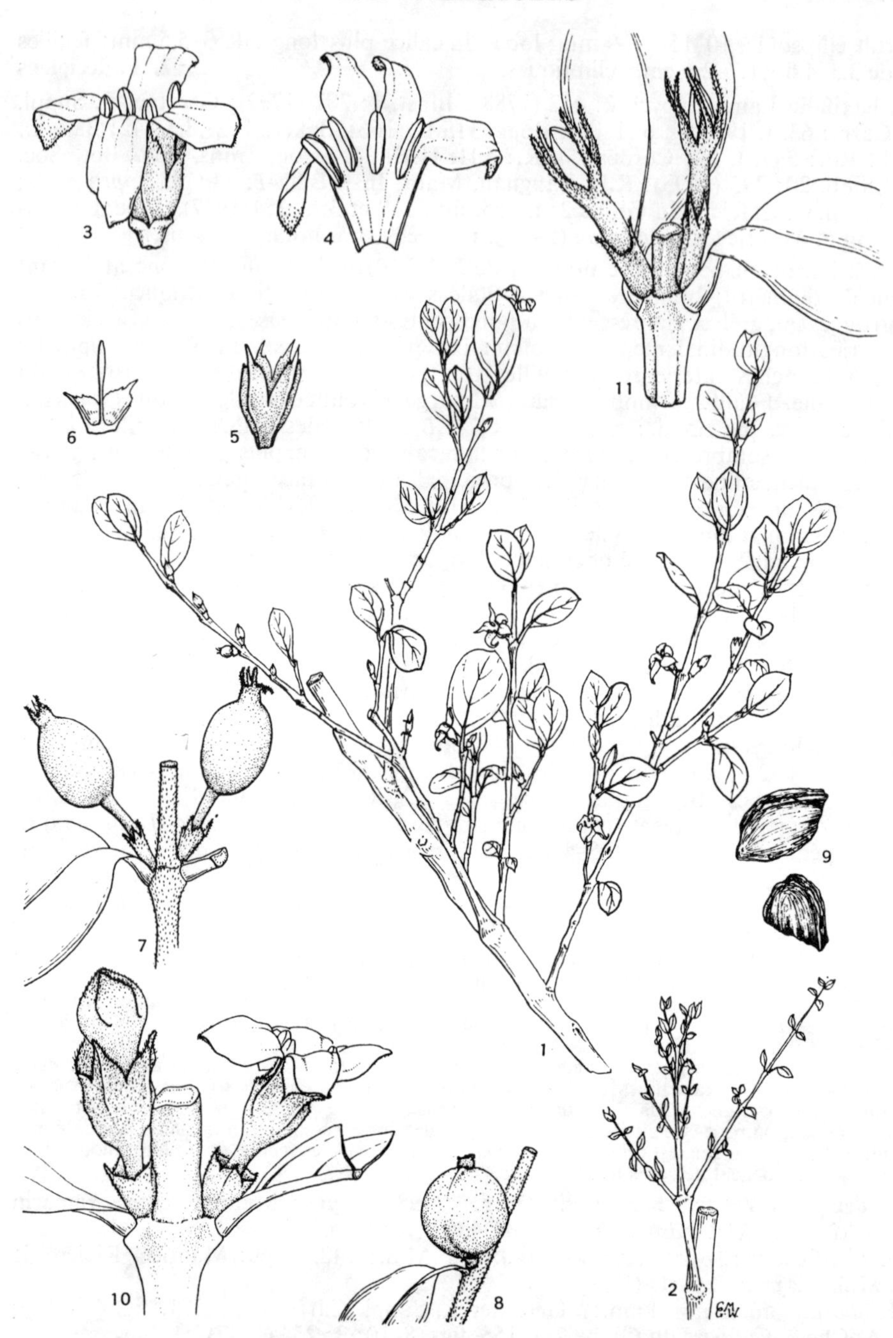

Pl. 23 — **Fernelia buxifolia: 1,** rameau en boutons et en fruits × 2/3; **2,** rameau à feuilles juvéniles × 2/3; **3,** fleur mâle × 4; **4,** corolle étalée × 4; **5,** calice × 4; **6,** pistillode d'une fleur mâle × 4; **7,** et **8,** fruits × 2; **9,** graines × 4. — **F. obovata: 10,** nœud à fleurs mâles × 3. — **F. decipiens: 11,** nœud à boutons × 3. (**1, 3-6,** *Johnston* s.n.; **2,** *Cadet* 2605; **7,** *Cadet* 5031; **8,** *Tirvengadum* 989; **9,** *Fournier* s.n.; **10,** *Duljeet* s.n.; **11,** *Lorence et Sussman* 2666).

Espèce ressemblant à la précédente mais semblant être un arbrisseau de 2–3 m de hauteur, à ramification moins intriquée. Feuilles à limbe elliptique, de 3,5–4,8 × 1,7–2,6 cm, arrondi à sub-aigu au sommet, cunéiforme à la base, parfois nettement coriace; pétiole long de 2–4 mm. Fleurs mâles: partie adnée du calice obconique, longue de 1,8 mm; tube libre long de 1 mm, à lobes subulés, longs de 3–5,5 mm, jamais très courts; corolle à tube long de 3 mm, à lobes ovales, 4 × 2,5 mm, aigus; anthères longues de 2 mm. Fleurs femelles: partie adnée du calice longue de 3 mm environ; tube libre long de 1 mm, à lobes subulés, longs de 3 mm environ; corolle à tube long de 2 mm environ, à lobes longs de 3,5 mm; lobes stigmatiques aigus. Fruit devenant pourpre à maturité, ovoïde ou ellipsoïde, de 1–1,6 × 0,7–0,9 cm; pédoncule long de 3–5 mm, sessile dans le calicule. (Pl. 23, 11).

Nom vernaculaire: Bois buis.

Maurice. Endémique. Espèce de la végétation éricoïde, entre 600 et 800 m d'altitude: Lavilléon; Gaulettes Serrées; Moka; Tamarind Falls; Macabé.

3. F. pedunculata Gaertner f., Suppl. Carp.: 61, t. 191, fig. 3 (1806); DC., Prodr. 4: 398 (1830); Cordem., F.R.: 505. Types: un échantillon ex Herb. *DC.*; un autre ex Herb. *Delessert* (TUB?, syns.)

Arbrisseau; écorce brun rougeâtre, s'écaillant; ramilles jeunes pubescentes, ferrugineuses-pâles. Feuilles à limbe elliptique à ovale, 0,9–2,5 × 0,8–1,8 cm, sub-aigu à étroitement arrondi au sommet, arrondi à tronqué à la base, la face inférieure à pubérulence très lâche et à domaties; pétiole long de 2–3 mm, pubescent; stipules pubescentes, longues de 2 mm, avec une cuspide longue de 3 mm. Fleurs mâles à pédicelle long d'environ 2 mm dans le calicule; partie adnée du calice longue de 1 mm; lobes subulés, longs de 2–3 mm; corolle à tube long de 3–4 mm, à lobes elliptiques ou ovales, 3,5–5 × 2,5–3 mm, aigus; anthères longues de 3,2 mm; style long de 2 mm, à lobes stigmatiques longs de 2,2 mm. Fleurs femelles pédicellées dans le calicule, celui-ci à dents ± courtes à nulles; partie adnée du calice ellipsoïde, longue de 2,5 mm, pubérulente; tube libre long de 1 mm, à lobes longs de 3 mm; boutons floraux glabres; corolle non vue. Fruit porté par un pédoncule et un pédicelle, chacun long de 5 mm, formant ensemble un stipe beaucoup plus long que chez les autres espèces. Fruit subsphérique, 8 × 7 mm, finement pubérulent.

Noms vernaculaires: Bois de buis, Bois à fièvre, Petit quivi.

La Réunion. Endémique. Espèce peut-être éteinte, connue seulement par deux échantillons mâles (une seule récolte) de la Montagne St Denis (Herb. *Desvaux*, P) et par une récolte de Cordemoy (MARS) de St Benoît, dont les fruits s'accordent bien avec la figure de Gaertner.

4. F. obovata Lam., Illust. 1: 287 (1792); t. 67, fig. 1 (1791) sans nom; DC., Prodr. 4: 398 (1830); Bojer, H.M.: 166. Type: Maurice, *Stadman* (P-LA, holo.; fiche 289.I.3!) — *F. buxifolia* auct. non Lam.: R.E. Vaughan, Maur. Inst. Bull. 1: 44 (1937), *pro parte*

Arbrisseau de 1,20– 3,60 m de hauteur; écorce brun grisâtre, s'écaillant; ramilles jeunes pubescentes, tôt glabrescentes. Feuilles à limbe largement elliptique à presque circulaire, plus grand que dans les autres espèces du genre, (0,5–) 2–4,5 × (0,5–) 1,5–3,5 cm, arrondi au sommet, arrondi à largement cunéiforme à la base, ± glabre, sauf la nervure médiane et les domaties sur la face inférieure; pétiole atteignant 5 mm de longueur, à pubescence courte; stipules longues d'environ 3 mm. Fleurs mâles à pédoncule ± nul, à pédicelle atteignant 2,5 mm au-dessus du calicule; calice à pubescence dense, apprimée à l'extérieur, à partie adnée longue de 2 mm; tube libre long de 2–3 mm, se fendant tôt en segments oblongs-ovales, à lobes subulés, longs de 1–1,5 mm; dans les boutons floraux juste avant l'anthèse et aux stades plus âgés, le calice semble avoir des lobes ovales, munis d'appendices subulés; corolle à indument soyeux, dense à l'extérieur, à tube long de 3,5 mm, à lobes ovales, 4 × 3 mm; anthères longues de 3,5 mm; style long de 1,5–3,5 mm, côtelé mais non divisé (peut-être à la fin bifide au sommet), aigu. Fleurs femelles et fruits non vus. (Pl. 23, 10).

Noms vernaculaires: Bois chauve-souris, Bois buis.

Maurice. Endémique. Espèce rare, ressemblant à des plantes mâles de *F. pedunculata* de La Réunion, mais se distinguant par ses grandes feuilles rondes et ses corolles soyeuses. Une ébauche de Hooker sur un échantillon de Bouton à Kew montre un style bilobé. Une forme à petites feuilles croît sur le Mt Corps de Garde.

21. POLYSPHAERIA Hook. f.

Gen. Pl. 2 : 108 (1873)

Verdc., Kew Bull. 35 : 97–130 (1980); 36 : 227-228 (1981)

Arbrisseaux ou petits arbres, glabres ou pubescents, à rameaux supra-axillaires. Feuilles habituellement coriaces mais minces, à nervation divariquée caractéristique. Stipules triangulaires, acuminées ou aristées, à nervure médiane saillante. Fleurs sessiles ou rarement pédicellées, communément petites, en glomérules bractéifères, sessiles ou pédonculés; bractées et bractéoles primaires groupées suivant un mode complexe, les bractées secondaires sous-tendant souvent des triades de fleurs, et les bractéoles, souvent plusieurs par fleur, le plus souvent soudées en une coupe à la base du calice. Partie adnée du calice campanulée ou turbinée; tube libre couvrant occasionnellement la corolle dans le bouton floral, tronqué ou 4–5-denté, persistant. Tube de la corolle étroitement infundibuliforme ou cylindrique, pubescent à la gorge ;lobes 4–5, contortés. Étamines 4–5, insérées sur le tube de la corolle; anthères linéaires, dorsifixes, ± incluses, parfois apiculées. Disque petit, charnu. Ovaire biloculaire; ovules solitaires, pendants; style filiforme, exsert; stigmate filiforme, entier ou bifide. Fruit à épicarpe résistant, 1–2-loculaire, à 1–2 graines. Graines subsphériques à plan-convexes, à testa strié-sulqué; albumen très ruminé.

Genre comprenant une vingtaine d'espèces africaines, malgaches et comoriennes. Une espèce s'est naturalisée aux Mascareignes et 4 autres y sont ou ont été cultivées.

P. parvifolia Hiern est une espèce commune d'Afrique de l'Est, surtout de taillis côtier. Petit arbre ou arbrisseau de 0,60–9 m de hauteur, généralement de moins de 3,50 m; ramilles habituellement à pubescence courte. Feuilles à limbe de 0,4–9 (-11) × 0,4–4,7 cm, généralement à pubescence nette ou portant de gros poils, plus rarement glabre. Inflorescences sessiles, formant des glomérules sphériques aux noeuds. Calice souvent à pubescence étalée; partie adnée longue de 0,5 mm et tube libre ayant 1 mm. Corolle blanche, pubescente; tube long de 3–4,5 mm, à lobes ovales, de 1,5–2 × 1,3 mm.

Une plante très semblable est cultivée au Jardin des Pamplemousses. Un autre spécimen assez semblable se trouve mêlé, dans l'herbier de Rivals, à une récolte de *P. multiflora* venant de la Rivière St Denis à La Réunion. Tous les deux diffèrent de *P. parvifolia* typique par l'indument moins grossier du calice et de la corolle, mais les ramilles et les nervures médianes pubescentes des feuilles font penser à cette espèce. De nouvelles récoltes prouveront peut-être qu'il s'agit d'une forme de *P. multiflora* qui doit avoir des variantes à indument ferme sur le calice mais des rameaux et des feuilles glabres.

P. lanceolata Hiern subsp. *comorensis* Hiern ex Verdc. est un arbrisseau ou un petit arbre de 1–4 (-6) m de hauteur, à feuilles glabres, oblongues-elliptiques, atteignant 16 × 5 cm. Ses inflorescences sont semblables à celles de *P. multiflora* et de *P. parviflolia*, mais le calice porte un indument apprimé, tomenteux, dense, et la corolle est plus petite. Cette espèce est cultivée au Jardin des Pamplemousses à Maurice.

1. Inflorescences à pédoncule court; corolle longue d'environ 2 cm; feuilles de 6–16 × 2–7 cm; autrefois cultivé. **P. tubulosa** (Baillon) Cavaco
— Inflorescences sessiles. **2**

2. Calice de 4 × 5 mm; feuilles de 8–20 × 2,7 × 8 cm; autrefois cultivé: **P. grandis** (Baillon) Cavaco
— Calice et feuilles plus petits; corolle longue de moins de 1 cm. **3**

3. Calice glabre à l'extérieur (mais apprimé-pubescent à l'intérieur), le plus souvent tronqué; naturalisé à La Réunion. **P. multiflora**
— Calice tomenteux ou pubescent à l'extérieur; espèces cultivées. **4**

4. Ramilles jeunes, inflorescences et au moins la nervure médiane des feuilles pubescentes ou tomenteuses; feuilles de 0,4–9 (-11) × 0,4–4,7 cm. **P. parvifolia** Hiern

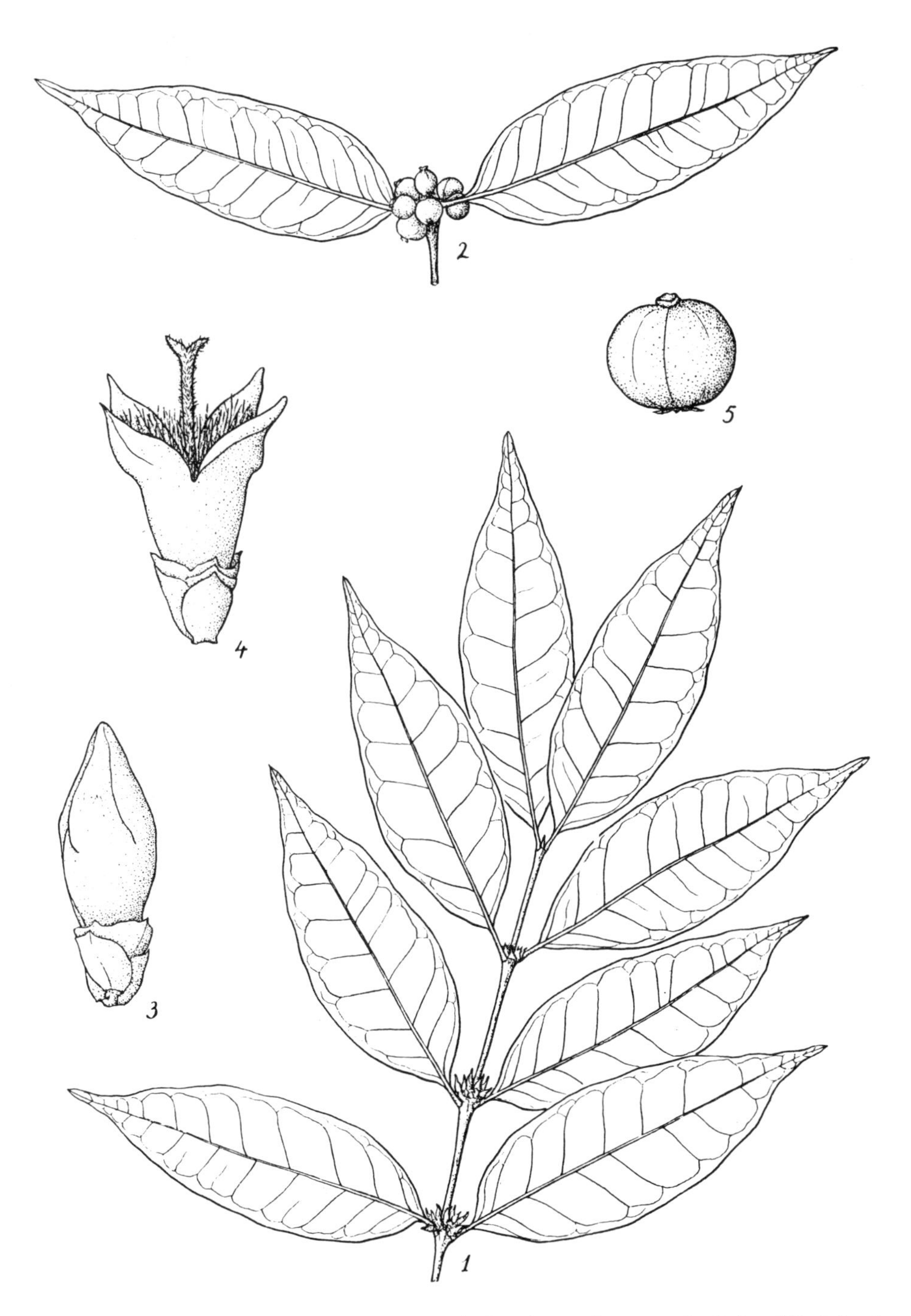

Pl. 24 — **Polysphaeria multiflora: 1,** rameau fleuri × 2/3; **2,** nœud portant des fruits × 2/3; **3,** bouton floral × 5; **4,** fleur × 5; **5,** fruit × 2,5. **(1, 3-4,** *Bosser* 9411; **2,** *Boivin* s.n.; **5,** *Bosser* 20947 (P)).

— Ramilles et feuilles glabres; feuilles atteignant 16×5 cm. **P. lanceolata** Hiern subsp. **comorensis** Hiern ex Verdc.

P. multiflora Hiern, Fl. Trop. Afr. 3 : 127 (1877). Décrit d'Afrique tropicale de l'Est

subsp. **multiflora**. Arbrisseau ou arbuste de 1–3 (–4,50) m de hauteur, occasionnellement faible et ± rampant; rameaux glabres, les plus âgés à écorce s'exfoliant en lambeaux longs. Feuilles à limbe elliptique, oblong-elliptique ou lancéolé, 2–11,5×1–4,2 cm, ± aigu, le sommet même ± obtus, plus rarement acuminé, cunéiforme à subcordé à la base, coriace, mince, glabre, portant parfois de petits points blancs surtout près de la nervure médiane sur la face supérieure; pétiole long de 5–9 mm; stipules triangulaires, longues de 2,5–4 mm, carénées, glabres. Fleurs odorantes. Inflorescences sessiles ou presque, formant des glomérules sphériques aux noeuds, atteignant 1,5 cm de diamètre, toutes les parties entièrement glabres ou ± imperceptiblement pubérulentes; bractéoles cupuliformes, entourant étroitement la base du calice, hautes d'environ 1 mm. Calice peu profondément cupuliforme, long de 1,5 (–2) mm, glabrescent ou à pubescence dense à l'intérieur, le plus souvent tronqué, souvent à points pâles à l'extérieur. Corolle blanche, à tube long de (2–) 4 mm, portant des poils blancs, denses, à la gorge, à lobes ovales, de 1,5–2 mm de longueur et de largeur. Disque proéminent. Style à poils blancs, denses. Fruit noir ou noir rougeâtre, sphérique, de 7–9 mm de diamètre, glabre, pointillé de blanc, ± didyme. Graines ± hémisphériques, environ 6×4 mm. (Pl. 24).

La Réunion, Maurice. Espèce des régions côtières de l'Afrique tropicale de l'Est, naturalisée dans la région de St Denis: La Montagne; Rivière St Denis; La Providence. Elle fut introduite à La Réunion à l'époque de Richard (1820 – 1867). Cultivée au Jardin des Pamplemousses à Maurice.

CREMASPOREAE

Cremaspora Benth.

Un seul échantillon de *Cremaspora triflora* (Schumach. et Thonn.) K. Schum. subsp. *confluens* (K. Schum.) Verdc., espèce côtière de l'Afrique de l'Est, a été vu, provenant du " Jardin botanique de Bourbon ". Il est peu probable que l'espèce soit encore cultivée aux Mascareignes. Ses fleurs sont groupées en glomérules axillaires; elles sont petites, à anthères et long style simple exserts.

COFFEEAE

22. TARENNA Gaertner
Fruct. 1 : 139, t. 28 (1788)

D.M. Bridson, Kew Bull. 34 : 377–402 (1979)
— *Enterospermum* Hiern, Fl. Trop. Afr. 3 : 92 (1877)

Petits arbres, arbrisseaux ou parfois lianes. Feuilles opposées; stipules intrapétiolaires, toujours dressées, souvent ± noires sur le sec. Fleurs odorantes, hermaphrodites, (4–) 5-mères, habituellement assez petites, en inflorescences corymbiformes terminales ou plus rarement axillaires; bractées parfois présentes, peu visibles; bractéoles présentes, insérées souvent sur le pédicelle. Calice à partie adnée turbinée à ovoïde, à tube libre généralement court; préfloraison souvent contortée. Corolle blanche à jaunâtre; tube cyclindrique ou ± en entonnoir, glabre ou pubescent à la gorge; préfloraison contortée. Étamines insérées à la gorge, ± exsertes et étalées; filets courts; anthères dorsifixes près de la base, linéaires à étroitement oblongues. Disque annulaire. Ovaire biloculaire; placentas sub-apicaux, soit grands, ± ovales, à 1–15 ovules ± enfoncés, soit plus petits, à 2–5 (–8) ovules pendants; style grêle, à massue stigmatique ± bifide, exserte. Fruit habituellement vert, petit, bacciforme, à peine charnu, sphérique, habituellement couronné par le tube du calice persistant; à 1 loge uniséminée ou biloculaire avec 1–plusieurs graines par loge. Graines noires, ±

sphériques, à hile béant, à testa réticulé et albumen ruminé ou non ou graines brunes, hémisphériques à anguleuses, à hile béant, à testa paraissant lisse, simple, albumen entier.

Grand genre de 180 espèces environ, largement répandues dans le Vieux Monde, surtout en Asie, en Indonésie, en Océanie et en Afrique. 3 espèces aux Mascareignes.

Cordemoy a décrit sous le nom de *Myonima velutina* (F.R.: 508) une plante de l'herbier *Bernier*, sans indication de provenance, qu'il pensait être une plante réunionnaise, bien qu'il ne l'ait lui-même jamais trouvée dans l'île. Cette plante est un *Tarenna* et j'ai fait la nouvelle combinaison *Tarenna velutina* (Cordem.) Verdc. (Kew Bull. 37: 561 (1983)). Des informations, recues malheureusement tardivement, ont montré qu'il s'agit d'une plante malgache qui avait déjà été décrite par Scott-Elliot sous le nom de *Webera saxatilis* (Journ. Linn. Soc. Bot. 29: 25 (1881)). Cette plante n'a vraisemblablement jamais existé aux Mascareignes.

1. Inflorescences multiflores et denses; pédicelles atteignant 4 mm de longueur. **2**
— Inflorescences pauciflores, lâchement trichotomiques; pédicelles longs de 1–2,3 cm. **3. T. richardii**

2. Limbe foliaire oblong-elliptique à ovale-lancéolé, pour la plupart 3 à 4 fois plus long que large; feuilles juvéniles nettement différentes, oblongues-lancéolées, vert foncé, à nervure médiane rouge, le limbe taché de vert clair et de jaune. (La Réunion, Maurice). **1. T. borbonica**
— Limbe foliaire largement elliptique, ceux des pieds adultes presque toujours moins de 2 fois plus longs que larges; renseignements sur le feuillage juvénile peu précis, supposé non comme ci-dessus. (Maurice). **2. T. cymosa**

1. T. borbonica (E.G. et A. Henderson) Verdc., Kew Bull. 37: 560 (1983). Décrit d'après une plante cultivée à Londres
— *Pavetta diversifolia* Bojer, H.M.: 172, *nom. nud.*
— *P. borbonica* E.G. et A. Henderson, Illustr. Bouquet 1, t. 16 (1858)
— *Rutidea coriacea* Baker, F.M.S.: 149, *pro parte*, en ce qui concerne le spécimen de La Réunion
— *Ixora borbonica* (E.G. et A. Henderson) Cordem., F.R.: 507
— *Rutidea coriacea* auct. non Baker: R.E. Vaughan, Maur. Inst. Bull. 1: 47 (1937), *pro parte*
— *Enterospermum borbonicum* (E.G. et A. Henderson) N. Hallé et Heine, Adans. sér. 2, 10: 321, t. 1 (1970)

Arbre de moyenne grandeur, rameux, haut de 2–12 m, à appareil végétatif entièrement glabre, à écorce grisâtre, lisse. Feuilles à limbe plutôt coriace, oblong-elliptique à ovale-lancéolé, 3,2–12 (–30) × 1,2–5,2 (–8,6) cm, sommet ± étroitement arrondi ou obtus, rarement à peine acuminé ou sub-aigu, base typiquement atténuée mais obtuse ou même légèrement cordée à atténuée chez les jeunes pieds; dans les feuilles adultes vert sombre dessus sur le vif, vert plus clair dessous; dans les feuilles juvéniles panaché de taches vert clair ou jaune clair sur la face supérieure, à nervure médiane vivement teintée d'un beau rose ou rouge carminé, épaisse; pétiole long de 0,5–2 cm; stipules ± longuement connées-tubuleuses sur 1/2 de leur longueur, longues de 10–25 mm, à sommet atténué ou acuminé-aigu, plus nettement deltoïdes près des inflorescences, ± rapidement caduques. Fleurs fortement odorantes, en inflorescences terminales corymbiformes, ayant jusqu'à 5 cm de longueur; pédoncules longs de 1–1,7 cm; pédicelles longs d'environ 4 mm; axes verts, finement pubérulents; bractéoles à sommet effilé, pubérulent. Calice sub-ovoïde, long de 2 mm, finement pubérulent, à tube libre très court, denté, à dents peu saillantes, aiguës. Corolle blanche, à tube long de 3,5–4,5 mm; lobes 4–5, linéaires-lancéolés, longs de 3,5–4 mm, étalés à l'anthèse, se recouvrant vers la gauche à la préfloraison. Anthères 5, longues de 3–5 mm, exsertes. Disque annulaire, blanc jaunâtre, glabre. Ovaire de 2 mm de diamètre, 2-loculaire; chaque loge à (1–) 3 ovules campylotropes, fixés vers le milieu de la cloison; style claviforme, longuement exsert, atteignant une longueur de 1 cm environ, à 2 lobes stigmatiques libres à l'apex de la massue sur 0,5 mm. Fruit globuleux,

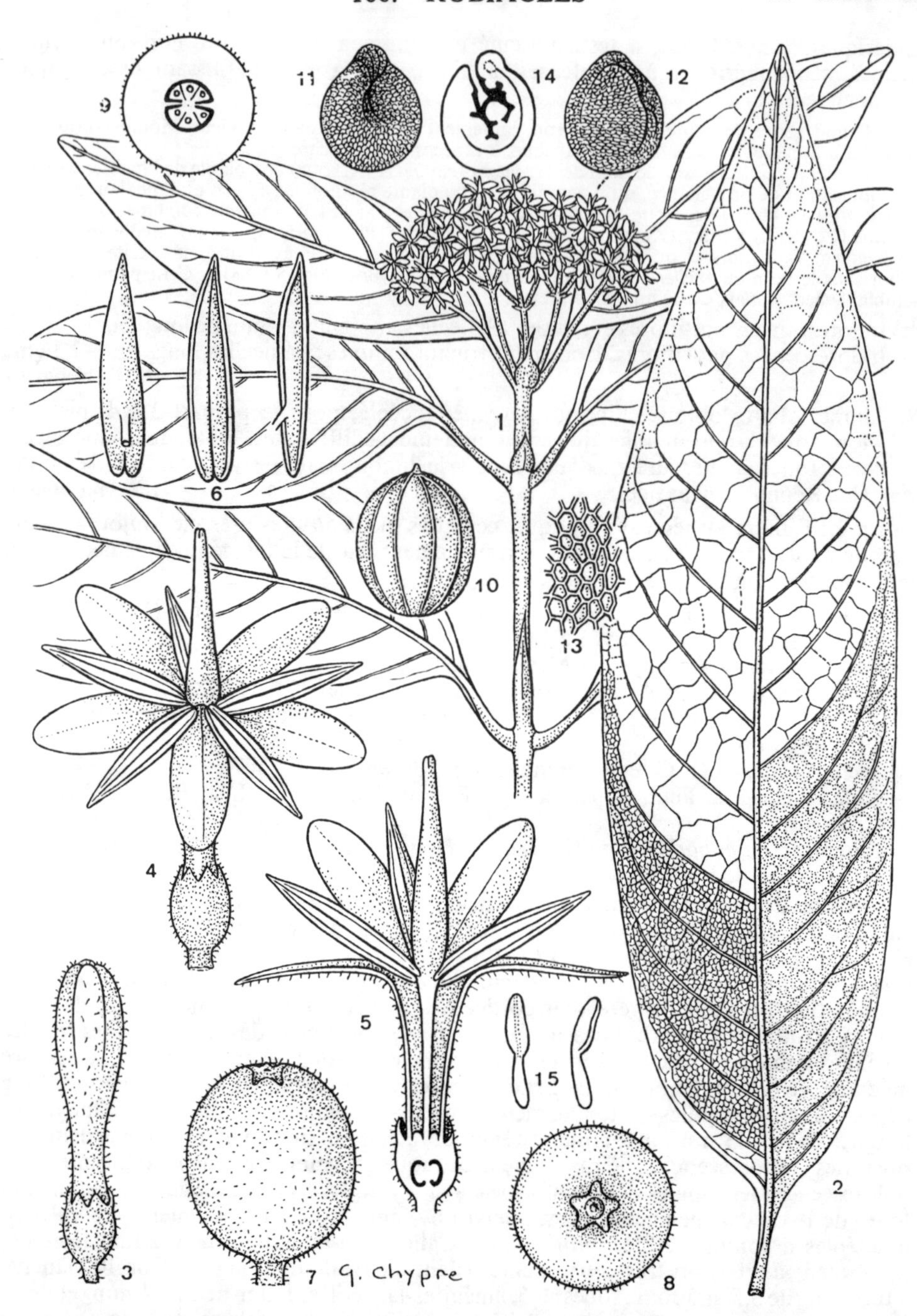

Pl. 25 — **Tarenna borbonica: 1,** rameau florifère × 2/3; **2,** feuille de pied juvénile × 2/3; **3,** bouton floral × 4; **4,** fleur × 5; **5,** coupe de fleur × 5; **6,** anthère dans le bouton × 6; **7,** fruit × 4; **8,** id. en vue apicale; **9,** coupe transversale de l'ovaire; **10,** graine enveloppée de l'endocarpe × 4; **11** et **12,** graine × 4; **13,** détail du tégument de la graine à fort grossissement; **14,** coupe de la graine × 4; **15,** embryon × 4. Cliché Adansonia sér. 2, 10: 322, t. 1 (1970).

d'environ 6 mm de diamètre; endocarpe détachable de l'exocarpe, de 4 mm de diamètre, crustacé, mince, orné de 10 nervures méridiennes et contenant une seule graine par suite de l'avortement des 5 autres ovules. Graine globuleuse, de 3,5–4 mm de diamètre, à testa grisâtre, finement réticulé-alvéolé; albumen contourné, dissimulant une invagination ± complexe; embryon arqué, à cotydédons oblongs. (Pl. 25).

Noms vernaculaires: Bois de pintade (R.); Bois de rat (M.).

La Réunion, Maurice. Endémique. La plupart des récoltes localisées, faites à La Réunion, viennent du N.O. de l'île: Ravine Tamarin, Grande Ravine, Ravine de la Grande Chaloupe, Montagne St Denis; Bassin du Diable, vallée de la Rivière St Denis; Ravine du Chaudron; Rempart de Dos d'Ane, Rivière des Galets; sentier du Bras de Ste Suzanne; Ravine à Marquet. Des récoltes récentes viennent de falaises bordant la route de Basse Vallée à Vincendo, dans le S.E. Maurice: Chamarel à Case Noyale; Trois Mamelles; Montagne de la Rivière Noire; Ile aux Aigrettes. La forme juvénile à feuilles panachées-marbrées est cultivée comme plante d'ornement; voir Heine et Hallé, Adans., sér. 2, 10: 315–327 (1970).

2. T. cymosa (Willd. ex Roemer et Schultes) Verdc., Kew Bull. 37: 560 (1983). Type: "La Réunion" (par erreur, certainement de Maurice), sans collecteur (B–W, holo.)
— *Coffea cymosa* Willd. ex Roemer et Schultes, Syst. Veg. 5: 201 (1819)
— *Pavetta coriacea* Bojer, H.M.: 172, *nom. nud.*
— *Rutidea coriacea* Baker, F.M.S.: 149; R.E. Vaughan, Maur. Inst. Bull.1: 47 (1937), *pro parte*. Type: Maurice, La Nouvelle Découverte, *Bouton* (K, lecto.!; MAU, isolecto.!)
— *Enterospermum coriaceum* (Baker) Bremek., Fedde Repert. 37: 190 (1934)

Arbrisseau ou petit arbre de 3–9 m de hauteur; tronc de 4–25 cm de diamètre; rameaux très arqués; ramilles grises ou gris blanc, sub-anguleuses. Feuilles juvéniles non allongées et non panachées. Limbe foliaire adulte largement elliptique, 4–18 × 2–11 cm, ± obtus au sommet, largement cunéiforme à la base et décurrent sur le pétiole, nettement coriace; pétiole long de 0,6–2,5 cm, glabre; stipules longues d'environ 1,5 cm, soudées à la base en gaine, acuminées au sommet. Fleurs odorantes, sentant l'huile de coprah (selon Coode), en inflorescences multiflores, pubérulentes; pédoncules longs d'environ 3 cm. Calice portant une pubérulence dense; partie adnée ovoïde, longue de 1,5 mm; lobes très largement triangulaires ou arrondis, longs de 0,2–0,3 mm. Corolle blanche, à pubérulence dense à l'extérieur; tube long de 2–4 mm; lobes de 4 × 1,5–2,5 mm environ. Anthères longues de 2,6–3,5 (–5) mm; filets longs de 0,5–1 mm. Fruit ovoïde-sphérique, 5–6 × 4–5 mm. Graines rougeâtre foncé, sphériques, d'environ 3,5 mm de diamètre, réticulées. (Pl. 26).

Maurice. Espèce endémique et semblant être encore assez commune: Mt Villars au-dessus de la Pointe aux Feuilles; Plaine Wilhelms; Réserve de Perrier près de Mare aux Vacoas; Montagne des Créoles; Ravine Cascade 500 Pieds; Ferney; Gaulettes Serrées près de Camp Thorel; de Plaine Champagne aux Gorges de la Rivière Noire.

Heine et Hallé, loc. cit. (1970) distinguaient *T. cymosa* (sous le nom de *Enterospermum coriaceum*) de *T. borbonica* par ses feuilles régulièrement elliptiques, ayant un rapport largeur/longueur de ½ (¼–⅓ pour *T. borbonica*), des feuilles juvéniles sans caractères particuliers en ce qui concerne la forme et la couleur, des corolles plus pubescentes à l'extérieur, à lobes de 2,5 mm de largeur (± 1,4 mm chez *T. borbonica*), des étamines à anthère basifixe, longue de 2,6 mm, à filet pubescent-sétuleux, long de 0,5 mm (anthère dorsifixe, longue de 3 mm et filet glabre, long de 0,1 mm chez *T. borbonica*). Pour ma part, je n'ai pas trouvé de différences aussi tranchées. Les limbes foliaires, dans certains cas, peuvent être identiques dans les 2 espèces, bien que, typiquement, *T. cymosa* ait des feuilles largement elliptiques bien caractéristiques. Les anthères peuvent atteindre 5 mm de longueur dans *T. cymosa* et les filets sont habituellement glabres. Des échantillons, provenant certainement de plantes sauvages de Maurice, pouvant se rattacher à *T. cymosa*, ont des corolles à lobes ayant seulement 1,5 mm de largeur. J'ai cependant gardé les 2 espèces séparées, en me basant principalement sur la différence du feuillage juvénile. Cependant Bouton, sur son spécimen de Moka (syntype de *Rutidea coriacea*) dit clairement: "Planta juniore foliis maculatis rubrinervis, adulta lanceolatis nitidis". Il est possible que les spécimens en apparence intermédiaires proviennent d'hybrides. (D'autre part, il existe un exemple d'une espèce, *Elaeodendron orientale* Jacq., Célastracées, qui à La Réunion, Rodrigues et à basse altitude à Maurice est hétérophylle, alors que les plantules des plantes des parties hautes de Maurice n'ont pas un feuillage juvénile distinct. W. Marais).

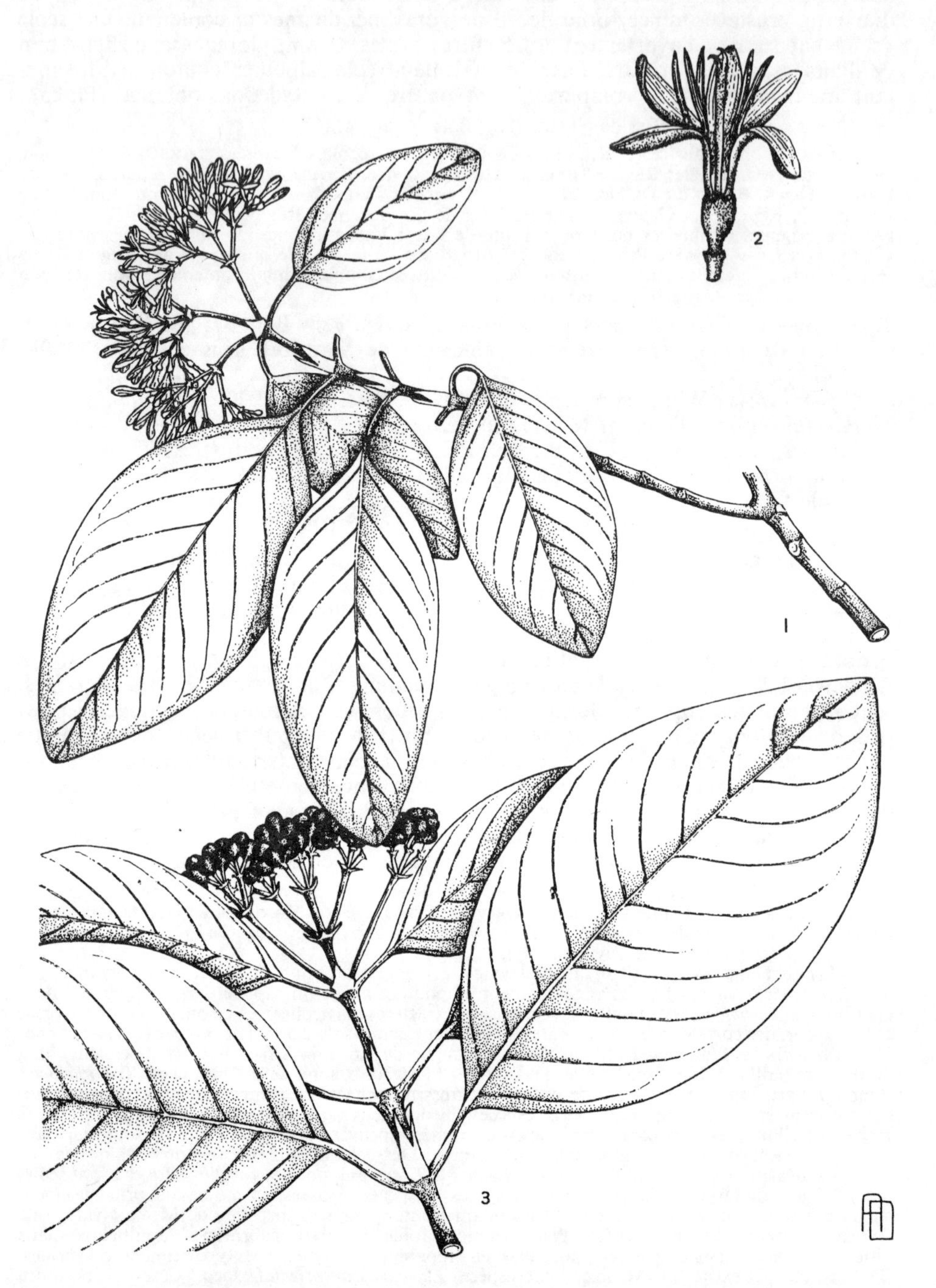

Pl. 26 — **Tarenna cymosa: 1,** rameau fleuri × 2/3; **2,** fleur × 2 2/3; **3,** rameau en fruits × 2/3. (**1** et **2,** *Coode* 4478; **3,** *Bouton* s.n.).

3. **T. richardii** Drake ex Verdc., Kew Bull. 37: 561 (1983). Type: Madagascar, plusieurs spécimens cultivés par J.M.C. Richard, directeur du Jardin colonial de Bourbon (P, syns. !)
— *Pavetta gracilis* A. Rich. ex DC., Prodr. 4: 492 (1830); A. Rich., Mém. Fam. Rubiacées: 101 (1830); Mém. Soc. Hist. Nat. Paris 5: 186 (1834), non *T. gracilis* (Stapf) Keay
— *Ixora gracilis* (A. Rich. ex DC.) O. Kuntze, Rev. Gen.: 286 (1891)
— *Myonima obovata* auct. non Lam.: Cordem., F.R.: 508
— *Enterospermum gracile* (A. Rich. ex DC.) Bremek., Fedde Repert. 37: 193 (1934)

Arbrisseau, souvent grimpant (?), de 1,50–3 m de hauteur; rameaux grêles et flexueux, à pubescence hérissée-étalée sur les parties plus jeunes, mais tôt glabres; écorce gris blanchâtre, s'exfoliant. Feuilles à limbe oblong, elliptique ou obovale à elliptique-lancéolé, 2–7 × 0,8–3 cm, brusquement acuminé au sommet, cunéiforme à la base, coriace, mat, glabre; nervures latérales arquées et s'anastomosant bien avant la marge, formant une ligne crénelée particulière, une autre ligne similaire mais moins visible présente plus près des marges; réseau de nervation assez lâchement réticulé, proéminent sur les deux faces; pétiole long de 2–8 mm, d'abord pubescent, tôt glabre; stipules ovales-triangulaires, longues de 3,5 mm en tout, avec un long acumen subulé. Inflorescences lâches, à ramification trichotomique, parfois uniflores; pédoncules absents ou atteignant 1 cm de longueur; rameaux primaires longs de 6–8 mm; pédicelles longs de 1–2,3 cm portant, sur leur 1/3 inférieur, une cupule amplexicaule, longue de 1–1,5 mm. Fleurs odorantes. Calice à partie adnée longue de 1,2–1,5 mm; tube libre long de 1,5 mm, à 4 lobes triangulaires, obtus, longs de 0,5–1 mm. Corolle blanche; tube long de 5,5 mm; lobes 4, oblongs-elliptiques, 5,5 × 1,8 mm. Style, avec la massue stigmatique, exsert sur 7 mm. Anthères partiellement exsertes. Fruit noir, sans pyrènes ligneux, subsphérique, de 6–6,5 mm de diamètre, ridé sur le sec, chaque locule à une seule graine; péricarpe mince. Graines rouge brun très sombre, déprimées, hémisphériques, 5 × 2,5 mm, un peu luisantes, légèrement ruguleuses, ± acuminées vers la base; creux hilaire ventral devenant plus étroit vers la base.

La Réunion. Espèce malgache introduite et cultivée à La Réunion et ailleurs: Indonésie, Italie Algérie. Il existe plusieurs spécimens de Gaudichaud et de Richard. Elle persiste encore à Ravine Divon, au-dessus de St Paul, 8 juin 1968, *Cadet* 1482.

Ixora L.

Un certain nombre d'espèces sont ou ont été cultivées aux Mascareignes; beaucoup d'échantillons sont anciens et il se peut qu'il y ait d'autres espèces dont je n'ai pas vu de spécimens. Il existe aussi de nombreux cultivars et formes appartenant aux espèces difficiles à classifier. (Pl. 27).

1. Calice à lobes ± 4 fois plus longs que le tube, lancéolés, membraneux, en séchant devenant pâles et à nervation distincte, persistants sur le fruit; corolle blanche. (La Réunion, Maurice). **I. finlaysoniana** Wall. ex G. Don
— Calice à lobes plus courts que le tube, ou à tube sinueux à denté. 2
2. Tube de la corolle long de moins de 1 cm. 3
— Tube de la corolle long de plus de 1 cm. 5
3. Tube de la corolle à gorge glabre, le style pouvant être pubescent; tube du calice denté ou à lobes courts. 4
— Tube de la corolle à gorge pubescente; tube du calice presque tronqué. **I. timorensis** Decne.
4. Feuilles pétiolées, à limbe ± mince, à marges ondulées; inflorescences plutôt lâches et amples; fleurs blanches. (La Réunion, Maurice). **I. undulata** Roxb.
— Feuilles subsessiles, à limbe ± épais, à marges non ondulées; inflorescences plutôt contractées et plus étroites; fleurs blanches. (La Réunion, Maurice). **I. pavetta** Andr. (*I. parviflora* Vahl non Lam.)

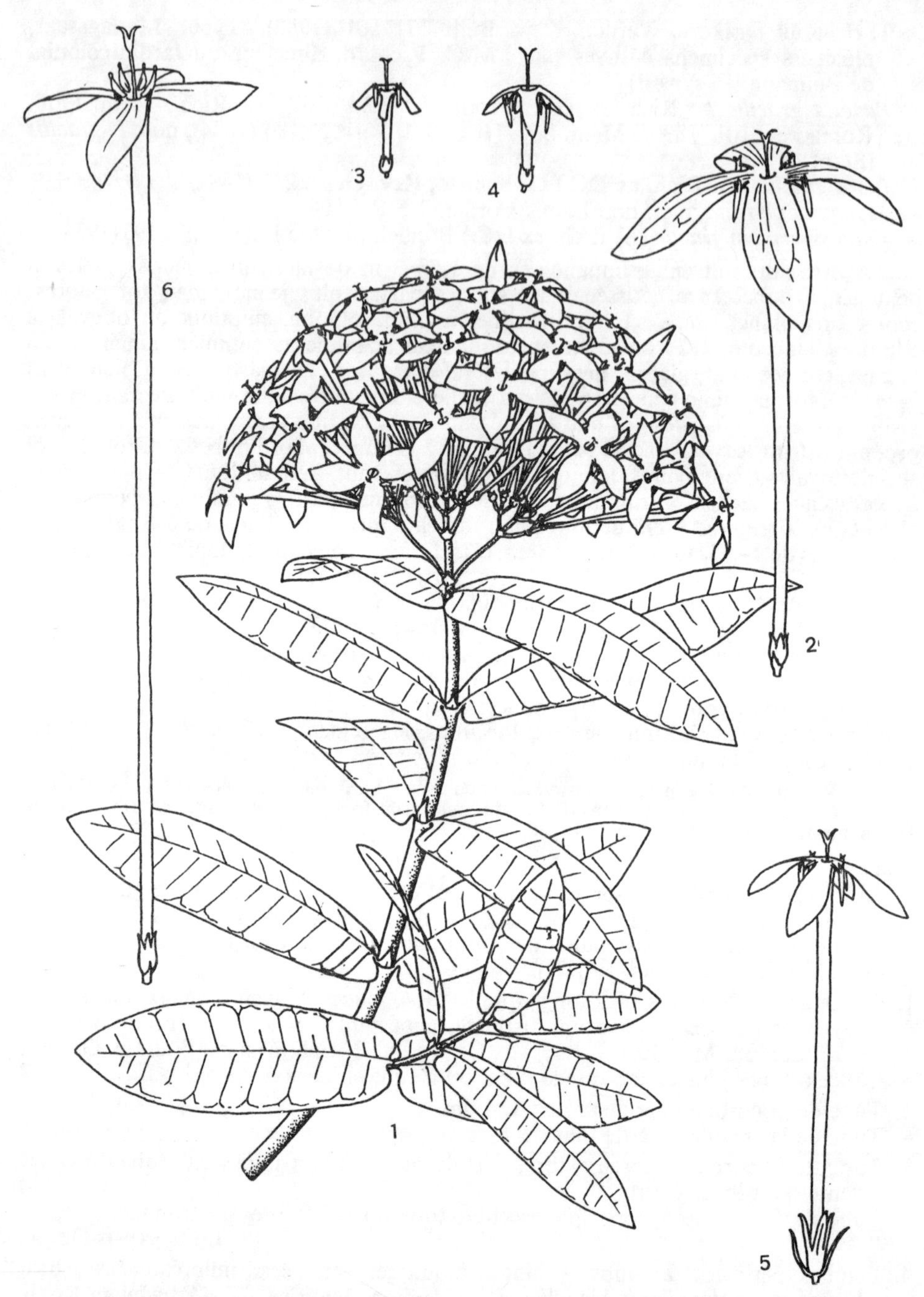

Pl. 27 — **Ixora coccinea: 1,** rameau fleuri × 2/3; **2,** fleur × 1 1/3. — **I. pavetta: 3,** fleur × 1 1/3. — **I. undulata: 4,** fleur × 1 1/3. — **I. finlaysoniana: 5,** fleur × 1 1/3. — **I. hookeri: 6,** fleur × 2. **(1,** *Sieber*, Fl. Maurit. II, n° 69; **2,** *Jeffrey* 410; **3,** Herb. Pamplemousses 238; **4,** Herb. Pamplemousses 293; **5,** *Jeffrey* 774; **6,** *Dupont* 1912).

5. Axes de l'inflorescence et calices glabres ou très finement pubérulents. 6
— Axes de l'inflorescence et calices à pubescence courte; autrefois cultivé à La Réunion. **I. rosea** Vahl
6. Feuilles sessiles ou à pétiole court, à limbe cordiforme, arrondi ou obtus à la base; corolle jaune, orange ou rouge, à tube long de moins de 6 cm. 7
— Feuilles nettement pétiolées; corolle blanche, teintée de rouge à la gorge, à tube long de 6–8 cm et lobes de 1–1,6 cm. (La Réunion, Maurice). **I. hookeri** (Oudem.) Bremek. (= *I. odorata* Hook.)
7. Corolle écarlate ou plus rarement jaune, à lobes ± acuminés; limbe foliaire le plus souvent cordé à la base. (La Réunion, Maurice). **I. coccinea** L
— Corolle orange à saumon, à lobes arrondis; limbe foliaire ± obtus à la base. (Maurice). **I. chinensis** Lam.

Pavetta L.

Alors que les *Pavetta* sont nombreux en Afrique, il n'y a pas d'espèce autochtone aux Mascareignes. Une espèce, *P. lanceolata* Ecklon, est cultivée à Maurice. C'est un arbrisseau ou un arbuste de 1,50–10 m de hauteur, à écorce gris pâle; les feuilles étroitement ovales, de 3,5–11 ×0,5–2 cm, sont vert sombre, luisantes sur la face supérieure, vert mat sur la face inférieure, glabres à l'exception des aisselles des nervures latérales sur la face inférieure. Fleurs blanches, odorantes, groupées en inflorescences axillaires et terminales, de 3–5 cm de largeur, formant de nombreux verticillasters denses; fleurs longues d'environ 1 cm, à lobes étroits, un peu plus longs que le tube grêle; style bien exsert. Fruit sphérique, noir à maturité et d'environ 8 mm de diamètre. Cette espèce, parfois connue sous le nom de *P. tristis* Bremek., existe encore au Jardin des Pamplemousses et une récolte a été faite à Beau Bassin en 1959.

23. COFFEA L.*

Sp. Pl.: 172 (1753)

Arbustes ou petits arbres pouvant atteindre 10–20 m de hauteur, généralement à port pyramidal, à tige orthotrope et branches plagiotropes, mais pouvant être assez ramifiées. Développement monopodial général chez la quasi totalité des espèces. Bourgeons sécrétant une cire. Feuillage sempervirent ou caduc (moins fréquemment). Inflorescences axillaires, cymeuses, pluri- ou uniflores, involucrées. Chez quelques espèces (sous-genre *Baracoffea* Leroy, Compt. Rend. Acad. Sc. Paris 252: 2287 (1961)), rameaux génératifs latéraux courts, à développement sympodial, à fleurs solitaires, terminales, non involucrées (**). Fleurs odoriférantes, à préfloraison tordue, dextrorse, généralement involucrées, pédicellées. Calice à lobes courts (sauf dans une espèce, *C. kapakata* Hirschfeldt) ou nuls. Corolle blanche, à tube relativement court, à 4–9 (le plus souvent 5) lobes. Étamines exsertes, à anthères subsessiles, insérées au sommet du tube, entre les lobes. Ovaire surmonté d'un disque en anneau autour de la base du style, à 2 loges 1-ovulées; ovules anatropes, dressés, à raphé adaxial et micropyle infère (apotropes). Style terminé par deux branches stigmatiques linéaires, exsertes. Fruit drupacé, oblong ou ovoïde, stipité, avec deux endocarpes plan-convexes, ligneux ou cartilagineux, invaginés selon un sillon longitudinal sur la face plane adaxiale (placentation cofféenne), contenant ou non de la caféine. Graines convexes dorsalement, planes du côté adaxial, avec un sillon correspondant à celui de l'endocarpe; tégument en pellicule, bien ou peu irrigué; albumen corné, avec un petit embryon basal.

*par J. F. Leroy.

**L'involucre (ou calicule ou épicalice) est un cycle de bractées stipulées formant cupule relevant du domaine de la fleur (bractées à aisselles vides) ou de celui de l'inflorescence.

Au moins une soixantaine d'espèces, toutes de la région africano-malgache, y compris les Comores et les Mascareignes. Elles sont entomophiles et généralement diploïdes (2n=2x=22 chr.) et allogames, à l'exception du *C. arabica* qui est allotétraploïde (2n=4x=44 chr.) et à autogamie prépondérante. Le genre *Coffea* a dû se différencier au cours du Crétacé alors que Madagascar était encore plus ou moins associée au continent africain, au niveau du Sud de la Somalie actuelle et du Kenya. Il n'existe aucun témoignage fossile pouvant appuyer cette hypothèse qui est surprenante puisqu'elle concerne une famille de plantes considérée généralement comme des plus évoluées. Mais les arguments d'ordre biogéographique et génétique semblent solidairement décisifs. L'immigration du genre *Coffea* à Madagascar est très ancienne et a pu ne porter que sur quelques éléments, lesquels ont ensuite explosé en une multitude de formes. Aux Mascareignes, il n'y a vraisemblablement que 2 espèces, d'ailleurs très voisines l'une de l'autre: *C. mauritiana* et *C. myrtifolia*, la première présentant une gamme de variation énorme. Mais en l'absence d'une recherche approfondie, analytique et expérimentale, l'espèce *C. macrocarpa* a été maintenue : elle n'est probablement qu'un *C. mauritiana* extrêmement massif, avec des organes de grandes dimensions. Certaines autres espèces décrites (*C. bernardiniana, C. campaniensis*) doivent être considérées comme des formes à l'intérieur de l'entité *C. mauritiana-C. macrocarpa*.

C. mauritiana et *C. macrocarpa* ont été placés par A. Chevalier (Les Caféiers du Globe: 139 (1947)) dans sa section *Mascarocoffea*, qui d'après lui, a de grandes affinités avec la section *Eucoffea*, mais s'en distingue principalement par l'absence de caféine dans les graines. L'autre espèce, *C. myrtifolia* (A. Rich. ex DC.) Leroy, appartient aussi à cette section.

Les espèces d'Asie attribuées au genre *Coffea* sont placées par nous dans le genre *Psilanthus* Hook. f., lequel est donc africano-asiatique; ce sont également des caféiers (Bull. Mus. Nat. Hist. Nat. Paris, 4e sér., 3, B, Adans. 3: 251–258 (1981).

1. Stipules obtuses; lobes de la corolle 6–8 (–12); arbre atteignant 15–20 m de hauteur. **5. C. liberica**
— Stipules aiguës, acuminées ou aristées; lobes de la corolle 5 (–6); arbustes ou arbres atteignant 10 m de hauteur. **2**

2. Feuilles petites, elliptiques, obtuses ou aiguës, 4–7,5 × 1,5–4 cm, sans domaties; fruit de 11–12 × 6–7 mm, obtus; fleurs solitaires, axillaires. **3. C. myrtifolia**
— Feuilles beaucoup plus grandes, souvent ± obovales à subcirculaires, ou parfois elliptiques, ayant des domaties; fruit beaucoup plus grand; inflorescences toutes ou en partie pluriflores. **3**

3. Fruit de 18–30 × 13–15 mm; feuilles coriaces ou très coriaces; plantes indigènes. **4**
— Fruit de 12–15 × 8–10 mm; feuilles non ou peu coriaces; plante cultivée. **4. C. arabica**

4. Fruit long de 18–20 mm; feuilles de 4–10 × 1,5–6 cm, à 6–8 paires de nervures secondaires; ramilles de 2–4 mm de diamètre. **1. C. mauritiana**
— Fruit long de 25–30 mm; feuilles de 12–15 (–28) × 5,5–8 (–15) cm, à 7–14 paires de nervures secondaires; ramilles très robustes, pouvant avoir 5–10 mm de diamètre. **2. C. macrocarpa**

1. C. mauritiana Lam., Encycl. 1: 550 (1783); DC., Prodr. 4 : 499 (1830); Bojer, H.M.: 173; Baker, F.M.S.: 152; Cordem., F.R.: 506; R.E. Vaughan, Maur. Inst. Bull. 1: 44 (1937); A. Chevalier, Rev. Bot. Appl. 18: 830 (1938); Rivals, Ét. Vég. Nat. Réunion: 174 (1960). Type: La Réunion, *Commerson* 974 (P–LA, holo.!; P, isos.!)

— *C. sylvestris* Willd. ex Roemer et Schultes, Syst. Vég. 5: 201 (1819). Type: La Réunion, sans collecteur (B-W?)

— *C. nossikumbaensis* A. Chev., Rev. Bot. Appl. 18: 830 (1938). Type: Nossi Kumba, *Pervillé* 737 (P, holo. !)

— *C. campaniensis* Leroy, Journ. Agr. Trop. Bot. Appl. 9: 530 (1962). Type: Maurice, *Leroy* 60 (=*Duljeet* in MAU 10433) (P, holo. ! ; isos. !)

— *Geniostoma reticulatum* Cordem., F.R.: 464. Type: La Réunion, *Cordemoy* (MARS, holo. !)

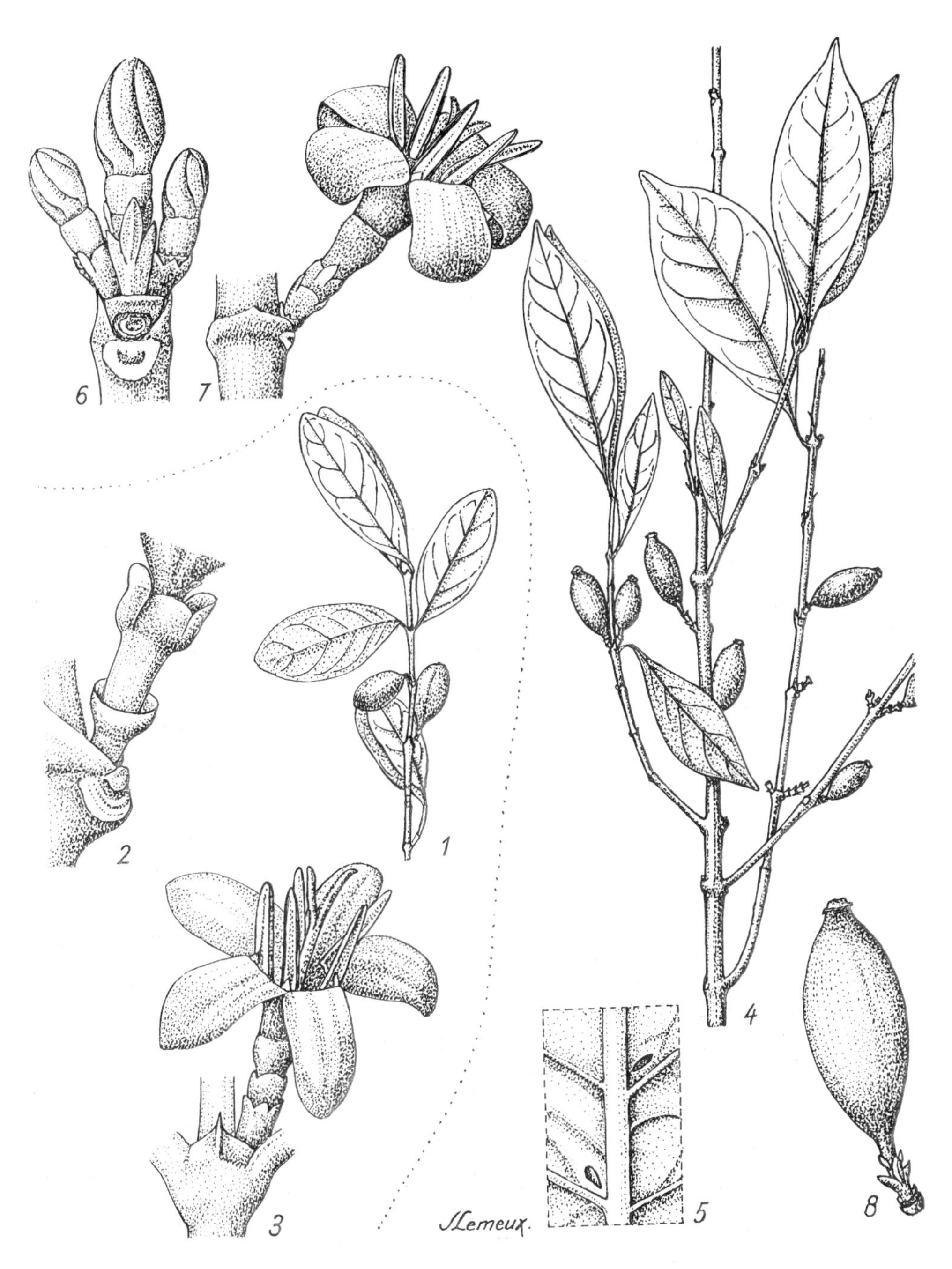

Pl. 28 — **Coffea myrtifolia: 1,** rameau avec fruits × 1; **2,** pédicelle de fruit en place, avec 2 calicules × 9; **3,** fleur en place × 6. — **Coffea mauritiana: 4,** rameau avec fruits × 1; **5,** domaties; **6,** inflorescence 3-flore et cicatrice d'inflorescence × **6**; **7,** fleur en place (inflorescence 1-flore), avec 3 calicules × 6; **8,** fruit × 3.

Arbuste ou petit arbre pouvant atteindre 7 m de hauteur, ramifié, à branches érigées. Ramilles épaisses, de 2–4 mm de diamètre. Feuilles glabres, à limbe coriace, noircissant au séchage, fortement réticulé des deux côtés, à bords révolutés ou non, elliptique-obovale, aigu ou cunéiforme, souvent longuement décurrent à la base, acuminé ou subacuminé-obtus et sans acumen au sommet, 4–10 × 1,5–6 cm, avec 6–8 paires de nervures secondaires; domaties axillaires ou sur les nervures, glabres, souvent visibles sur la face ventrale; pétiole long de 3–10 mm; stipules deltoïdes, ± prolongées en arête, longues de 1,5–8 mm. Inflorescences solitaires ou par 2–3, uni- ou pluriflores, à l'aisselle des feuilles et, sur bois ancien, des cicatrices foliaires. Involucres 2–3 (–4), avec des folioles bractéales peu développées, lesquelles peuvent sous-tendre des fleurs axillaires; involucres ciliolés ou non, avec des glandes intérieures (colléters). Fleurs 5-mères, longues de 6–10 mm; pédicelles longs de 3,5–5 mm, garni de 1–3 involucres. Tube de la corolle évasé, long de 3–4 mm; lobes obtus, longs de 4–6,5 mm. Étamines à anthère subsessile, fixée dans le tiers inférieur de sa longueur, longue de 3,5–4 mm. Style long de 5–6 mm, à bras stigmatiques très longs. Ovaire glabre ou subglabre. Fruit ovoïde, nettement oblong, longuement atténué à la base, vert jaune, pourpre à maturité, noircissant au séchage, long de 18–20 mm; pédicelle long de 4–6 mm, à involucres persistants. (Pl. 28, 4–7).

Nom vernaculaire: Café marron (R.).

La Réunion, Maurice. Endémique (voir ci-après l'observation concernant *C. nossikumbaensis*). Espèce de la forêt hygrophile. On trouve à Maurice des pieds épars ou de petites populations à Plaine Champagne; Les Mares; Rivière des Galets; Pétrin; Mt Cocotte. Encore assez commune à La Réunion: Cilaos; Palmiste Rouge; St Philippe; St Denis; La Possession; Plaine des Maques; St André; Plaine des Cafres; Plateau de Bébour, etc., entre 200 et 1200 m d'altitude. Elle se présente à Maurice sous une forme plus massive, se rapprochant beaucoup de *C. macrocarpa* auquel elle est reliée par des formes intermédiaires, L'une de celles-ci (Plaine Champagne) se distingue par une plus grande robustesse: feuilles et fruits plus grands, rameaux plus épais, domaties rares.

D'après Cordemoy et Rivals, les habitants des cirques utilisaient parfois la graine en mélange avec celle du *C. arabica*. Utilisée seule elle agirait fortement sur le cœur.

L'espèce est-elle indigène à l'île de Nossi-Kumba (N.O. de Madagascar) où elle a été récoltée (Pervillé 737)? Nous croyons plutôt à une introduction du fait que:1, le caféier en question a été quelque peu cultivé localement à La Réunion. 2, autrement, on ne comprendrait pas comment se serait faite l'extension géographique.

2. C. macrocarpa A. Rich., Mém. Soc. Hist. Nat. Paris: 168 (1834); Bojer, H.M.: 173; Baker, F.M.S.: 152; R.E. Vaughan, Maur, Inst. Bull. 1: 44 (1937); A. Chevalier, Caféiers du Globe 3, Paris: 157 (1947); Rivals, Ét. Vég. Nat. Réunion: 174 (1960). Type: Maurice, *A. Richard* s.n. (P. holo.!)

— *C. grandifolia* Bojer ex Baker, F.M.S.: 152, *nom. nud. in synon.*

— *C. bojeriana* Leroy, Jour. Agr. Trop. Bot. Appl. 8 : 27 (1961). Type: Maurice, *R.E. Vaughan* 1910 (P, holo.!; MAU, iso.!)

— *C. bernardiniana* Leroy, Jour. Agr. Trop. Bot. Appl. 9: 531 (1962). Type: Maurice, *C. Mulnier* in MAU 10454 (MAU, holo.!)

Arbuste souvent ramifié, atteignant une hauteur de 2–6 m, à rameaux érigés très robustes (pouvant avoir un diamètre de 5–10 mm à l'extrémité), à écorce lisse, ± brillante, blanchâtre ou brunâtre, devenant épaisse et liégeuse; bourgeons terminaux lisses ou rugueux, glabres, effilés, résinifères, ayant jusqu'à 8 × 5 mm. Feuilles subsessiles, très glabres, à limbe longuement décurrent, elliptique ou obovale-spathulé ou subcirculaire, aigu ou obtus au sommet, non acuminé, 12–15 (–28) × 5,5–8 (–15) cm, luisant des deux côtés, très coriace, brun jaunâtre ou vert jaunâtre; nervures secondaires principales (et veinules) en relief, 7–14 de part et d'autre de la nervure médiane, anastomosées le long de la marge; domaties peu nombreuses, axillaires, glabres ou subglabres, très fines; stipules deltoïdes, courtement aristées, pouvant atteindre 10 mm de largeur et 8–10 mm de longueur. Inflorescences en glomérules axillaires très contractés. Fleurs sessiles ou subsessiles, avec généralement 2 calicules, solitaires ou groupées par 2–3 dans un calicule commun; calicules tapissés intérieurement de

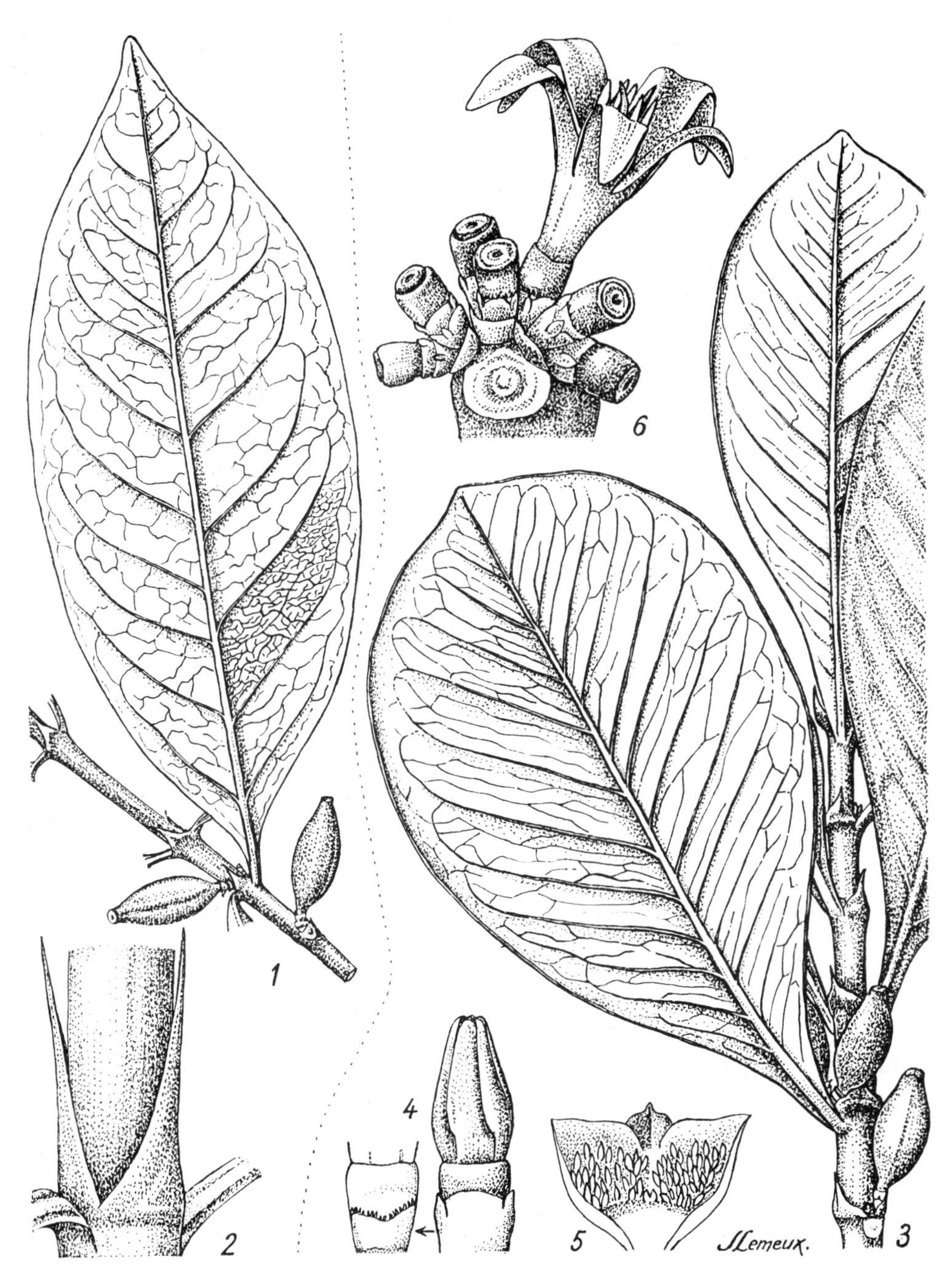

Pl. 29 — **Coffea macrocarpa: 1,** fragment de rameau avec fruits × 1 ; **2,** stipules × 6 (1 et 2, d'après le spécimen-type du *C. bernardiniana)* ; **3,** fragment de rameau avec fruits × 1 ; **4,** bouton floral × 6 ; **5,** calicule ouvert avec glandes piliformes (colléters) × 9 ; **6,** aisselle foliaire avec plusieurs inflorescences × 3.

glandes (colléters) et pouvant comporter, chacun, une paire d'ébauches gemmaires; lobes bractéaux des calicules réduits. Calice à lobes nuls. Corolle à tube court, en entonnoir, à 5 lobes d'environ 12 mm de longueur, plus longs que le tube. Disque conique ou arrondi, très développé. Étamines à filet court. Anthères et stigmates moyennement exserts. Fruit ovoïde, 25–30 × 13–15 mm, atténué aux deux extrémités; disque conique très développé, persistant; pédoncule très court, à calicules persistants. (Pl. 29).

Maurice. Endémique. Macabé; Réserve de Perrier; Mare Longue; Pétrin; Plaine Champagne; Bel Ombre; Gaulettes Serrées.

Il existe une forme bien distincte (*C. bernardiniana*), à rameaux moins grossiers; feuilles pétiolées, nervures et réticulum saillants sur les deux faces du limbe, avec des domaties axillaires; stipules longuement aiguës; fruit très oblong, de 30–40 × 8 mm; pédoncule long de 3–4 mm, portant de 2–3 calicules. (Mt Bambou vers 600 m d'altitude, forêt hygrophile).

Une autre forme (*Friedmann* 3137), de la Montagne des Créoles, est un arbuste de 6 m de hauteur, avec des feuilles coriaces, à limbe de 12–18 × 5–7 cm, des fruits plus petits, à pédicelle plus épais et ± obtus au sommet.

3. C. myrtifolia (A. Rich. ex DC.) Leroy, Bull. Mus. Nat. Hist. Nat. Paris, 4e sér., sect. B, Adans. 6: 373 (1984). Type: Maurice, *Commerson* s.n. (P, holo.!)

— *Nescidia myrtifolia* A. Rich. ex DC., Prodr. 4: 477 (1830); A. Rich., Mém. Soc. Hist. Nat. Paris 5: 192 (1834)

— *Hypobathrum myrtifolium* (A. Rich. ex DC.) Baillon, Adans. 12: 204 (1878)

— *Coffea mauritiana* auct. non Lam.: A. Chevalier, Caféiers du Globe 3: 143 (1947), *pro parte*

— *C. vaughanii* Leroy, Journ. Agr. Trop. Bot. Appl. 9: 525 (1962). Type: Maurice, Crown Land Cabinet, Montagne des Trois Mamelles, *Leroy* 30 (P, holo.!; MAU, iso.!)

— *C. vaughanii* var. *defuncta* Leroy, loc. cit. (1962). Type: Maurice, les Trois Ilots, *Leroy* s.n. (P, holo.!)

Arbuste ou petit arbre à tronc de 10–20 cm de diamètre, rameux, atteignant 3–7 m de hauteur, à rameaux extrêmes fins, à parties jeunes pubérulentes, à écorce blanc cendré, ± lisse, finement fissurée. Résine jaunâtre, translucide. Feuilles à limbe elliptique, obtus ou aigu au sommet, aigu à la base ou cunéiforme, 4–7,5 × 1,5–4 cm, subdécurrent; 6–7 paires de nervures principales, assez ascendantes (± 40°); domaties nulles; pétiole long de 3–5 mm, rose; stipules caudées ou sub-aristées ou finement aiguës, longues d'environ 2 mm. Inflorescences axillaires, solitaires ou par paires, 1-flores. Fleurs 5-mères, solitaires, longues de 13–15 mm; pédicelles grêles, pubérulents, longs d'environ 2–3 mm, avec 2(–4) calicules, ceux-ci portant parfois 2 minuscules folioles (qui peuvent se développer exceptionnellement en feuilles, la fleur devenant alors terminale). Tube de la corolle long d'environ 1 mm; lobes arrondis au sommet, 5–6 × 3 mm. Étamines à filet court; anthère érigée, exserte, fixée au-dessous du milieu, longue de 4–5 mm. Style longuement 2-fide; ovaire pubérulent. Fruit ellipsoïde, 11–12 × 6–7 mm, obtus au sommet, sub-aigu à la base; pédicelle long d'environ 3 mm, à calicules persistants. (Pl. 28, 1–3).

Maurice. Endémique, de localités plutôt sèches (pluviosité, 1400 mm): Pointe aux Feuilles; Mont Villars (Côte Est); Chamarel jusqu'à la route de Case Noyale; Crown Land Cabinet; forêt de Magenta; Baie du Cap; Montagne des Créoles, environs de Mahébourg.

4. C. arabica L., Sp. Pl.: 172 (1753); Bojer, H.M.: 173; Baker, F.M.S.: 152; Balf. f., B. Ro.: 350; Cordem., F.R.: 506; R.E. Vaughan, Maur. Inst. Bull. 1: 44 (1937). Type: Hort. Cliff. (BM, holo.)

Arbuste ou petit arbre pouvant atteindre 10 m de hauteur, très rameux, à port pyramidal. Feuilles glabres, à limbe subcoriace, ovale ou étroitement ovale, aigu, cunéiforme ou obtus à la base, longuement acuminé au sommet, à acumen aigu ou obtus, 6–18 × 3–8 cm; 8–14 paires de nervures secondaires; domaties axillaires, glabres;

pétiole long de 5–14 mm; stipules membraneuses, triangulaires, carénées sur le dos et mucronées, de 3 à 5 mm de hauteur sur 2 à 7 mm de largeur, avec une plage de glandes (colléters) à la base de la face inférieure. Inflorescences de 1–5 cymes par aisselle florifère; cymes de 1–6 fleurs, soit en fait, et au plus, une vingtaine de fleurs par aisselle; cymes comportant 2–3 verticilles bractéaux, le verticille médian (ou supérieur) avec deux pièces bractéales assez développées; pédicelles exserts, pouvant atteindre 3 mm de longueur. Fleurs 5 (–6)-mères; tube libre du calice très court; corolle à tube d'environ 10 mm de longueur, à lobes oblongs, d'environ 12×3–5 mm; anthères exsertes, longues de 7–9 mm; filets longs de 2–3 mm; style ayant jusqu'à 20 mm de longueur, à bras stigmatiques longs de 4–5 mm. Drupes rouges à maturité, ovoïdes, longues de 12–15 mm, épaisses de 8–10 mm, en verticilles de 8–15. Graines de 10–15 mm de longueur.

Nom vernaculaire: Café.

Cultivé dans les trois îles. Il y a de nombreuses variétés de *C. arabica* dont certaines sont des Mascareignes. Il serait de grand intérêt de faire un inventaire méthodique des caféiers cultivés aux Mascareignes. Il existe en particulier la variété *laurina* de Lanessan, qui pour certains serait une mutation, pour d'autres un hybride entre *C. arabica* et *C. mauritiana*. Ce serait un caféier rustique découvert par un certain Le Roy d'où le nom de Caféier Le Roy ou Bourbon pointu. Le *C. mauritiana* et le *C. arabica* s'hybrident bien. *Coffea myrtifolia* Roxb., Hort. Beng. 5: 15 (1814) *nomen*, cité de Maurice, est un nom non valable, ne désignant vraisemblablement qu'un cultivar de *C. arabica*. A. Chevalier, Caféiers du Globe 3: 203 (1947), avait voulu en faire une variété de *C. arabica*, mais sa publication n'est pas non plus valable. Pour lui il s'agit du caféier appelé à La Réunion Caféier myrte ou Myrthe. *C. bourbonica* Pharm. ex Wehmer, Pflanzenstoffe: 734 (1911) *nomen*, désigne aussi, vraisemblablement, un cultivar de *C. arabica*.

5. C. liberica Bull ex Hiern, Trans. Linn. Soc. ser. 2, 1: 171, t. 24 (1876); Bull. Retail List New Beautif. and Rare Pl., n° 97: 4 (1874), *nomen;* Cordem., F.R.: 507. Type: Libéria, Monrovia, *Th. Vogel* 63 (K, syn.)

Arbuste ou petit arbre pouvant atteindre 15–20 m de hauteur; tronc de 10–30 cm de diamètre; rameaux glabres. Feuilles à limbe obovale ou elliptique ou étroitement ovale, fortement cunéiforme à la base, décurrent, largement et courtement acuminé, à acumen obtus, ou sub-acuminé, 10–35×6–15 cm, glabre, épais, luisant sur le dessus; nervures secondaires: 6–12 paires, en relief sur le dessus à l'état sec; domaties axillaires ou subnervales, à grande ouverture, ciliées; pétiole canaliculé, atteignant 15 mm de longueur; stipules trapézoïdes ou deltoïdes, obtuses, légèrement carénées, de 4–5 mm de hauteur, ciliolées, avec une plage glandulaire basale à l'intérieur. Inflorescences de 1–5 cymes, le plus souvent 2–3 par aisselle foliaire ou cicatricielle; cymes de 2–6 fleurs, généralement avec 2–3 involucres ciliolés, à pièces bractéales minuscules ou nulles. Fleurs à tube libre du calice nul ou minuscule; disque proéminent, déprimé au centre; corolle à tube évasé à la gorge, d'environ 15 mm de longueur, ou plus court, à 6–8 (–12) lobes ayant jusqu'à 20 mm de longueur ou plus; anthères linéaires, atteignant 14 mm de longueur, habituellement tirebouchonnées après la déhiscence; filet inséré vers le tiers inférieur de l'anthère, atteignant 10 mm de longueur; style long de 15–20 mm; stigmates longs de 5 mm. Drupe jeune subglobuleuse, tronquée, glabre; drupe adulte subglobuleuse ou ellipsoïde-oblongue, atteignant 25×20×8–10 mm, à disque souvent proéminent, généralement rouge (parfois jaune), longtemps persistante à maturité, à pulpe adhérant à l'endocarpe; pédoncule long de 4–5 mm; 3–8 drupes par verticille. Graines longues de 13–20 mm.

Espèce très polymorphe, originaire de la grande forêt ombrophile d'Afrique intertropicale. Introduite et cultivée aux Mascareignes en remplacement du *C. arabica* atteint par l'*Hemileia vastatrix*. Plantée encore actuellement dans la région de St Philippe à La Réunion; existe aussi dans quelques jardins et en petites plantations à Maurice.

24. MYONIMA Commerson ex Juss.

Gen. Pl. : 206 (1789)

Verdc., Kew Bull. 37: 555–559 (1983)

Arbrisseaux ou petits arbres, généralement glabres. Stipules petites, à base triangulaire, subulées, caduques. Feuilles opposées, minces à coriaces, à pétiole court. Fleurs hermaphrodites, en inflorescences cymeuses, trichotomiques, corymbiformes ou ombelliformes, terminales, plutôt lâches; pédicelles habituellement distincts; bractées géminées, petites. Calice à partie adnée ovoïde; tube libre court, annulaire, ou peu profondément cupuliforme, subtronqué à nettement 4-lobé. Corolle souvent blanche; tube court, à gorge glabre; lobes 4, plus longs que le tube, contortés, obtus, réfléchis. Étamines 4, insérées à la gorge; filets très courts; anthères partiellement exsertes, sagittées à la base, à connectif prolongé en appendice. Disque un peu élevé. Ovaire 2–7-loculaire, à ovules solitaires, amphitropes, axillaires, attachés à mi-hauteur de la loge; style légèrement exsert, à massue stigmatique d'abord non divisée et servant à collecter du pollen, se séparant finalement en 2–5 branches linéaires-oblongues, obtuses. Fruit ellipsoïde ou subsphérique, soit charnu et contenant ± 5 pyrènes libres ou plus coriace et les 4–7 pyrènes soudés en noyau ± ligneux ou encore fruit à paroi mince et contenant 2 pyrènes, surmonté par le tube du calice persistant ou portant la cicatrice de celui-ci.

Genre endémique comprenant 4 espèces, étroitement allié à *Ixora* mais de faciès différent, à tube de la corolle très court et à ovaire souvent 3–7-loculaire. Benth. et Hook., Gen. Pl. 2: 115 (1873) et Baker, F.M.S.: 150, signalent que les fleurs sont polygames, mais il n'a pas été possible de confirmer ce fait.

1. Ovaire 2 (–3)-loculaire. (Maurice). **2**
— Ovaire (3–) 4–5 (–7)-loculaire. **3**
2. Feuilles nettement coriaces, 1,5–14,5×1–9 (–10,7) cm, à nervation très proéminente et réticulée. **1. M. violacea**
— Feuilles minces, 2–10,5×1–4 cm, à nervation visible mais à peine proéminente. **2. M. vaughanii**
3. Fruit charnu, de 6–8 mm de diamètre, contenant 5 pyrènes détachés; nervation du limbe foliaire peu visible sur la face inférieure, souvent à peine perceptible et semblant être au-dessous de la surface. (Maurice). **3. M. nitens**
— Fruit ligneux au-dessous d'une chair mince, atteignant 2 cm de diamètre, à 5–7 pyrènes soudés en noyau ligneux; nervation du limbe foliaire plus visible et plus proéminente. (La Réunion, Maurice). **4. M. obovata**

1. M. violacea (Lam.) Verdc., Kew Bull. 37: 557 (1983). Type: Maurice, *Commerson* (P–JU 13880, holo.!)
— *Eugenia violacea* Lam., Encycl. 3: 200 (1789)
— *Ixora parviflora* Lam., Illust. 1: 285 (1792); t. 66, fig. 2 (1791), sans nom. Type: Maurice, *Stadman* (P–LA, P, syns.!)
— *Myrtus androsaemoides* auct. non L.: Poiret, Encycl. 4: 409 (1789), *pro parte*
— *Ixora micrantha* Roemer et Schultes, Syst. Veg. 3: 179 (1818), *nom illegit.*, basé sur *I. parviflora* Lam.
— *Myonima multiflora* A. Rich. ex DC., Prodr. 4: 463 (1830); A. Rich., Mém. Fam. Rubiacées: 132 (1830); Hook., Bot. Misc. 2: 165, t. 87 (1831); Bojer, H.M.: 169. Type: Maurice, collecteur non indiqué
— *M. multiflora* var. *oblongifolia* DC., loc. cit. (1830). Type non indiqué
— *M. latifolia* Bojer, H.M.: 169, *nom. nud.*
— *M. parviflora* (Lam.) K. Schum. in Engl. et Prantl, Nat. Pflanzenfam. 4, 4: 109 (1891); Cordem., F.R.: 509
— *Ixora sp.*, R.E. Vaughan, Maur. Inst. Bull. 1: 47 (1937) n°s 794–796 et 798–799

Arbrisseau très ramifié ou arbuste de 0,60–5 m de hauteur; rameaux gris pâle, finement longitudinalement sillonnés, glabres à l'exception de l'entre-noeud le plus jeune pubescent. Stipules à base large, longues d'environ 2 mm, à pointe subulée de 2,5 mm, caduque. Feuilles à pétiole long de 1–4 (–5) mm; limbe oblong, ovale ou elliptique-oblong, 1,5–14,5 (–17) × 1–9 (–10,7) cm, arrondi à sub-aigu au sommet, arrondi, tronqué ou subcordé à la base, coriace mais parfois mince, glabre; nervation réticulée et très proéminente. Inflorescences terminales, trichotomes, en cymes bipares, 4–6 × 2–7 (–10) cm, à axes pubérulents; vrai pédoncule absent, c.à.d. les 3 bractées situées sur le noeud terminal de la ramille; axes semblant être les pédoncules, rouges, longs de 1–3,5 cm; pédicelles roses, longs de 2–3,5 mm, pubérulents. Calice rosâtre, pubérulent; partie adnée campanulée, longue d'environ 1 mm; tube libre long d'environ 1,5 mm, ± tronqué ou sinueux ou à 4 dents minuscules. Boutons floraux roses. Corolle blanche, parfois teintée de rose à l'extérieur du tube; tube long de 2 mm; lobes 4 (–5), oblongs, 3–5 × 2–3,5 mm, arrondis-tronqués. Ovaire 2 (–3) -loculaire; style écarlate, long de 4–7 mm; stigmate à 2–3 lobes rouges, linéaires, longs de 2–3 mm, ± soudés. Fruit rouge, parfois rayé de blanc, subsphérique, charnu, de 6–9 mm de diamètre, très finement pubérulent, surmonté du tube du calice persistant; pédicelle atteignant 1,7 cm; pyrènes 2(–3), brun paille, ovoïdes, 4,5 × 3,5 mm, libres.

var. **violacea**. Limbe foliaire oblong ou oblong-elliptique, atteignant 14,5 (–17) × 7,5 (–10,7) cm, le plus souvent peu coriace. (Pl. 30, 1–2).

Maurice. Assez commune dans les fourrés indigènes sur les versants et les crêtes des montagnes: Piton du Fouge; Corps de Garde; Chamarel; Ferney; Vacoas Ridges; Mt des Callebasses; Plaine Champagne; Bon Courage, Pel Ombre; Mt des Créoles. Des récoltes plus anciennes viennent du Mt du Pouce, du Mt Simonet près de Tamarind Falls et des Gorges de la Rivière Noire.

L'illustration de Hooker est basée sur un dessin de Miss Baigrie, d'après une plante vivante envoyée à Hooker par Bojer.

M. oblongifolia Willd. ex Roemer et Schultes est donné dans l'Index Kewensis comme un synonyme de *M. multiflora*, mais ce n'est certainement pas un *Myonima*. *M. cordata* Willd. ex Roemer et Schultes est peut-être aussi cette espèce, mais elle est dite être de Madagascar.

var. **ovata** (Poiret) Verdc., Kew Bull. 37: 557 (1983). Type non indiqué
— *Ixora parviflora* var. *ovata* Poiret, Encycl., Suppl. 3: 207 (1813)
— *M. multiflora* var. *ovata* (Poiret) DC., Prodr. 4: 463 (1830), *pro parte*
— *Ixora parviflora* auct. non Lam.: R.E. Vaughan, Maur. Inst. Bull. 1: 45 (1937), *pro parte*

Limbe foliaire nettement ovale à presque circulaire, assez coriace, 9–11,5 × 7–10 cm, à nervation très épaisse et proéminente. (Pl. 30, 3–5).

Maurice. Assez commune dans les fourrés indigènes des régions hautes: Plaine Champagne; Hauts des Gorges de la Rivière Noire; Rivière Tamarin près de Mare aux Vacoas; Crown Land Perrier; Grand Bassin; au-dessus de la Cascade Alexandra.

2. M. vaughanii Verdc., Kew Bull. 37: 558 (1983). Type: Maurice, *Commerson* 354 (P, holo.!)

Arbrisseau à ramilles épaisses, liégeuses, longitudinalement faiblement sillonnées, gris brun. Stipules à base large, longue d'environ 1 mm, à mucron long de 0,5–1,5 mm. Feuilles à pétiole long de 3–7 mm; limbe de 2–10,5 × 1–4 cm, étroitement arrondi au sommet, arrondi à cunéiforme à la base, devenant brunâtre en séchant, nettement plus mince que chez *M. violacea*, papyracé, à nervation bien visible mais à peine saillante. Inflorescences courtes, 9 -multiflores, trichotomiques, longues de 2 (–3) cm; vrai pédoncule absent; pédoncules secondaires longs de 0,5–1,3 cm; pédicelles longs de 4–7 (–10) mm, très finement pubérulents. Calice à partie adnée longue de 0,8–1 mm; tube libre d'environ 1 mm, tronqué à légèrement 4 -denté. Corolle à tube très court, long d'environ 1,5 mm; lobes 4, oblongs-elliptiques, 4,5–5 × 2–2,2 mm, obtus ou ± émarginés. Étamines à filet long de 1,8 mm, élargi à la base; anthère longue de 2 mm, sagittée à la base sur environ 0,5 mm, apiculée. Disque élevé, finement rugueux.

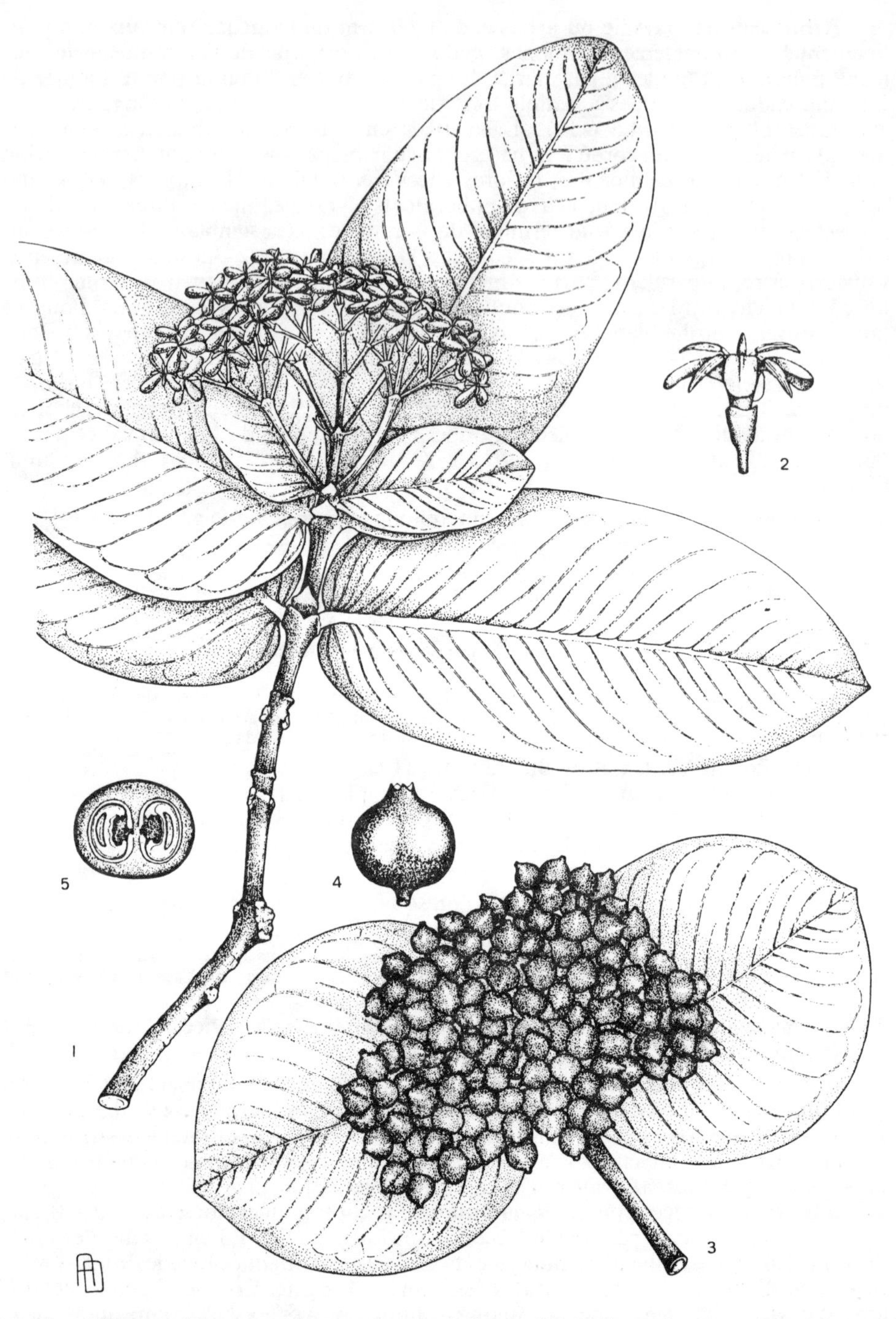

Pl. 30 — **Myonima violacea** var. **violacea: 1,** rameau fleuri ×2/3; **2,** fleur ×2.—var. **ovata: 3,** rameau en fruits ×2/3; **4,** fruit ×2; **5,** fruit coupe transversale ×2. (**1** et **2,** *Coode* 4783; **3–5,** *Coode* 4455).

Ovaire biloculaire; style long d'environ 2 mm, à massue stigmatique ellipsoïde, longue d'environ 1 mm, entière, se divisant ensuite en 2 branches. Fruit subsphérique, de 5–7 mm de diamètre, biloculaire, à paroi mince et à peine ligneuse. Graines mûres non vues.

Maurice. Espèce très rare ou même éteinte ? Récoltée par Commerson, puis en 1908 et en 1927 sur le Mt du Pouce.

3. M. nitens (Poiret) Verdc., Kew Bull. 37: 558 (1983). Type: Maurice, sans collecteur (Herb. *Desf.*, FI, holo.; K, photo)
— *Myrtus nitens* Poiret, Encycl. Suppl. 4: 51 (1816)
— *Eugenia ? nitens* (Poiret) DC., Prodr. 3: 285 (1828)
— *Myonima heterophylla* Bojer, H.M.: 169; Baker, F.M.S.: 150, *nom. nud.*
— *M. myrtifolia* auct. non Lam.: Baker, F.M.S.: 150, *pro parte*
— *M. obovata* auct. non Lam.: R.E. Vaughan, Maur. Inst. Bull. 1: 46 (1937), *pro parte*

Arbrisseau ou arbustre atteignant 4–5 m de hauteur, à tronc de 15 cm de diamètre; écorce crevassée, rugueuse, gris noirâtre; ramilles brun pourpre et longitudinalement ridées, ou brunâtres et très rugueuses. Stipules juvéniles minuscules, subulées, celles des plantes adultes à base large, longue d'environ 1 mm, à pointe subulée, de 0,25–1 mm, très caduque. Feuilles à pétiole long de 1–4 mm; limbe juvénile linéaire, ± 20 × 2–3 mm, apiculé, discolore, luisant, uninerve, à marges révolutées; limbe adulte elliptique à oblancéolé-obovale, 1,8–4,7 × 0,6–2 cm, arrondi à sub-aigu au sommet, cunéiforme à la base, sur le sec brun pourpre foncé et très luisant dessus, brun pâle dessous, papyracé à coriace, entièrement glabre; nervation peu distincte dessous, souvent à peine perceptible et, même quand assez visible, sans couleur distinctive et paraissant être au-dessous de la surface, non nettement réticulée, sur la face supérieure assez épaisse. Inflorescences lâches, en cymes bipares, plutôt pauciflores; vrai pédoncule long de 0–1 cm; pédoncules secondaires atteignant 1,3 cm; pédicelles roses, longs de 0,6–1,5 (–2) cm; toutes les parties finement pubérulentes; bractées géminées, longues d'environ 1,5 mm. Fleurs très parfumées. Calice à partie adnée très courte, ± 0,5 mm, à tube libre long de 0,5–1 mm, tronqué à peu profondément 4-lobé. Corolle blanche ou rose pâle; tube long de 1,5–2 mm; lobes 4, oblongs-elliptiques, 3,5 × 1,8–2,5 mm, obtus ou un peu échancrés. Étamines réfléchies. Style rose, long d'environ 3 mm, à massue stigmatique rouge, longue d'environ 1 mm, formée de 4 branches soudées. Fruit blanc, rayé de noir ou tacheté de rose, 6–7 (–8) mm de diamètre, à chair mince, contenant 5 petits pyrènes libres, longs d'environ 4 mm. Graines étroitement réniformes.

Nom vernaculaire: Petit bois de pintade.

Maurice. Espèce rare mais existant encore sur le Mt du Pouce et le Corps de Garde, à Yémen et sur le Mt Ory. *Richard* 444 (P) est dit être de La Réunion, ce qui est vraisemblablement une erreur.

4. M. obovata Lam., Illust. 1: 288 (1792); t. 68, fig. 1 (1791), sans nom; Poiret in Lam., Encycl. 4: 397 (1797); DC., Prodr. 4: 463 (1830); Bojer, H.M.: 169; Baker, F.M.S.: 150; R.E. Vaughan, Maur. Inst. Bull. 1: 46 (1937), *pro parte.* Type: La Réunion, *Commerson* et *Sonnerat* (P–LA, syns.)
— *? M borboniae* Raeusch., Nom. ed. 3: 37 (1797), *nom. nud.*

Arbrisseau ou arbuste de sous-bois, à cime étalée, ressemblant beaucoup à *M. nitens*, atteignant 1–6 (–10)m de hauteur, à tronc de 6–25 cm de diamètre; rameaux intriqués, gris brun, longitudinalement sillonnés, rugueux, à écorce s'exfoliant. Stipules à base large, longue de 1–2 mm, et à sommet subulé, long de 1,5–6 mm, latéralement comprimé. Feuilles à pétiole long de 1–5 (–8) mm, souvent rougeâtre; limbe obovale à elliptique ou oblong, 1,2–5,6 (–10,5) × 0,7–3,6 (–4) cm, obtus à aigu au sommet, et parfois à mucron court, cunéiforme à arrondi à la base, sur le sec souvent à face supérieure foncée et luisante, plutôt mince à nettement coriace, entièrement glabre; nervation souvent rougeâtre, proéminente et réticulée surtout dessus, bien visible, plus fine et plus distincte dessous, mais indistincte si la face inférieure devient rouge sur le sec. Inflorescences lâches, 3 -multiflores; pédoncules longs de 0–1,7 cm; pédoncules secondaires longs de 1,3–1,5 cm; pédicelles roses, longs de 1,2–2,5 cm; tous les axes très finement pubérulents; bractées étroitement triangulaires, longues de 1,5–2 mm. Calice à partie adnée très courte, obconique, longue d'environ 1 mm; tube libre long de 0,8–1 mm, à 4 dents ou lobes courts. Corolle à tube rose, long de 2–3,5 mm; lobes 4, blancs, oblongs, 5–6,5 × 2,8–3,5 mm. Étamines à filet long de 1,5–2 mm; anthère longue de 3,5 mm, munie d'un appendice long de 0,8 mm. Style rouge, long de 3,5–5 mm; massue stigmatique rouge orangé, longue de 1,5–2,5 mm, 4–5-fide. Fruit rouge strié de blanc, subsphérique, de 1,3–2 cm de diamètre, très légèrement 5–7 -lobé, (3–4) 4–5 (–7) -loculaire, d'abord pubescent, très ligneux, les pyrènes soudés en noyau et soudés au mésocarpe ± ligneux (peut-être moins dur sur le frais); loges petites, larges de 2–3,5 mm; pyrènes en forme de quartier d'orange, larges de 6 mm, constituants du noyau ligneux. Graines brunes, comprimées, longues d'environ 7 mm.

Noms vernaculaires: Bois de buis, Bois de prune sauvage, Bois de rat, Petit bois de pintade, Prunier sauvage. (Bois de prune marron, donné par Cordemoy, s'applique à *Ludia*).

var. **obovata**

— *M. myrtifolia* Lam., Illust. 1: 288 (1792); t. 68, fig. 2 (1791), sans nom; Poiret in Lam., Encycl. 4: 398 (1797); DC., Prodr. 4: 463 (1830); A. Rich., Mém. Fam. Rubiacées: 131 (1834), in obs.; Bojer, H.M.: 169; Baker, F.M.S.: 150; Cordem., F.R.: 508; R.E. Vaughan, Maur. Inst. Bull. 1: 46 (1937). Type: Maurice, *Commerson* (P–LA, holo.!)

— *M. lanceolata* Willd., Sp. Pl.: 614 (1798), *nom. illegit.*

Feuilles à limbe obovale ou elliptique, le plus souvent de 1,2–6 × 0,7–2,7 (–4) cm, mince à assez coriace.

La Réunion, Maurice. L'espèce est encore commune et largement répandue à La Réunion entre 50 et 1000 m d'altitude. Elle est moins commune à Maurice. Elle fait partie de la forêt indigène humide de basse et moyenne altitudes. On la trouve à La Réunion à: Ravine Langevin; St Philippe, Mare Longue; Basse Vallée; St Benoît, Takamaka, Rivière des Marsouins; Ravine du Chaudron; La Providence; Montagne St Denis, la Grande Ravine; Plaine d'Affouches; Dos d'Ane; sentier du Bras Rouge, Cilaos. A Maurice: Chamarel; Mt des Créoles; E. de Piton du Fouge; Tamarin; Corps de Garde.

var. **longifolia** Verdc., Kew Bull. 37: 559 (1983). Type: La Réunion, St Philippe, Mare Longue, *Friedmann* 3033 (P, holo. !)

Feuilles à limbe étroitement elliptique, atteignant 10,5 × 3,6 cm, le plus souvent assez mince.

La Réunion. Cette variété semble être de stations plus humides que la variété typique: St Philippe, Mare Longue; Brûlé du Baril; Ravine du Bras d'Anguille; Takamaka; Ravine de la Grande Chaloupe. Un échantillon stérile, juvénile, de Maurice, ressemble à cette variété, mais nous n'avons vu aucun matériel de cette île qui lui corresponde sans le moindre doute.

25. DORICERA Verdc.

Kew Bull. 37: 554 (1983)

Arbrisseau ou petit arbre hétérophylle; ramilles glabres. Feuilles opposées, les juvéniles linéaires à linéaires spatulées, les adultes elliptiques; stipules intrapétiolaires, très caduques, arrondies, soudées en gaine courte, à apicule subulé, à base décurrente. Fleurs unisexuées, en apparence plusieurs en fascicules axillaires, sessiles, mais en fait terminant de très courts rameaux latéraux; les fascicules portant chacun 2–4 involucres d'origine stipulaire et de très petites feuilles rudimentaires; pédicelles des fleurs femelles chacun à 4 involucres basaux et engainants; sur quelques échantillons 3 fleurs mâles ont quelques involucres communs (davantage de matériel sera nécessaire pour élucider ces différences éventuelles); pédicelles courts. Calice à partie adnée hémisphérique; tube libre environ deux fois plus long, à marge lacérée ou portant de

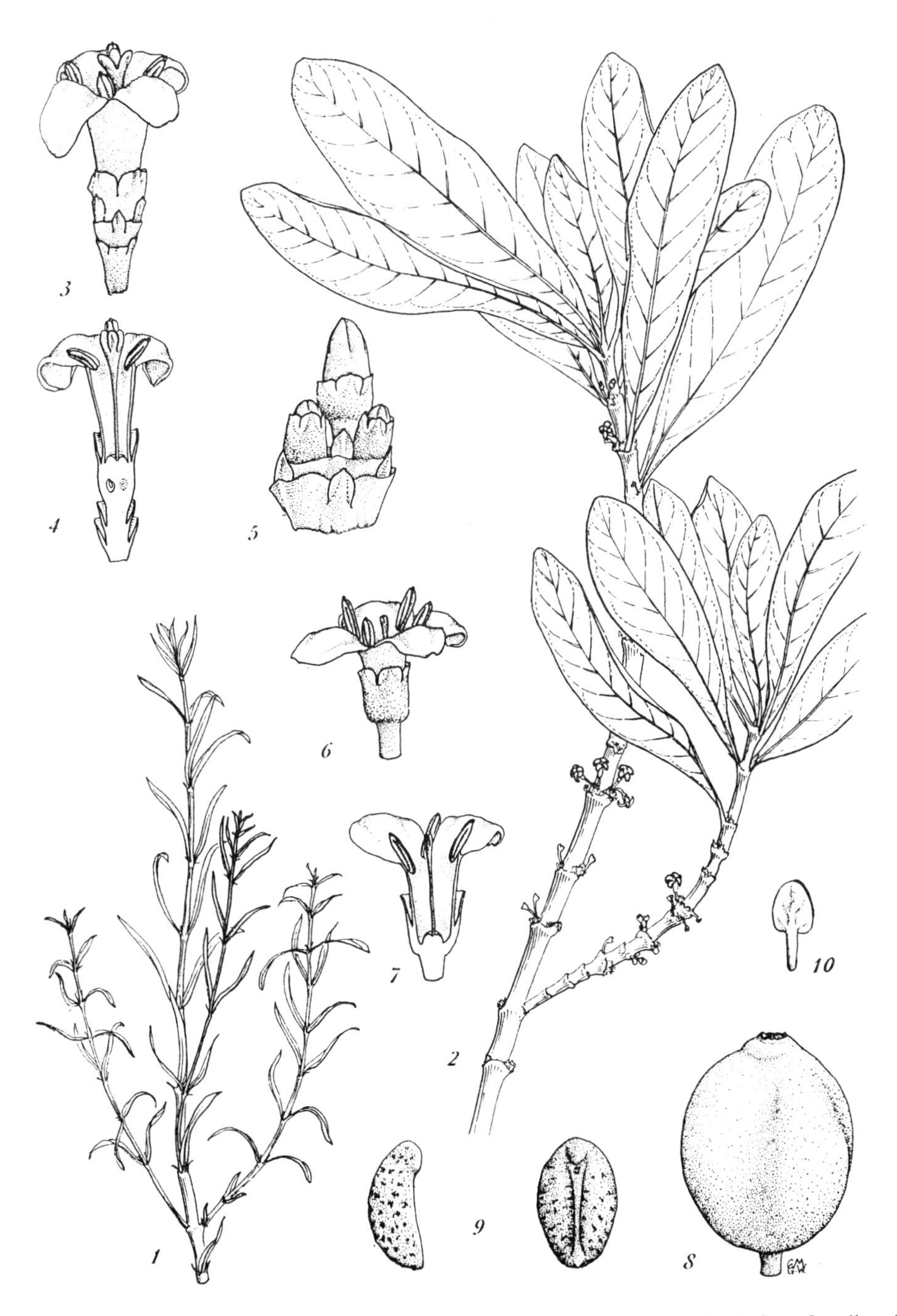

Pl. 31 — **Doricera trilocularis: 1,** rameau juvénile × 2/3; **2,** rameau fleuri × 2/3; **3,** fleur femelle × 4; **4,** détail de 3; **5,** rameau fleuri mâle × 4; **6,** fleur mâle × 4; **7,** détail de 6; **8,** fruit × 3; **9,** pyrènes × 3; **10,** embryon × 3. **(1,** *Cadet* 2556; **2,** *Friedmann* 3388; **3–5,** *Ahkee* s.n.).

larges lobes tronqués ou apiculés. Corolle à court tube glabre; lobes 4, contortés, oblongs, environ deux fois plus longs que le tube. Anthères linéaires-oblongues, insérées à la gorge, sagittées à la base, munies d'un appendice terminal très court, exsertes; filets très courts; étamines des fleurs femelles stériles. Ovaire 3 (–4) -loculaire; ovule 1 par loge, inséré près du sommet de la cloison; style épaissi vers le haut et divisé en 3 lobes stigmatiques dilatés, égaux ou inégaux; pistillode absent dans les fleurs mâles. Disque en forme de coussinet. Fruit sphérique, charnu et mou à maturité, à 2–3 (–4) pyrènes ovoïdes-trigones, ensevelis dans la pulpe. Graines elliptiques ou obovoïdes; embryon à radicule grêle, inférieure, légèrement plus longue que les cotylédons cordiformes; albumen nul.

Genre monotypique de Rodrigues. L'espèce n'était connue de Balfour et de Baker que par les fruits, et était attribuée faussement par eux respectivement à *Pyrostria* et ? *Plectronia* de la tribu des *Vanguerieae*. Il est cependant certain que ce n'est pas une *Vanguerieae* car la placentation et l'aestivation sont différentes de celles de cette tribu. Une place doit être vraisemblablement faite pour ce nouveau genre dans les *Coffeeae*.

Le nom est un anagramme de *Roderica* qui avait été proposé pour le genre actuellement nommé *Ramosmania* (W. Marais).

D. trilocularis (Balf. f.) Verdc., Kew Bull. 37: 555 (1983). Type: Rodrigues, *Balfour* (K, syns. !; E, P, isos. !)

— *Pyrostria trilocularis* Balf. f., Journ. Linn. Soc. Bot. 16: 14 (1877); B. Ro.: 348, t. 24; Friedmann et Cadet, Adans. sér. 2, 15: 427, t. 3, fig. 17 (1971); Tirvengadum, Maur. Inst. Bull. 9: 11, 12 (1980)

— ? *Plectronia trilocularis* (Balf. f.) Baker, F.M.S.: 147 (1877)

Arbrisseau ou petit arbre atteignant 5 (–9) m de hauteur; tronc de 10–25 cm de diamètre; cime en parasol; écorce gris clair à gris brunâtre, s'exfoliant en grandes lamelles, lisse entre les lamelles; rameaux glabres, rendus anguleux par des cicatrices nodales ± serrées; entre-noeuds très courts, longs de 0,4–1,5 cm. Feuilles juvéniles le plus souvent de 19–35 × 1,5–4 mm, les adultes étroitement oblongues-elliptiques à elliptiques, 1,8–9,3 × 0,5–3,7 cm, obtuses à sub-aiguës au sommet, cunéiformes à la base, un peu discolores, ± luisantes sur la face supérieure, coriaces, glabres, finement rugueuses sur le sec, à nervation ± proéminente; pétiole long de 1–5 mm; stipules à base longue de 2–5 mm et appendice subulé long de 3–4 mm. Fleurs en fascicules de 1–4 (–8); involucres basaux caliculiformes, longs de 1–1,7 mm, en alternance tronqués et 4-lobés, les feuilles rudimentaires associées à ceux-ci minuscules, au plus 2 × 1 mm, subulées; pédicelles longs de 1–2,5 mm, ceux des fleurs mâles probablement plus longs. Calice à partie adnée longue de 1 mm et tube libre de 1,8–2 mm, y compris les lobes ± carrés d'environ 0,8 mm. Corolle blanche; tube long de 1–1,5 mm, large de ± 1 mm; lobes de 2,3–3 × 1,2–2 mm, plus longs et plus étroits dans les fleurs mâles ? Anthères longues de 1,5–2 mm. Lobes stigmatiques longs de 1–1,5 mm. Fruit rouge, de 7,5–11 mm de diamètre; pyrènes brun jaunâtre, 6,5 × 4,2 × 2,8 mm. Graines brunes, 4,5–6 × 2,5–3,5 × ± 2 mm, profondément sulquées. (Pl. 31).

Nom vernaculaire: Bois chauve-souris.

Rodrigues. Endémique. Espèce encore assez commune: Baie aux Huîtres; Cascade St Louis; Solitude; Grande Montagne; Cascade Victoire; Graviers; Anse Quitor; Port Mathurin; Cascade Pigeon; Plaine Corail.

VANGUERIEAE

26. CANTHIUM Lam.

Encycl. 1 : 602 (1785)

— *Plectronia* auct. non L.

Arbrisseaux ou arbres à rameaux épineux ou inermes, souvent grimpants. Feuilles opposées; stipules interpétiolaires, persistantes ou caduques. Fleurs bisexuées, en cymes corymbiformes ou ombelliformes, pédonculées ou en fascicules sessiles, rarement solitaires; bractées géminées, parfois bien développées. Calice à partie adnée courte, sphérique à obconique; partie libre très courte, cupuliforme ou tubuleuse, tronquée ou 4–5-dentée. Corolle le plus souvent blanche, crème ou verdâtre; tube court, cylindrique ou largement en entonnoir, pubescent à la gorge, glabre à l'extérieur; lobes 4–5, valvaires. Étamines 4–5, insérées à la gorge, à filet très court; anthère dorsi-basifixe, oblongue, obtuse ou peu nettement mucronée. Disque annulaire. Ovaire biloculaire, à un seul ovule pendant par loge; style grêle, généralement exsert, ayant parfois deux fois la longueur du tube de la corolle; massue stigmatique capituliforme, mitriforme ou en forme de couronne, souvent tronquée aux deux bouts, à la fin bilobée, souvent sillonnée. Fruit didyme, à 2, ou par avortement 1, pyrènes.

Genre tropical, d'après les estimations habituelles comprenant environ 200 espèces, en fait probablement beaucoup moins. Il ne semble pas qu'il y ait d'espèce indigène aux Mascareignes; *Plectronia viburnoides* Baker a été rattaché à *Pyrostria*. Baker, F.M.S.: 146, citait *C. bibracteatum* (Baker) Hiern (*Plectronia bibracteata* Baker) comme étant de Maurice. Il se basait sur l'échantillon *Sieber*, Fl. Maur. II, n° 247, qui a des corolles à lobes imbriqués et des ovaires à ovules dressés et qui, de ce fait, appartient à une espèce qui ne peut être rangée dans les *Vanguerieae*. En ce qui concerne les Mascareignes, des échantillons de *C. bibracteatum* n'ont été vus que de La Réunion.

Une clé est proposée ci-dessous pour les 4 espèces qui ont, dans le passé, été récoltées aux Mascareignes, mais aucun échantillon récent n'a été vu.

1. Inflorescences en fascicules ± sessiles; pédicelles longs de 2–4 mm; feuilles étroitement oblongues-elliptiques, 5–13 × 2–5 cm, étroitement atténuées sur le sommet aigu; stipules étroites, 3 × 0,7 mm; fruit didyme, comprimé, d'environ 1 cm de long et de large. (Autrefois cultivé au Jardin Botanique à La Réunion et aussi à Maurice; espèce malgache). **C. cystisporon** Boivin ex Cavaco

— Inflorescences pédonculées, à pédoncule parfois court; feuilles obtuses ou acuminées mais non atténuées-aiguës. 2

2. Feuilles nettement étroitement acuminées au sommet; inflorescences larges de plus de 2 cm, habituellement à fleurs très nombreuses; fruit didyme, 1,4 × 1–1,2 cm, mais souvent, par avortement, à un seul pyrène. (Espèce de l'Afrique de l'Est; autrefois cultivée à La Réunion). **C. zanzibaricum** Klotzsch*

— Feuilles obtuses ou acuminées et à sommet obtus, inflorescences généralement plus petites et à fleurs peu nombreuses, à pédoncule plus court; fruit de 5–8 × 5–8 mm. 3

3. Feuilles oblongues à elliptiques, 7–17 × 4–10 cm, obtuses; stipules de 0,7–1,2 × 0,4–0,8 cm, obtuses. **C. majus***

— Feuilles elliptiques, 4–14 × 2–7 cm, obtuses ou acuminées et à sommet obtus; stipules beaucoup plus étroites, atteignant 5 × 3 mm, subulées au sommet; pédoncule ordinairement très court; bractées géminées, longues d'environ 3 mm; fruit didyme, comprimé, de 5 mm de long et de large. (Espèce de l'Afrique de l'Est, des Comores, de Madagascar et d'Aldabra; autrefois récoltée à La Réunion). **C. bibracteatum** (Baker) Hiern*

C. majus (A. Rich. ex DC.) Drake in Grandidier, Hist. Phys. Madag. 36, 6, Atlas 4, t. 437 B (1899). Type: Madagascar, sans collecteur (P, holo.)

— *Psydrax major* A. Rich. ex DC., Prodr. 4: 476 (1830)

— *C. bibracteatum* auct. non (Baker) Hiern: R.E. Vaughan, Maur. Inst. Bull. 1: 43 (1937)

---

*Selon D. Bridson (Kew Bull. (1986-87)), les noms de ces 3 espèces sont respectivement: *Keetia zanzibarica*, (Klotzsch) Bridson, *Pyrostria major* (A. Rich. ex DC.) Cavaco et *P. bibracteata* (Baker) Cavaco.

Arbrisseau de 2–3 m de hauteur. Inflorescences à 10–15 fleurs, à pédoncule long d'environ 1 cm; bractées géminées, étroitement triangulaires, longues de 6–8 mm, enfermant entièrement l'inflorescence au stade jeune. Fruit de 7–8 mm de long et de large.

Espèce malgache autrefois cultivée à La Réunion et à Maurice au Jardin des Pamplemousses.

27. VANGUERIA Juss.

Gen. Pl.: 206 (1789)

Robyns, Bull. Jard. Bot. Brux. 11: 273-311 (1928)

Arbrisseaux ou petits arbres inermes. Feuilles opposées; stipules à base large, pubescentes à l'intérieur, connées en gaine basale, à appendice terminal linéaire ou subulé, caduques ou ± persistantes. Inflorescences en cymes axillaires, à rameaux divariqués, souvent multiflores. Calice hémisphérique ou déprimé-campanulé. Corolle petite, en général verdâtre ou jaunâtre, souvent nettement apiculée dans le bouton; tube muni, à l'intérieur, d'un cercle de poils rétrorses; gorge à pubescence dense. Anthères ovales ou oblongues, apiculées, courtement exsertes. Ovaire 5 (–6) -loculaire; ovules solitaires, pendants; style filiforme, cylindrique, glabre, courtement exsert; massue stigmatique cylindrique, à 5 lobes courts au sommet. Disque annulaire, légèrement en relief. Fruit grand, indéhiscent, charnu, ± sphérique, souvent lobé ou anguleux sur le sec, contenant (4–) 5 (–6) pyrènes, parfois surmonté des restes du tube calicinal, glabre, souvent comestible.

Genre d'Afrique tropicale et de Madagascar. Robyns, loc. cit. (1928), a retenu 27 espèces, les distinguant par différentes combinaisons de caractères peu importants. Le nombre doit être beaucoup moins grand. Une espèce s'est naturalisée aux Mascareignes.

V. madagascariensis J.F. Gmelin, Syst. Nat. ed. 13, 2: 367 (1791); R.E. Vaughan, Maur. Inst. Bull. 1: 47 (1937); Rivals, Esp. Fruit. Introd. Réunion: 57 (1960). Type: Madagascar, *Commerson* (P–JU, holo.)

— *Vavanga chinensis* Rohr, Skr. Naturh.–Selsk. Kobenhavn 2: 207 (1792). Décrit d'après une plante cultivée

— *V. edulis* Vahl, Skr. Naturh.–Selsk. Kobenhavn 2: 208 (1792); Cordem., F.R.: 515, *nom illegit.*, basé sur le précédent

— *Vangueria edulis* Lam., Illust. 1, t. 159 (1792); 2: 235 (1819); Bojer, H.M.: 167; Baker, F.M.S.: 147; Balf. f., B. Ro.: 348. Type: Maurice, *Commerson* (P–LA, holo.)

Arbrisseau ou petit arbre de 1,50–15 m de hauteur, souvent à plusieurs troncs et parfois à cime étalée; ramilles glabres, côtelées, à écorce pâle à foncée, le plus souvent lisse et ne s'exfoliant pas. Feuilles à limbe étroitement à largement elliptique ou elliptique-lancéolé, 8–28 × 3,2–15 cm, aigu à acuminé au sommet, cunéiforme à arrondi ou même ± subcordé à la base, glabre ou parfois, au stade jeune, poilu sur la face inférieure, devenant lâchement pubescent; pétiole long de 0,8–1,8 cm; stipules à base large, longue de 3–5 mm, partie apicale étroite, longue de 4–18 mm, glabres ou pubescentes. Inflorescences pubescentes; pédoncules longs de 1 cm environ; rameaux longs de 1–4,5 cm, 7–10-flores; pédicelles longs d'environ 2 mm, sauf celui des fleurs centrales long de 4 mm. Calice à partie adnée longue de 1,2–3 mm, à petits lobes pubescents. Corolle en général glabre; tube long de 3–4,5 mm; lobes longs de 3,5–4,5 mm, munis d'appendices longs de 0,5 mm, qui rendent les boutons floraux nettement apiculés ou acuminés. Style long de 7–8 mm; massue stigmatique jaune, longue de 1,2–1,5 mm. Fruit virant du vert au brun rougeâtre, de 2,5–5 cm de diamètre, contenant (1–) 4–5 pyrènes de 2 × 1,2 × 0,8 cm, à paroi ligneuse, de 1–2 mm d'épaisseur. Graines de 16 × 6 × 4,5 mm environ, rétrécies vers une extrémité. (Pl. 32).

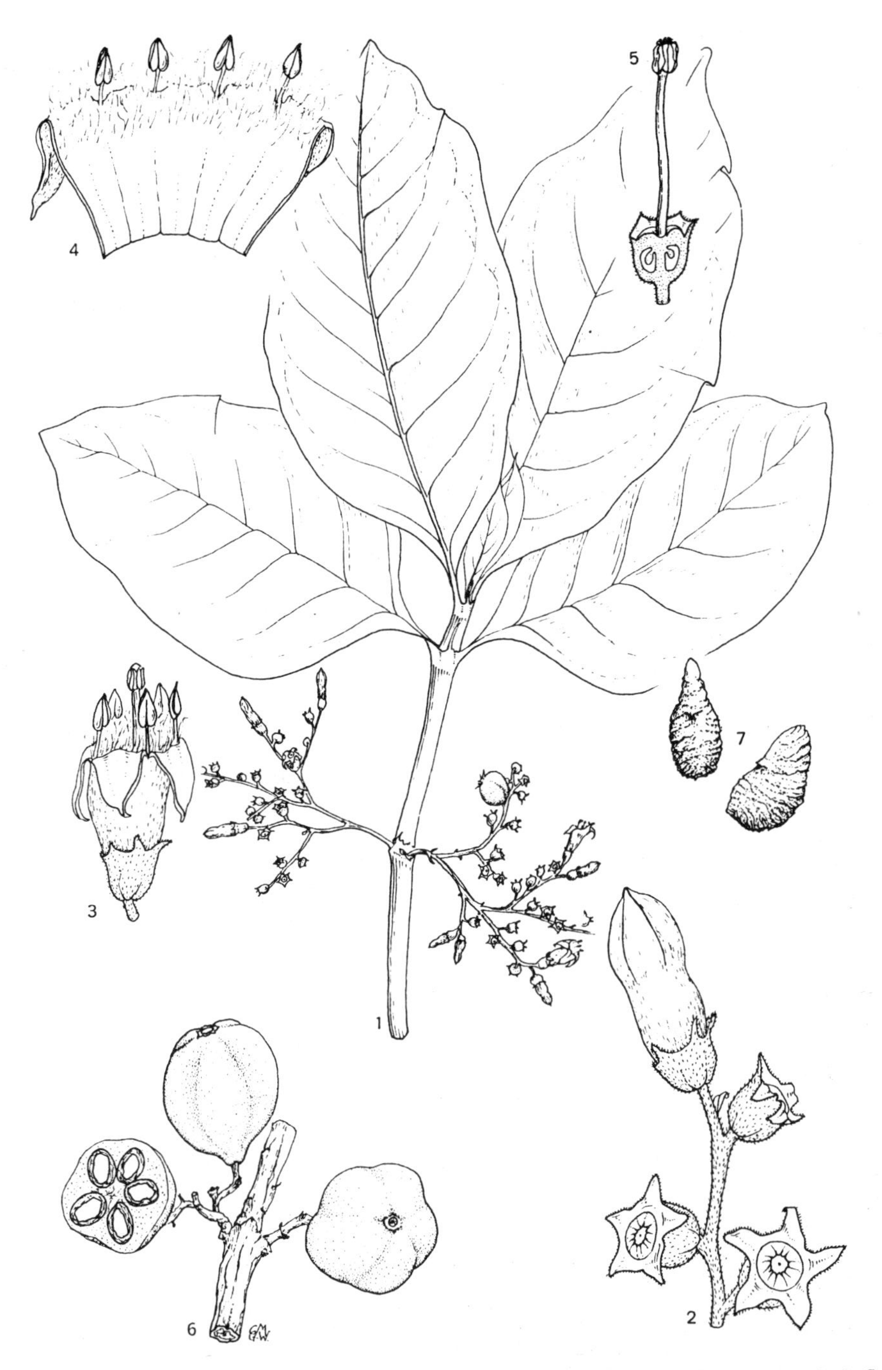

Pl. 32 — **Vangueria madagascariensis: 1,** rameau fleuri × 2/3; **2,** détail de l'inflorescence × 4; **3,** fleur × 4; **4,** corolle étalée × 4; **5,** coupe longitudinale de l'ovaire × 4; **6,** fruits × 2/3; **7,** pyrènes × × 2/3. (**1–5,** *Greenway et Kirrika* 10993; **6,** *Lorence* in MAU 15529; **7,** *Bijoux* 828).

Nom vernaculaire: Vavangue (R., M., Ro.).

La Réunion, Maurice, Rodrigues. Espèce largement répandue en Afrique, du Nigéria et d'Éthiopie au Transvaal et à Madagascar. Ailleurs, cultivée sous les tropiques. Aux Mascareignes, dans les trois îles; moins fréquente à Maurice et à Rodrigues, commune à La Réunion entre 0 et 600 m d'altitude, notamment au-dessus de Saint Denis. D'après Rivals, le fruit est fade et de peu de valeur; d'après Bouton les fruits sont assez désagréables.

Lagynias E. Mey.

Lagynias lasiantha (Sond.) Bullock a été récolté au Jardin des Pamplemousses en 1964 et 1965. Plante originaire du Mozambique et de l'Est de l'Afrique du Sud. C'est un arbrisseau ou un arbuste de 2–6 m de hauteur, à feuilles discolores, elliptiques-oblongues, presque glabres, à l'exception de la nervure médiane; les fleurs jaunes sont en groupes sur de courts pédoncules, plus courts que les feuilles ou les dépassant à peine; lobes du calice linéaires-spatulés, à peu près aussi longs que la corolle, et 4–5 fois plus longs que l'ovaire; bouton floral rendu 5-caudé par les appendices filiformes des lobes de la corolle. Fruit sphérique, contenant 5 pyrènes, d'environ 2,5 cm de diamètre, d'abord couronné par les lobes du calice qui tombent tardivement. Palgrave, Trees of Southern Africa: 878 (1977), le dit " comestible et censé être de saveur agréable ", ce qui explique peut-être la raison de son introduction, mais on ne sait de quelle région elle a été introduite aux Mascareignes.

28. PYROSTRIA Commerson ex Juss.
Gen. Pl.: 201 (1789)

Drake, Bull. Mens. Soc. Linn. Paris, n. sér., 6: 41–42 (1898); Hochr., Ann. Cons Jard. Bot. Genève 11 & 12: 96–100 (1908); Verdc., Kew Bull. 37: 563–567 (1983)

Arbrisseaux ou arbustes, apparemment toujours dioïques et parfois peut-être polygames; ramilles glabres, pubescentes ou tomenteuses, parfois ± tétragones. Feuilles opposées, ordinairement coriaces, subsessiles ou à pétiole court, souvent pourvues de domaties aux aisselles de quelques nervures latérales sur la face inférieure; stipules habituellement à base triangulaire et appendice apical subulé, comprimé latéralement, les parties basales soudées, souvent, en une gaine courte, pubescente à l'intérieur, à la fin caduque. Fleurs mâles sessiles ou pédicellées, en cymes pauciflores sessiles ou pédonculées, sous-tendues par deux bractées opposées semblables aux stipules; calice ± semblable à celui de la fleur femelle; étamines insérées à la gorge de la corolle et ± exsertes, à connectif prolongé en appendice terminal; ovaire 2–3-loculaire; style développé, à massue stigmatique ± entière ou 2–6-fide, servant à collecter le pollen, comme chez les *Vanguerieae* à fleurs hermaphrodites; ovules paraissant présents dans certains ovaires, mais apparemment ne donnant pas de graines. Fleurs femelles solitaires, soit subsessiles, soit à pédoncule et pédicelle courts ou distincts, sous-tendues par des bractées géminées semblables à celles des fleurs mâles; calice le plus souvent ovoïde, le tube libre court ou absent, les lobes le plus souvent présents, 4–5, courts, triangulaires; disque ± developpé; ovaire 4–10-loculaire; ovules solitaires, pendants; style grêle, souvent plus épais vers le sommet, la massue stigmatique exserte, ayant jusqu'à 6 lobes; anthères le plus souvent petites et vides; corolle à tube court, cylindrique, à gorge pubescente, à 4–5 lobes valvaires, oblongs-triangulaires, à appendices aigus. Fruit ellipsoïde ou subsphérique, lisse sur le frais, fortement sillonné sur le sec, à 4–10 pyrènes soudés en noyau fortement sillonné; péricarpe mince.

Genre des Mascareignes et de Madagascar. D'après les notes copieuses qu'il a laissé, il est clair qu'Arènes avait l'intention de placer *Pyrostria* dans *Plectronia* auct., c.à.d. dans *Canthium* (le véritable *Plectronia* est, sans nul doute, un synonyme de *Olinia* Thunb. (Oliniacées), mais ce nom a été souvent utilisé dans le sens de *Canthium*). Il est vrai que les 2 genres, *Pyrostria* et *Canthium*, sont voisins, la position de *C. bibracteatum* (Baker) Hiern étant intermédiaire. Dans le genre voisin *Rytigynia* on accepte des espèces à ovaire 2- à pluriloculaire, alors pourquoi pas dans *Canthium*. Malgré cela, je ne vois pas d'avantage réel à confondre *Pyrostria* et *Canthium*, surtout parce que le type du dernier genre est asiatique et qu'une révision est nécessaire. Pour l'instant, il y a moins d'inconvénients à les regarder comme des genres séparés et voisins.

Le travail d'Arènes ne semble pas avoir été publié mais ses notes préliminaires sur les échantillons nous ont été très utiles. Des observations devraient être faites sur le terrain sur la sexualité des fleurs et sur toutes les variations qui la concerne. Par exemple, est-ce que les plantes à inflorescences fasciculées portent parfois des fruits?

1. Inflorescences à pédoncule distinct; fleurs sessiles ou pédicellées. **2**
— Inflorescences et fleurs ± sessiles ou pédoncules et pédicelles à peine développés, atteignant au plus 2 mm de longueur à maturité. (Maurice). **4**

2. Fleurs pédicellées. (La Réunion). **3**
— Fleurs sessiles*; ramilles jeunes glabres ou pubescentes (var. *polymorpha*). (Maurice). **3. P. cordifolia**

3. Feuilles à limbe étroitement oblong-elliptique à oblancéolé-oblong ou elliptique, ± cunéiforme à la base, à pétiole long de 3–6 mm; ramilles jeunes glabres ou rarement pubescentes. **1. P. commersonii**
— Feuilles à limbe oblong-elliptique, circulaire ou circulaire-ovale, peu profondément à profondément cordiforme et asymétrique à la base, à pétiole long de 1–2 mm; ramilles jeunes généralement à pubescence courte. **2. P. orbicularis**

4. Ramilles jeunes entièrement glabres. **5**
— Ramilles jeunes au moins portant quelques poils apprimés ou un indument ferrugineux dense. **6**

5. Fruit ± sphérique-obovoïde, 1–1,5 × 1,2–1,3 cm; feuilles à limbe de 0,8–8,2 × 0,5–5,1 cm; rameaux tétragones. **4. P. viburnoides**
— Fruit ellipsoïde, 2,5–3 × 1,4–1,7 cm; feuilles à limbe de 3–17,5 × 1,5–9,5 cm; rameaux non ou moins nettement tétragones. **7. P. macrophylla**

6. Ramilles jeunes à pubescence ferrugineuse seulement au sommet, tôt glabres; feuilles à limbe atteignant 6,5 cm de largeur, le plus souvent 4–5 cm; fleur femelle à ovaire 5–8-loculaire et à massue stigmatique bifide. **5. P. fasciculata**
— Ramilles jeunes à indument ferrugineux, tomenteux, assez persistant sur les 4–5 entre-noeuds supérieurs; feuilles à limbe atteignant 8,5 cm de largeur; fleur femelle à ovaire 10-loculaire et à massue stigmatique à ± 6 lobes plats, divergents. **6. P. ferruginea**

1. P. commersonii J. F. Gmelin, Syst. Nat. ed. 13, 2: 246 (1791); Hochr. Ann. Cons. Jard. Bot. Genève 11 & 12:99 (1908). Type: La Réunion, *Commerson* (P–JU, holo; W, iso.!)
— *P. oleoides* Lam., Illust. 1: 289 (1792); Bojer, H.M.: 170; Cordem., F.R.: 512. Type: La Réunion, *Commerson* (P–LA, holo.)
— *P. salicifolia* Willd., Sp. Pl. 1: 614 (1798); Pers., Syn. Pl. 1: 131 (1805). Type: " Maurice ", Lam., Illust. 1, t. 68, fig. 3 (1791)

Arbrisseau rameux ou arbuste de 3–6 m de hauteur, à tronc de 10 cm de diamètre; ramilles jeunes glabres ou rarement pubescentes; les plus âgées à écorce grise ou gris noirâtre, sillonnée longitudinalement. Feuilles à limbe étroitement oblong-elliptique à oblancéolé-oblong ou elliptique, 4–8 × 0,8–2,7 cm, obtus au sommet, cunéiforme et ± asymétrique à la base, discolore, beaucoup plus pâle dessous, luisant sur la face supérieure, coriace mais mince, à marges ± révolutées; nervures latérales à petites domaties creuses; pétiole long de 3–6 mm; stipules étroitement triangulaires, semi-naviculaires, longues d'environ 5 mm, pubescentes à l'intérieur. Fleurs mâles 3–5 (–8), en cymes pédonculées, aux aisselles des feuilles supérieures. Fleurs femelles

*Dans le cas des fleurs femelles, les bractées rapprochées peuvent être confondues avec le calice et alors les fleurs semblent être pédicellées.

solitaires; pédoncules longs de 4 mm; bractées longues de 4 mm; pédicelles longs de 7 mm. Calice à partie adnée obovoïde, longue de 2 mm, rugueux; tube libre long de moins de 1 mm, à 4 dents largement triangulaires, pourvues d'une côte médiane; disque plus haut que le tube du calice. Corolle non vue en bon état. Ovaire 7–8-loculaire. Fruit sphérique-déprimé, de 1 cm de diamètre, haut de 7 mm, 7–8 côtes proéminentes sur le sec.

Nom vernaculaire: Bois Mussard.

La Réunion. Espèce endémique, localement assez commune dans le Cirque de Cilaos : Pavillon, sentier des Trois Bras, Bras Rouge, sentier de l'Ilet à Cordes; Bras de St Paul; Bras de Benjoin, sentier des Salazes; aussi à Grand Bassin : Bras de la Plaine, Ravine Sèche et Bras de Pontho; à des altitudes de 400 à 1300 m.

Un échantillon, des "bords de la Ravine la Chaloupe", dans l'herbier de Cordemoy semble appartenir à cette espèce, bien que ce soit une station où *P. orbicularis* est commun. Dans une note au crayon accompagnant l'échantillon, Cordemoy la décrit et lui donne le nom de *P. lanceolata.*
Il dit "espèce très voisine de *P. macrophylla* (c.à.d. *P. orbicularis*), différant par ses feuilles étroites non cordées à la base. Il précise aussi : " ça n'est pas *P. oleoides* ". Pour ma part, je pense qu'il faut le rattacher à *P. commersonii. Cadet* 1206 du Cirque de Cilaos, a des jeunes rameaux pubescents. Un échantillon ex Herb. *Moquin-Tandon* via Herb. *Poiret*, actuellement à P via Herb. *Cosson*, étiqueté " *Erythroxylon longifolium* de l'Isle de France" semble être *P. commersonii* malgré la localité. Mais l'étiquette est peut-être fausse. Bojer disait aussi que l'espèce existait à Maurice, mais je n'ai vu aucun échantillon venant avec certitude de cette île.

2. P. orbicularis A. Rich. ex DC., Prodr. 4: 464 (1830); A. Rich., Mém. Fam. Rubiacées: 136 (1830); Mém. Soc. Hist. Nat. Paris 5: 212 (1834). Type: La Réunion, environs de St Denis, 1771, *Commerson* (P, lecto.!)

— *P. macrophylla* auct. non A. Rich. ex DC.: Cordem., F.R.: 516, *pro parte*

Arbrisseau ou arbuste de (1–) 2–6 m de hauteur, à tronc droit, atteignant 7 cm de diamètre à la base, et à cime pyramidale; ramilles jeunes le plus souvent à pubescence courte, les plus âgées à écorce liégeuse, grise, sillonnée longitudinalement; entre-noeuds pour la plupart courts et noeuds défeuillés proéminents. Feuilles à limbe oblong-elliptique, elliptique, ± circulaire ou circulaire-ovale, (1–) 1,5–8,5 × (0,5–) 0,8–4,6 cm, arrondi au sommet, peu profondément à profondément cordiforme et ± asymétrique à la base, coriace, à marges révolutées, luisant sur la face supérieure, beaucoup plus pâle sur la face inférieure, glabre; domaties creuses aux aisselles des nervures latérales; pétiole long de 1–2 mm; stipules longues de 6–8 mm, comprimées, étroitement triangulaires ou à base large et subulées au sommet, pubescentes à l'intérieur à la base. Rejets de la base du tronc présentant des feuilles plus étroites, 4–5,5 × 0,8–1,5 cm. Fleurs femelles le plus souvent solitaires, les mâles en cymes 3–5-flores, mais des fruits ont été observés sur de telles inflorescences; pédoncules longs de 3–7 mm et pédicelles longs de 4–12 mm, tous ± pubérulents à pubescents; bractées longues de 4,5–5,5 mm; calice à partie adnée longue de 2 mm et à tube libre de moins de 1 mm, ondulé ou à lobes de 1 mm environ, habituellement un peu sétuleux à l'intérieur; corolle blanc jaunâtre, à tube long de 2–2,5 mm, densément poilu à la gorge, à lobes longs de 3 mm; anthères à appendice distinct; ovaire biloculaire et à ovules rudimentaires ? dans les fleurs mâles, 6–8-loculaire dans les fleurs femelles; style long de 2,5–3 mm; stigmate en massue bilobée, longue de 1 mm, présent aussi chez les fleurs mâles. Fruit sphérique, probablement d'environ 1 cm de diamètre, à ± 7 pyrènes, côtelé sur le sec.

Nom vernaculaire: Bois Mussard.

La Réunion. Endémique. Encore assez commune dans le N.O. de l'île : Montagne St Denis, Ravine de la Grande Chaloupe, Ravine Tamarin, Ravine des Lataniers, sentier de l'Ilet à Guillaume; crête de Dos d'Ane; Ilet à Fougères, Rivière des Galets; Brûlé de St Denis. Une récolte existe du Bras de la Ravine Sèche à St Benoît. D'après Cordemoy, c'est une des plantes caractéristiques de la végétation indigène.

Bojer, H.M. : 170, cite aussi cette espèce de Maurice, mais aucun matériel provenant de cette île n'a été vu. A. Richard indique clairement " Bourbon ", mais sur un échantillon de Commerson, annoté par lui : " *Pyrostria orbicularis* nob. ", il a inscrit " Ile de France ". J. Arènes avait marqué son intention de retenir ce spécimen comme lectotype, j'ai, quant à moi, préféré choisir la part marquée " Bourbon ".

3. P. cordifolia A. Rich. ex DC., Prodr. 4: 464 (1830); A. Rich., Mém. Fam. Rubiacées: 136 (1830); Mém. Soc. Hist. Nat. Paris 5: 216 (1834); Bojer, H.M.: 170; Hochr., Ann. Cons. Jard. Bot. Genève 11 & 12 : 100 (1908). Type: Maurice, *Commerson* (P. holo.!)

— *P. macrophylla* auct. non A. Rich. ex DC.: Cordem., F.R.: 516, *pro parte, pro syn.*

— *P. cordifolia* et *P. orbicularis* auct. non A. Rich. ex DC.: Baker, F.M.S.: 148, in syn. sub. *P. macrophylla*

— *P. polymorpha* auct. non A. Rich.: R.E. Vaughan, Maur. Inst. Bull. 1: 47 (1937)

Arbrisseau ou arbuste de 1,80–7,50 m de hauteur, à tronc de 25 cm de diamètre à hauteur de poitrine; écorce brun noirâtre, ridée ou profondément sillonnée; rameaux à écorce gris pâle, sillonnée, ± anguleux, glabres ou à pubescence fine sur les parties très jeunes ou les ramilles; pétioles, stipules et inflorescence glabres ou à pubescence courte, ferrugineuse pâle, assez dense. Feuilles à limbe oblong-lancéolé, elliptique, oblong ou ovale, 1–8 × 0,8–5,3 cm, arrondi au sommet, arrondi, tronqué, subcordé ou cordé à la base, ou arrondi au-dessus de la base ± cunéiforme, coriace, mince, discolore, luisant dessus, apparemment sans domaties; pétiole long de 0,3–1,2 cm; stipules ovales-triangulaires, longues de 2–4 mm, ± obtuses, connées, pubescentes à l'intérieur à la base. Inflorescences mâles à pédoncule long de 0,6–1,3 (–1,7) cm, épaissi au sommet, 2–3-flores; bractées soudées en calicule 2–3-cuspidé; pédicelles nuls; calice à partie adnée longue de 1,5 mm, à tube libre tronqué ou muni de courtes dents triangulaires, long d'environ 1 mm; corolle crème pâle virant au jaune foncé, à tube long de 6 mm, gorge à pubescence dense, lobes oblongs-ovales, longs de 4–5 mm, aigus; anthères à apicule distinct; ovaire biloculaire, contenant parfois des ovules qui probablement ne se développent pas; style long de 3,5–6 mm, à massue longue de 1–1,5 mm, bilobée. Fleurs femelles solitaires, sessiles sur des pédoncules longs de 0,9–1,3 cm; bractées soudées en calicule long de 2 mm; calice à partie adnée longue de 1,5 mm, à tube libre portant des dents triangulaires; corolle à tube long de 5 mm et lobes de 4,5–6 mm; étamines avortées; ovaire 4–5-loculaire. Fruit subsphérique, de 8 mm de diamètre, 4-loculaire, 4-lobé sur le sec.

var. **cordifolia**. Ramilles, stipules, feuilles et inflorescences entièrement glabres. Feuilles à limbe elliptique à oblong.

Maurice. Endémique. Cette variété est confinée aux fourrés et forêts sèches de basse altitude. On la trouve occasionnellement à : Chamarel; Montagne de Port Louis; Mt des Créoles; Grand Sable; Yémen; Montagne Longue; Plaine des Roches près de Flacq; Crown Land Cabinet. Existait autrefois à l'île Ronde.

var. **polymorpha** (A. Rich. ex DC.) Verdc., Kew Bull. 37: 564 (1983). Type: Maurice, *Néraud* (P, holo.!)

— *P. polymorpha* A. Rich. ex DC., Prodr. 4: 464 (1830); A. Rich., Mém. Fam. Rubiacées: 136 (1830); Mém. Soc. Hist. Nat. Paris 5: 217 (1834); Bojer, H.M.: 170; Baker, F.M.S.: 148; Hochr., Ann. Cons. Jard. Bot. Genève 11 & 12 : 100 (1908)

Ramilles jeunes, stipules, pétioles et inflorescences à pubescence ferrugineuse pâle, courte et assez dense. Feuilles à limbe arrondi-oblong, oblong-lancéolé, oblong ou ovale.

Maurice. Endémique. Devenue rare. Mt du Pouce; Montagne Longue (*Bouton*). Un échantillon de Grand Sable a des feuilles oblongues-lancéolées à étroitement oblongues-elliptiques, atteignant 9,5 × 2,7 cm.

Arènes a choisi comme type un échantillon in P dont l'étiquette n'indique pas que le récolteur est Néraud : une autre feuille portant le nom *P. heterophylla* A. Rich. porte aussi la mention de type.

4. P. viburnoides (Baker) Verdc., Kew Bull. 37: 564 (1983). Types: Maurice, *Duncan* 11 et 19; *Blackburn* (K, syns. !)
— *Plectronia viburnoides* Baker, F.M.S.: 146
— *Pyrostria sp.*, R.E. Vaughan, Maur. Inst. Bull. 1 : 47 (1937)

Arbuste buissonnant de 1,20–4m de hauteur et à tronc d'environ 2 cm de diamètre; rameaux droits, ascendants, tétragones, glabres; tiges plus âgées à épiderme blanchâtre, s'excoriant. Feuilles à limbe elliptique, elliptique-oblong à ± subcirculaire ou ovale, 0,8-8,2 × 0,5-5,1 cm, arrondi ou se terminant en acumen court, sub-aigu, arrondi à cordé à la base, coriace, à marges révolutées; domaties creuses aux aisselles des nervures latérales; pétiole long d'environ 2 mm; stipules triangulaires à sommet subulé, long de 2-4 mm, pubescentes à l'intérieur à la base. Inflorescences mâles 3-8-flores, à pédicelles longs de 2-2,5 mm; bractées longues de 2 mm; calice à partie adnée obconique, longue de 1-1,5 mm et à tube libre court, portant des lobes triangulaires, longs de 0,5-1,5 mm; corolle blanche, à tube long de 2-3 mm et à lobes de 3-5 mm; disque proéminent; anthères en général à apicule distinct; ovaire 2-3-loculaire, contenant souvent des ovules ± développés; style long de 3,5-5 mm; stigmate en massue non lobée, longue de 1 mm. Fleurs femelles solitaires, à pédoncule et pédicelle longs de moins de 2 mm ou absents; bractées longues de 3,5-5 mm; ovaire 4-6-loculaire; style long de 3,5-5 mm; stigmate en massue de 1 mm. Fruit ± sphérique-obovoïde, long de 1-1,5 cm et de 1,2-1,3 cm de diamètre, lisse sur le frais, 5-6-rayé sur le sec, finement rugueux et portant des poils fins, clairsemés; péricarpe mince et dur, de 2-3 mm d'épaisseur; pédicelle long d'environ 3 mm.

Maurice. Endémique. Espèce des fourrés indigènes de moyenne à haute altitudes. Mt du Rempart; Mt Ory; Crown Land Sainfray; Ferney; Piton du Fouge; Mare Longue-Macabé; Réserve de Perrier; Piton de la Rivière Noire; Mt du Pouce.

5. P. fasciculata Bojer ex Baker, F.M.S. : 148. Types: forêts du centre de l'île Maurice, *Bouton*; dans les forêts à la Savanne, *Bouton*; sans localité, *Grey* (K, syns. !)

Arbrissequ ou arbuste de 2–6 m de hauteur, à tronc de 3–5 cm de diamètre; écorce brun pâle, lisse, s'exfoliant en plaques; rameaux devenant bruns ou gris jaunâtre en séchant, cylindriques ou légèrement tétragones, généralement ± anguleux sur le sec; parties très jeunes à pubescence ± ferrugineuse, apprimée, mais tôt glabres. Feuilles à limbe elliptique ou elliptique-oblong à obovale-elliptique, 2–11 × 0,9–6,5 cm. étroitement arrondi à sub-aigu ou à acumen court et obtus au sommet, étroitement arrondi à largement cunéiforme et parfois asymétrique à la base, brun pourpre sur le sec, ± discolore, ± coriace, glabre, à marges, révolutées; nervures latérales peu nombreuses et indistinctes, le plus souvent sans domaties; pétiole net mais court, long de 2–3 mm; stipules vert pourpre sur le frais, triangulaires, de 2–5 mm de longueur et de largeur, parfois subulées au sommet, d'abord pubescentes. Inflorescences sessiles ou à pédoncule n'atteignant pas plus de 2 mm de longueur. Fleurs ± sessiles, odorantes, polygames, quelques-unes en apparence hermaphrodites mais sans ovules, d'autres femelles à étamines avortées. Fleurs mâles 3-plusieurs, enfermées entre les 2 bractées pubescentes, triangulaires, semi-naviculaires, longues de 5–6 mm, à extrémité acuminé; calice à partie adnée parsemée de poils, longues de 1 mm, tube libre long de 2–3 mm, y compris les lobes triangulaires, souvent inégaux, longs de 1–1,5 mm; apicule des anthères long d'environ 0,7 mm; corolle jaunâtre ou rose pâle, à tube long de 5 mm, à gorge pubescente, légèrement pubérulent ay sommet à l'extérieur; lobes 4, de 4–5 × 1,5–2,5 mm, à marges ± involutées, cucullés et ± apicules au sommet; style long de 4,5–5 mm, y compris la massue stigmatique de 1,5 mm indistinctement bifide; (ovaire biloculaire; disque proéminent, ± hémisphérique, haut de 0,7 mm. Fleurs femelles à bractées longues de 4 mm; partie adnée du calice longue de 2 mm; lobes de 1 mm; anthères généralement imparfaites; ovaire 5–8 locullaire; massue

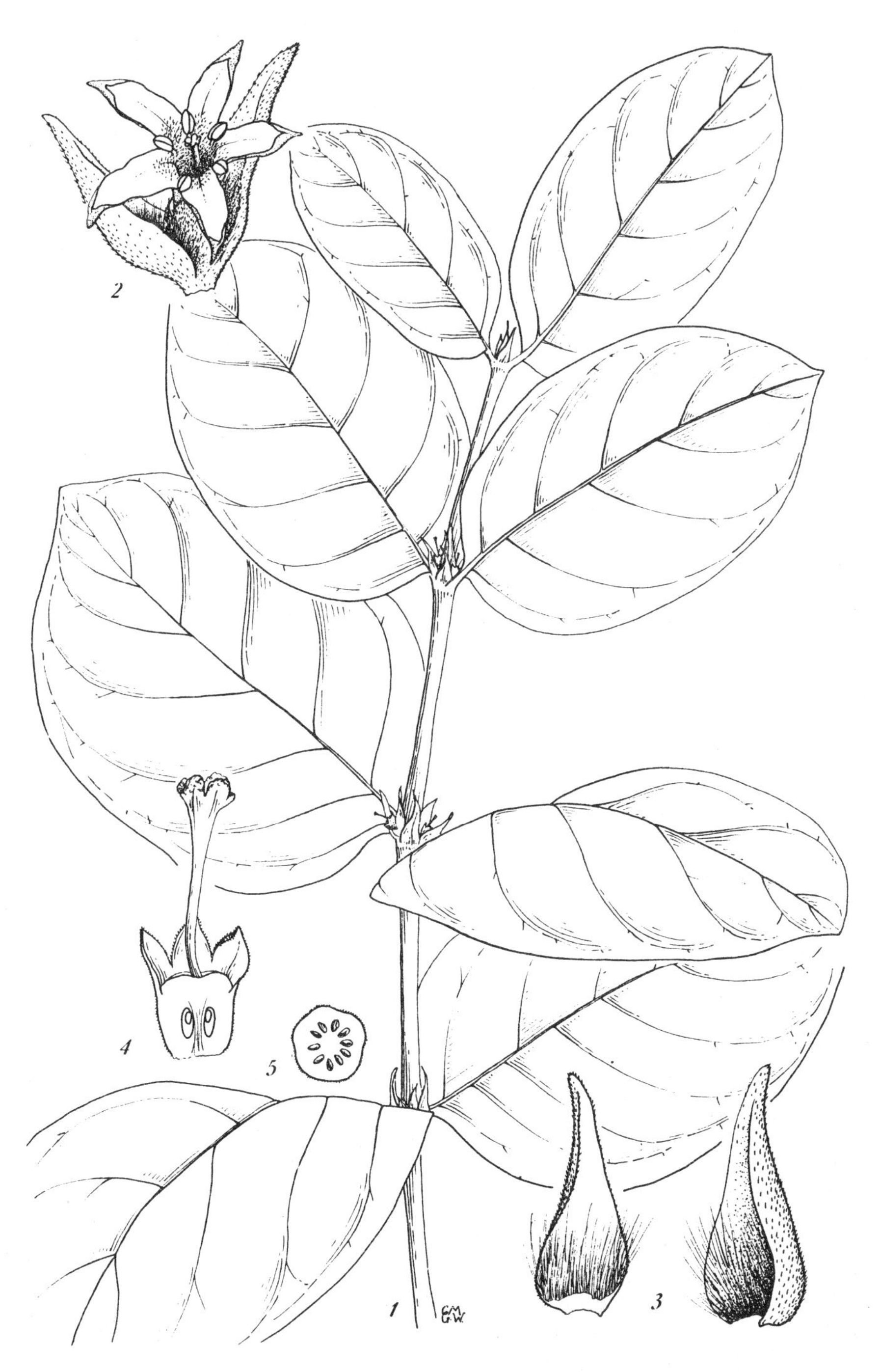

Pl. 33 -- **Pyrostria ferruginea: 1,** rameau × 2/3; **2,** fleur × 4; **3,** bractées × 4; **4,** coupe longitudinale du gynécée × 4; **5,** coupe transversale de l'ovaire × 4. **(1–5,** *Bouton* s.n.).

stigmatique bifide, à peine exserte de la corolle. Fruit sphérique, long de 1,2–1,5 cm, lisse sur le frais, 8-rayé sur le sec, légèrement pubescent; pédicelle long de 2–5 mm, portant, à mi-hauteur, les 2 bractées persistantes.

Maurice. Endémique. Plutôt rare; en forêt de basse à haute altitudes, entre 200 et 700 m: Gaulettes Serrées, près de Camp Thorel; Réserve de Perrier; Mt des Créoles; Piton du Fouge; Vacoas Ridges.

6. P. ferruginea Verdc., Kew Bull. 37: 565 (1983). Type: Maurice, Nouvelle Découverte, *Bouton* (K, holo. !)
— *P. macrophylla* auct. non A. Rich. ex DC. : Baker, F.M.S. : 148, excl. syns,; R.E. Vaughan, Maur. Inst. Bull. 1: 47 (1937), *pro parte*

Petit arbre; ramilles à 4–5 entre-noeuds, portant un indument formé de courts poils raides, apprimés, ferrugineux, ailleurs blanchâtres. Feuilles à limbe oblong-elliptique à ovale-elliptique, 6–11,5 × 3,5–8,5 cm, arrondi à sub-acuminé mais ± obtus au sommet, arrondi en biais à tronqué à la base, coriace, glabre sauf à la jonction avec le pétiole; nervures latérales 5–6, espacées, quelques-unes à domaties; pétiole long de 2–4 mm, ferrugineux-tomenteux; stipules longues de 0,8-1,2 cm, à base triangulaire, ferrugineuse-tomenteuse, à sommet subulé; subule forte. Fleurs mâles inconnues. Fleurs femelles solitaires, sessiles à l'intérieur des bractées; pédoncules longs d'environ 2 mm; bractées étroitement ovales, 8–9 × 2,5 mm, en grande partie solides et trigones, excavées à l'intérieur à la base, cette cavité remplie de poils longs, pubescentes-ferrugineuses à l'extérieur; calice à pubescence apprimée, ferrugineuse, à partie adnée longue de 2–3 mm et à 4 lobes ovales, 2 × 1,5 mm, aigus et épaissis au sommet; disque annulaire, haut d'environ 0,5 mm; tube de la corolle long de 3 mm, à gorge pubescente, les poils étalés sur la face des lobes, portant quelques poils minuscules à l'extérieur, à la jonction du tube et des lobes; lobes 4–5, ovales, 4 × 1,8–2,5 mm, aigus; anthères oblongues-ovales, longues de 1,5 mm, peu nettement apiculées, probablement stériles; ovaire 10-loculaire; style long de 5 mm, épaissi en haut, la masse stigmatique divisée en 6 lobes plats. (Pl. 33).

Maurice. Endémique. Espèce probablement éteinte. Outre le type, il existe un autre échantillon de Bouton qui est sans nul doute un double. Un troisième échantillon, sans localité, a été fait par Blackburn. Tous ces spécimens ont plus de 120 ans.

7. P. macrophylla A. Rich. ex DC., Prodr. 4: 464 (1830); A. Rich., Mém. Fam. Rubiacées: 137 (1830); Mém. Soc. Hist. Nat. Paris 5: 217 (1834); Bojer, H.M.: 170 ; Hochr., Ann. Cons. Jard. Bot. Genève 11 & 12 : 100 (1908) ; R. E. Vaughan, Maur. Inst. Bull. 1: 47 (1937), *pro parte*. Type: Maurice, *Commerson* ? (P, syn. !)

Arbrisseau? ou, en ce qui concerne la variété, petit arbre atteignant 8 m de hauteur; rameaux habituellement côtelés et devenant de couleur foncée sur le sec, glabres. Feuilles à limbe elliptique, 3–9,5 × 1,5–6 cm, jusqu'à 17,5 × 9,5 cm dans la variété, bien arrondi ou, plus rarement, ± aigu au sommet, cunéiforme à la base, discolore sur le sec, la face supérieure souvent pourpre noirâtre, d'un vert gris glauque sur la face inférieure, un peu ou nettement coriace, glabre; nervures latérales peu nombreuses, peu distinctes dessus; domaties creuses, glabres sur la face inférieure; pétiole long de 5–8 mm; stipules largement ovales, de 5 mm de longueur et de largeur, auriculées, subpersistantes, pubescentes à l'intérieur, dans la variété atteignant 1 × 0,8–1,2 cm, à marges soudées en tube court et à sommet comprimé-acuminé, à pubescence dense à l'intérieur, caduques. Fleurs mâles sessiles, plusieurs en groupes sessiles, portant de longs poils ferrugineux à la base du calice et à l'intérieur des bractées; les détails suivants connus seulement pour la variété: corolle blanche, à tube long de 4 mm, pubescent à la gorge, à lobes étroitement tringulaires-lancéolés, 5,5 × 2,5 mm, y compris le sommet acuminé; style long de 4,5 mm, la massue stigmatique cannelée, longue de 2 mm; ovaire biloculaire. Fleur femelle solitaire, sessile,

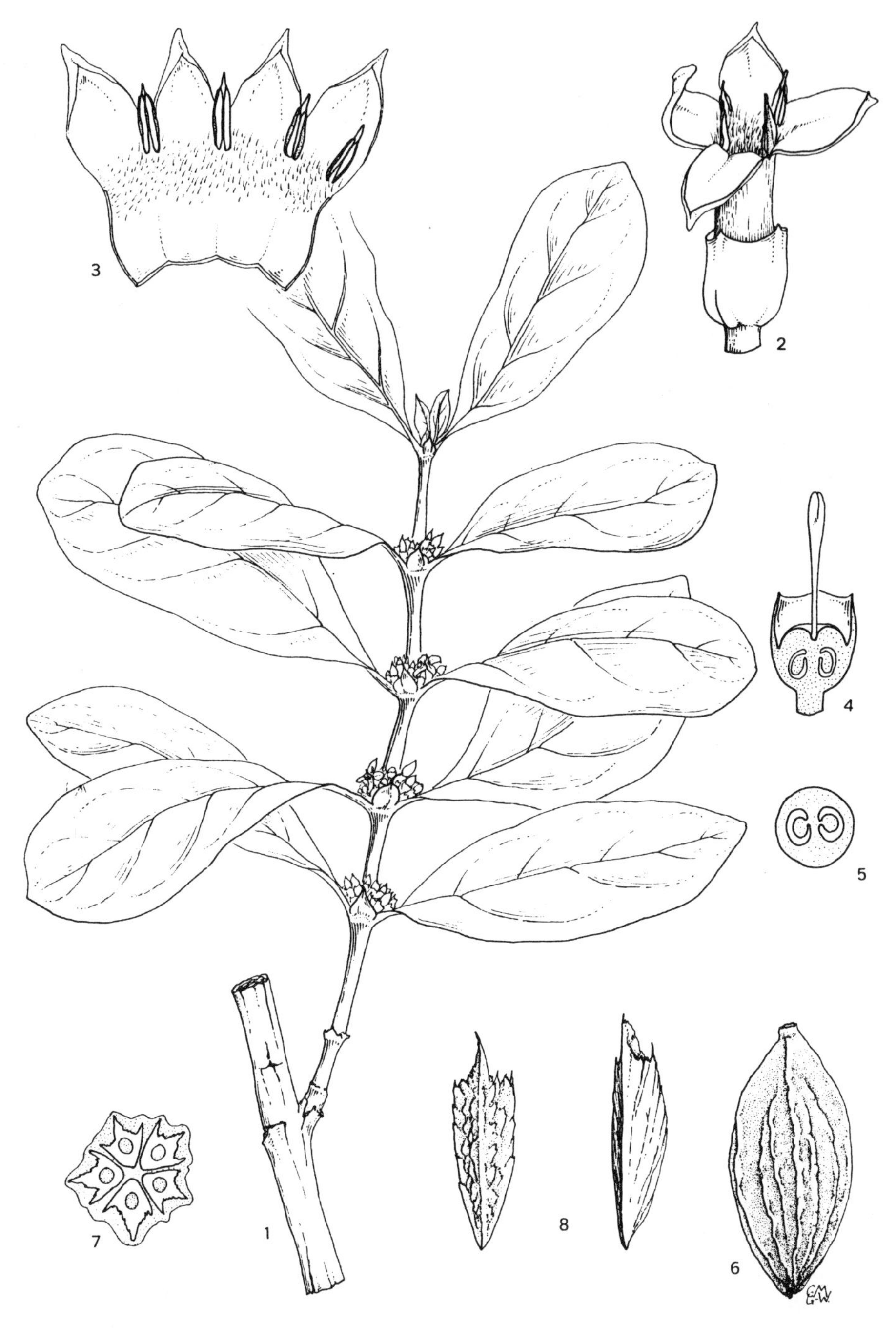

Pl. 34 — **Pyrostria macrophylla** var. **macrophylla: 1,** rameau fleuri ×2/3; **2,** fleur ×4; **3,** corolle étalée ×4; **4,** coupe longitudinale de l'ovaire ×4; **5,** coupe transversale de l'ovaire ×4; **6,** fruit ×1; **7,** coupe transversale du fruit ×1; **8,** pyrènes ×1. (**1-5,** *Duljeet* in MAU 11174; **6** et **8,** *Vaughan* 2 avril 1970; **7,** *Bouton* s.n.).

incluse entre les 2 bractées, ovales, persistantes, longues de 5 mm, a sommet épais, subulé, décurrentes; calice à partie adnée longue de 1–2 mm, à tube libre long d'environ 3 mm, y compris les dents espacées, triangulaires, longues de 1 mm; corolle jaunâtre (mais non vue); ovaire 4–5-loculaire. Fruit ellipsoïde, 2,5–3 × 1,4–1,7 cm, fortement ± 8-côtelé sur le sec, les côtes correspondant aux côtes du noyau; pyrènes 4–6, soudés en un noyau, épaissis et formant une côte de chaque côté de la soudure, le face courbée de chaque pyrène ornée d'une côte en forme d'aile dans sa zone médiane, donnant une section ± carrée au noyau qui porte ainsi 8–12 côtes longitudinales nettes; cavité contenant la graine large de 3 mm. Graines fusiformes, vues non mûres.

var. **macrophylla**. Arbrisseau à branches très souples. Feuilles atteignant 9,5 × 6 cm; stipules d'environ 5 mm de longueur et de largeur. Fleurs femelles et fruits comme ci-dessus. (Pl. 34).

Maurice. Endémique. Variété devenue assez rare. Des récoltes ont été faites récemment dans les stations suivantes: Mt du Pouce; Plateau de Mare Longue; Gorges de la Rivière Noire; Réserve de Perrier; St Avold; Plaine Champagne. D'anciens échantillons sont étiquetés: Moka; Quartier Militaire et Plaine Wilhems. Même si Baker avait vu les récoltes de Bouton de Moka qui avaient été correctement nommées, il ne semble pas qu'il ait traité ce taxon.

var. **grandistipula** Verdc., Kew Bull. 37: 567 (1983). Type: Maurice, N. de Ferney, *Coode et al.* 4649 (K, holo. !)

Petit arbre atteignant 8 m de hauteur, à tronc de 15 cm de diamètre. Feuilles atteignant 17,5 × 9,5 cm; stipules soudées en tube, atteignant 1 × 0,8–1,2 cm. Fleurs mâles comme ci-dessus, mais fleurs femelles et fruits inconnus.

Maurice. Endémique. Variété très rare, connue seulement par le type, provenant d'une forêt envahie par *Ravenala* et *Syzygium jambos*.

En dépit de grandes différences dans la taille des feuilles et des stipules, la structure de l'inflorescence mâle, particulièrement le caractère des poils à la base du calice et les tiges glabres très semblables, me font considérer cette plante comme conspécifique de *P. macrophylla*. Ce fait, s'il est exact, est très intéressant car les fleurs mâles de la variété typique, presque éteinte, sont inconnues.

29. SCYPHOCHLAMYS Balf. f.

Journ. Linn. Soc. Bot. 16: 14 (1877)

Verdc., Kew Bull. 37: 567–570 (1983)

Petit arbrisseau ou petit arbre hétérophylle, glabre; rameaux ± tetragones. Feuilles courtement pétiolées; les juvéniles linéaires et vert sombre panaché de rose, les adultes arrondies-oblongues, rarement ovales, coriaces; stipules interpétiolaires, coriaces, partiellement soudées en tube, persistantes. Fleurs des deux sexes séparées, mais on ne sait pas encore de façon certaine si les plantes sont monoïques ou dioïques. Fleurs mâles (4–) 6–12, serrées dans un involucre infundibuliforme, formé de 2 bractées vertes, coriaces, opposées, conniventes, persistantes; ces inflorescences capituliformes solitaires aux aisselles foliaires; involucre portant à la base des processus coniques, courts, denses (colléters?), exsudant une sécrétion blanche (vue après réimbibition); partie adnée du calice anguleuse-campanulée, ± aussi longue que le tube libre, tronqué ou faiblement 4-lobé, coriace, persistant; corolle blanc crème, épaisse, à tube court, pubescent sur la moitié supérieure à l'intérieur, à 4–6 lobes valvaires, trigones au sommet, excavés à la base; étamines 4–5 (–6), insérées à la gorge du tube, les anthères partiellement incluses, partiellement contenues dans les excavations des lobes de la corolle; anthères dorsifixes, à connectif muni d'un appendice court; disque annulaire. Fleurs femelles solitaires ou entourées de 1–5 fleurs avortées (ou peut-être parfois ces fleurs mâles?); corolle habituellement plus grande que dans les fleurs mâles; ovaire 4–5 (–6)-loculaire (voir note); ovules solitaires, pendants près du sommet du septum; style court et robuste, à 4 lobes stigmatiques étroits. Fruit obovoïde, à base étroite-

Pl. 35 — **Scyphochlamys revoluta: 1,** rameau à feuilles adultes × 2/3; **2–3,** rameaux à feuilles juvéniles × 2/3; **4,** inflorescence mâle; **5,** fleur mâle; **6,** corolle d'une fleur mâle étalée; **7,** fruit × 1. (**1,** *Lesouëf* s.n.; **2** et **3,** *Lesouëf* 22; **4–6,** d'après *Balf. f.*, B. Ro. t. 25; **7,** *Balfour* s.n.).

ment enserrée par l'involucre, portant, sur le sec, jusqu'à 6 carènes vives, distinctes, mais lisse sur le frais; pyrènes à paroi ligneuse, mince (voir note). Embryon droit, très allongé, bleu; radicule supère; cotylédons étroitement lancéolés, pas plus larges que la radicule qui est légèrement épaissie au sommet.

Genre monotypique, endémique de Rodrigues.

S. revoluta Balf. f., Journ. Linn. Soc. Bot. 16: 15 (1877); B. Ro.: 349, t. 25; Baker, F.M.S.: 149; Friedmann, Rev. Agric. Sucr. Maurice 56: 203, fig. 5 (1977); Tirvengadum, Maur. Inst. Bull. 9: 11, t. 6 (1980). Type: Rodrigues, *Balfour* (K, lecto.! et syns.!; E, P, isosyns.!)

Arbrisseau ou petit arbre haut de 4–6 m; écorce des ramilles gris chamois pâle, très finement fendillée. Feuilles juvéniles vert noirâtre, tachées de rose ou de rose pourpre, 7–16 × 0,25–0,9 cm, obtuses à sub-aiguës au sommet, cunéiformes à la base, présentant toute la gamme des formes de transition vers les feuilles adultes qui ont 4,5–12,5 (–16) × 3–9,5 cm, et sont arrondies aux deux bouts, à marges révolutées, ± discolores, ± luisantes; pétiole long de 0,4–1 cm; stipules longues de 0,4–1,2 cm, obtuses. Involucres charnus, de 1–2 (–2,2 dans le fruit) cm de longueur et de largeur; pédoncules longs de 0,5–2,5 cm; pédicelles courts. Calice long de 3–10 mm. Tube de la corolle long de 4–5 mm; lobes de 4–8 × 2–4 mm. Anthères longues de 3–4 mm. Style long de 2–3,5 mm, à lobes stigmatiques de 3,5–4 mm. Fruit lenticellé, 3 × 2 cm, les carènes visibles seulement sur le sec, larges de 4 mm; pyrènes allongés, 22 × 10 × 5–6 mm, y compris la carène, tronqués au sommet, aigus et obliques à la base. Graines allongées, étroitement coniques à la base, un peu comprimées et carénées au sommet, 14,5 × 3,2 mm. (Pl. 35).

Nom vernaculaire: Bois mangue.

Rodrigues. Endémique. Espèce devenue très rare; existant encore à Grande Montagne et à Cascade Victoire; autrefois aussi trouvée à Solitude et à Mt Limon, jusqu'à 350 m d'altitude.

Ahkee, en 1981, a fait une récolte extraordinaire sur un arbre isolé à Grande Montagne. Elle possède des fleurs contenant du pollen fertile et des fruits. Ces derniers, cependant, diffèrent totalement de ceux décrits ci-dessus. Je considère cette plante comme une forme mutante; le feuillage, les involucres, etc... sont identiques à ceux de la plante normale. Les fruits sont beaucoup plus petits, comprimés-ellipsoïdes, 1,1 × 1 × 0,7 cm, et n'ont que 2 loges; les pyrènes de 8,5 × 5,5 × 3,5–4 mm, plans du côté interne, courbés du côté externe, ont une côte cunéiforme mais ne sont pas ailés, les graines sont irrégulièrement plan-convexes, 5,2 × 3,5 × 1,8 mm, avec un embryon court, long d'environ 2 mm. En considérant seulement les fruits on peut penser qu'il s'agit de deux genres différents, mais je suis persuadé qu'il s'agit d'une même espèce. Sur le plan de l'évolution il y a là un problème d'un grand intérêt et il faut espérer que l'espèce ne disparaitra pas.

Une graine, semée à Kew, a donné une plante qui était en fleurs le 8.3.1988.

CHIOCOCCEAE

Chiococca P. Browne

Une forme de *Chiococca alba* (L.) Hitchcock (=*C. racemosa* Jacq.), à petites fleurs, a été, au siècle dernier, cultivée au Jardin des Pamplemousses. Elle n'y a pas été vue récemment. C'est un arbrisseau dressé ou sarmenteux, portant de nombreuses inflorescences axillaires, multiflores, de petites fleurs odorantes, blanches ou jaunes. L'échantillon vu a des corolles longues de 4 mm, tandis que les corolles de 8–12 mm sont plus habituelles.

ANTIRHEOIDEAE *(GUETTARDOIDEAE)* — GUETTARDEAE

Guettarda L.

Guettarda speciosa L., Bois feu; espèce littorale de vaste répartition dans les Océans Indien et Pacifique, cultivée à Bras d'Eau à Maurice. C'est un arbrisseau ou un petit arbre ramifié ou à tronc simple, atteignant 15 cm de diamètre, de 1–8 (–18) m de hauteur. Feuilles groupées au sommet des ramilles, veloutées, obovales, 5–32 × 3,5–22 cm, arrondies ou obtuses au sommet, arrondies à cordées à la base. Fleurs odorantes, en inflorescences cymeuses, aux aisselles des feuilles supérieures, montrant une hétérostylie limitée. Corolle blanche, crème, jaunâtre ou blanc verdâtre, à tube étroit, long de 2–4,6 cm et à 4–9 (–11) lobes oblongs, longs de 0,2–1,5 cm. Fruit vert strié de rouge brunâtre, ovoïde ou subsphérique-déprimé, 0,8–2,5 × 1,2–3,5 (–4) cm, à 4–9 loges.

30. ANTIRHEA Commerson ex Juss.
Gen. Pl.: 204 (1789)

— *Antirrhoea* auct.

Arbres ou arbrisseaux. Feuilles pétiolées, opposées ou par 3. Stipules oblongues à linéaires-lancéolées, finalement caduques. Fleurs petites, sessiles ou à pédicelles très courts, groupées en cymes bipares pédonculées, ou parfois peu nombreuses ou même solitaires au sommet du pédoncule, hermaphrodites ou polygames. Partie adnée du calice ovoïde, obovoïde ou ± oblongue-cylindrique; tube libre tronqué ou 4–5-lobé ou denté, les lobes parfois inégaux, persistants. Corolle étroitement en entonnoir ou cylindrique, glabre ou pubescente à la gorge; lobes 4–5, oblongs, à préfloraison imbriquée, obtus. Étamines 4–5, insérées à la gorge, à filet court ou absent, rarement d'une certaine longueur; anthère linéaire-oblongue, dorsifixe, incluse ou le sommet faiblement exsert dans les fleurs mâles. Ovaire 2–10-loculaire; style filiforme, inclus, court dans les fleurs mâles; stigmate capité ou 2–3-fide, inclus. Ovules solitaires dans chaque loge, pendants, habituellement cylindriques, à funicule épaissi. Drupe petite, oblongue, oblongue-cylindrique ou moins rarement ± ovoïde, couronnée par le tube persistant du calice, à chair mince; noyau osseux ou ligneux, à 2–10 loges. Graines cylindriques, habituellement allongées, pendantes, sans albumen; embryon arrondi, à petits cotylédons comprimés et à radicule subclaviforme, supérieure.

Genre de 30–40 espèces, des Antilles, des Mascareignes et du S.E. asiatique à l'Australie. Deux espèces sont endémiques des Mascareignes.

La sexualité des fleurs a besoin d'être étudiée sur le terrain. On trouve des fleurs mâles avec des ovules, et, dans les fleurs femelles, des anthères vides sont la règle. Bourdon, Étude Rubiac., *Danais fragrans* (1882), dit que les 2 espèces sont dimorphes, non unisexuées. L'aspect des plantes suggère certainement cela si on ne recherche pas le pollen.

— Tube de la corolle long de 1–3,5 mm; fruit de 3–4 × 1,5–3 mm; feuilles souvent opposées. (Maurice, Rodrigues). **1. A. bifurcata**

— Tube de la corolle long de 3–6,5 mm; fruit de 0,5–1,3 × 0,3–0,5 cm; feuilles habituellement verticillées par 3 mais parfois opposées. (La Réunion, Maurice). **2. A. borbonica**

1. A. bifurcata (Desr.) Hook.f. in Benth. et Hook.f., Gen. Pl. 2: 100 (1873); Urban, Symb. Antilles 1: 435 (1899). Type: Supposé être des Antilles, envoyé par Dupuy à Lamarck, sûrement de Maurice (P–LA, holo.; P–JU 9792, isos.)
— *Malanea bifurcata* Desr. in Lam., Encycl. 3: 688 (13 fév. 1792)
— *Tournefortia bifida* Lam., Illust. 1: 417 (30 juill. 1792). Type: Maurice, *Commerson* (P–LA, holo.)
— *Stenostomum birfurcata* (Desr.) DC., Prodr. 4: 460 (1830)
— *A. frangulacea* DC., Prodr. 4: 459 (1830); Bojer, H.M.: 168; Baker, F.M.S.: 144; Balf.f., B. Ro.: 347; R.E. Vaughan, Maur. Inst. Bull. 1: 43 (1937); Tirvengadum, Maur. Inst. Bull. 9: 15 (1980). Type: *Sieber*, Fl. Maurit. II, n° 59 (G–DC, holo.; K, P, isos. !)

Arbrisseau de 1,20–4 m de hauteur, à tiges de 12–15 cm de diamètre; écorce platanoïde, grisâtre, verdâtre sous les lamelles récemment détachées; ramilles pourpre noir foncé, striées, rudes et lenticellées, à entre-noeuds apicaux parfois très courts; bois jaune vif. Feuilles souvent vert vif sur le sec, groupées au sommet des ramilles, opposées; limbe elliptique à obovale, 1–11,5 (–13) × 0,5–5 (–6,5) cm, arrondi à courtement acuminé au sommet, cunéiforme à la base, presque glabre ou à poils apprimés peu visibles; nervation de la face inférieure à réseau étroitement réticulé; réseau ainsi que la marge translucides; la nervation réticulée soulignée par des points et des traits serrés, jaunâtres; domaties nettes, en petites cavités; pétiole long de 0,2–1,5 cm, à pubescence fine, apprimée; stipules triangulaires, longues de 2–3 mm, très rapidement caduques. Inflorescences 3–40-flores; pédoncules longs de 2–3 cm. Partie adnée du calice longue de 1–1,2 mm, pubérulent; tube libre légèrement lobé, long d'environ 1 mm. Corolle jaunâtre à jaune vif; tube rose à la base, long de 1–3,5 mm, ± glabre; lobes de 1,8 × 1,2–1,5 mm, obtus, lâchement pubérulents extérieurement. Sommet des anthères à peine exsert. Style long de 1,2 mm, légèrement bifide au sommet. Fruit ellipsoïde, devenant sphérique-obcordiforme et latéralement comprimé, 3–4 × 1,5–3 mm ou de 2,5 mm de diamètre, à chair mince; noyau de couleur paille, dans les fruits subsphériques avec une côte de tissu dur, de chaque côté du corps central fertile. Graines subcylindriques, 2 × 0,5 mm.

Nom vernaculaire: Bois goudron (Ro.).

Maurice, Rodrigues. Espèce endémique, pratiquement éteinte à Rodrigues. En 1978 deux pieds ont été repérés à Plaine Corail, mais en 1980 un seul individu, abîmé, a été retrouvé. L'espèce est à rechercher aux environs du Mt Travail et à Anse Quitor où elle a été récoltée dans le passé. A Maurice, elle semble être plus commune. Des spécimens récents viennent de Yémen, des environs du Morne et des Guibies près de Port Louis.

Le matériel de Rodrigues a des inflorescences 3–10-flores, alors que sur le matériel de Maurice, les inflorescences sont 20–40-flores. Les variations dans la forme du fruit peuvent être dues à un développement latéral du noyau au cours de la maturation. Desfontaines avait déjà annoté l'holotype comme suit : " C'est par erreur qu'on l'indique comme originaire des Antilles ".

2. A. borbonica J.F. Gmelin, Syst. Nat. ed. 13, 2, 1: 244 (1791). Type: non indiqué; espèce basée sur la description générique de Jussieu, donc de La Réunion, *Commerson* (P–JU 9793, holo.)

— *Malanea verticillata* Desr. in Lam., Encycl. 3: 688 (1792); Lam., Illust. 1, 1, t. 66, fig. 1 (1791) sans nom; Illust. 1, 2: 283 (1792). Types: Maurice et La Réunion, *Commerson* (P–LA, P, syns.)

— *Cunninghamia verticillata* (Desr.) Willd., Sp. Pl.: 615 (1798)

— *Guettarda barbinervis* Cham. et Schlechtend., Linnaea 4: 190 (1829). Type: *Sieber*, Fl. Maurit. I, n° 61 (E, K, P, isos. !)

— *A. verticillata* (Desr.) DC., Prodr. 4: 459 (1830); Bojer, H.M.: 168; Baker, F.M.S.: 144; R.E. Vaughan, Maur. Inst. Bull. 1: 43 (1937)

— *A. dioica* Bory ex DC., Prodr. 4: 459 (1830); Bojer, H.M.: 168. Basé sur Thouars, Mél. Bot. Voy.: 56 (1811) *sub Malanea*; *Neuropora* Commerson ? in Herb. *Thouin*

— *A. dioica* var. *barbinervis* (Cham. et Schlechtend.) DC., Prodr. 4: 460 (1830)

— *A. dioica* var. *acuminata* DC., loc. cit. (1830). Type: *Sieber*, Fl. Maurit. I, n° 60(P. iso.)

— *Guettarda verticillata* (Desr.) Baillon, Hist. Pl. 7: 377 (1880); Cordem., F.R.: 514

Arbrisseau ou petit arbre de 1–10 m de hauteur, à tronc de 20 (–25) cm de diamètre; écorce grise, lisse; ramilles pubescentes à poilues, devenant glabres et lenticellées. Feuilles verticillées par 3, plus rarement opposées, de forme et de taille variables; limbe obovale-elliptique, obovale, obovale-oblong, ou plus étroit et ± oblancéolé sur des pieds juvéniles et sur des rejets, 2–15 (–22) × 1,5–6,5 (–9) cm, arrondi à courtement ou assez nettement mucroné au sommet, cunéiforme à la base, souvent coriace mais mince, la face inférieure glabre à pubescente, à indument

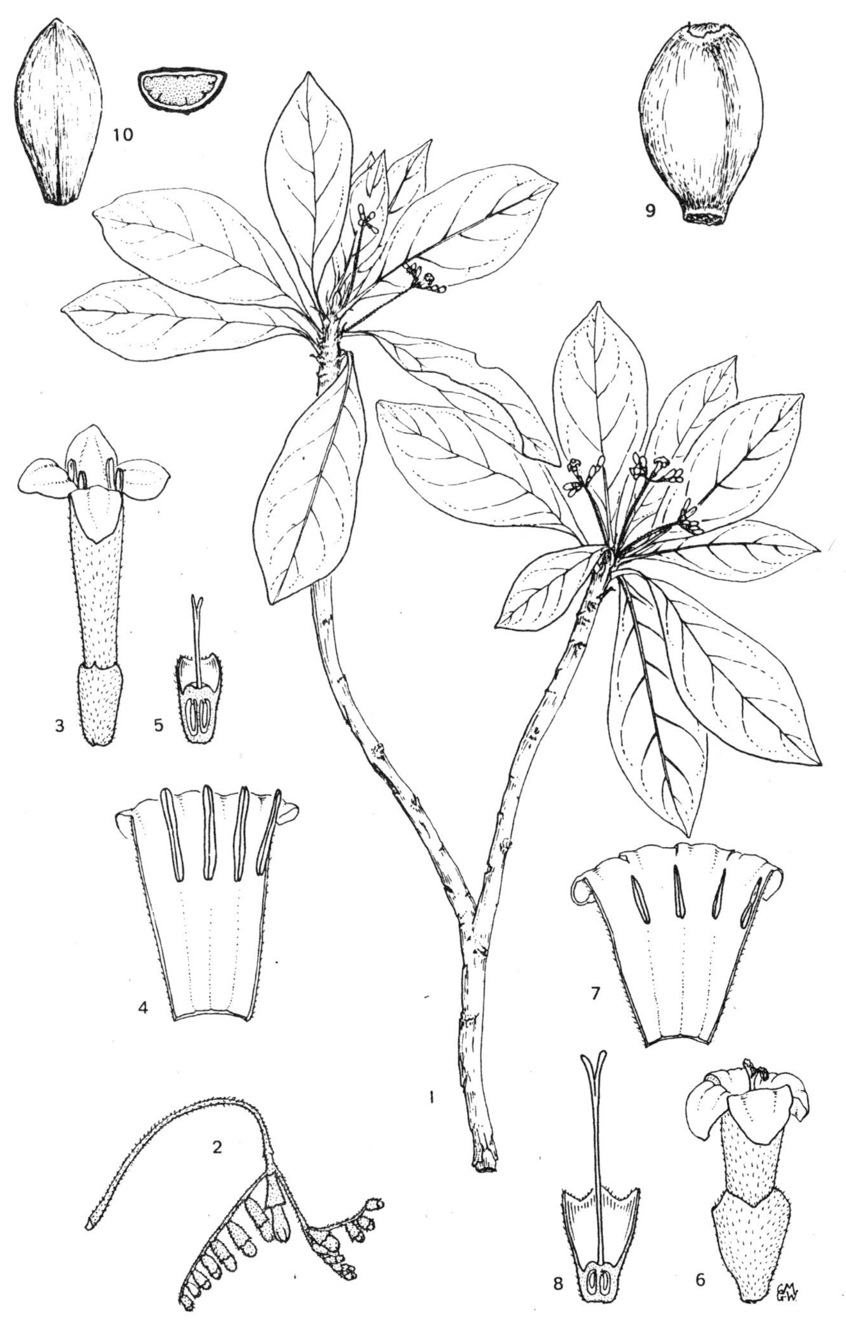

Pl. 36 — **Antirhea borbonica: 1,** rameau fleuri × 2/3; **2,** inflorescence × 2; **3–5,** fleur, corolle et gynécée brévistyles × 4; **6–8,** fleur, corolle et gynécée longistyles × 4; **9,** fruit × 2; **10,** pyrène et coupe transversale du même × 2. (**1** et **3–5,** *Tirvengadum* 15311; **2,** *Schlieben* 12427; **6–8,** *Julien* in MAU 15072; **9–10,** *Lorence* in MAU 17206).

parfois fin et assez dense, portant des domaties glabres ou pubescentes; nervation réticulée, soulignée par des points et des traits pâles; pétiole long de 0,4–3 cm; stipules triangulaires, longues de 5–10 mm, pubescentes, sur de toutes jeunes pousses presque linéaires et atteignant 1,8 cm de longueur; noeuds poilus à l'intérieur des stipules. Inflorescences habituellement multiflores; fleurs inodores; pédoncules longs de 0,4–6 cm, glabres à pubescents. Partie adnée du calice longue d'environ 1 mm, à pubescence blanche à chamois, lâche ou dense; tube libre glabrescent ou à indument dense, long de 1–1,5 mm, légèrement lobé. Corolle blanche ou jaunâtre, à tube long de 3–6,5 mm, glabre, pubérulent ou couvert d'un indument dense, blanc à l'extérieur; lobes oblongs-ovales, longs de 1,5–1,8 mm, pubescents à l'extérieur. Anthères incluses dans les fleurs femelles, leur sommet seul exsert dans les fleurs mâles. Style long de 2,8–3 mm dans les fleurs mâles, de 5 mm dans les fleurs femelles, les lobes longs de 1–1,5 mm, exserts. Fruit longitudinalement strié de rouge et de rose jaunâtre, devenant noir ou pourpre noir luisant à maturité, ellipsoïde, oblong-ellipsoïde ou étroitement dauciforme, de 5–13 × 3–5 mm, semblant devenir parfois plus épais à un stade avancé, peu charnu, côtelé, glabre ou pubérulent; noyau pâle, très dur, atteignant 9 × 4 mm, légèrement trilobé au sommet, (2–) 3-loculaire. Graines cylindriques, atteignant 4,5 mm de longueur. (Pl. 36).

Noms vernaculaires: Bois d'oiseau, Bois de losteau (R.); Bois de lousteau, Bois lousteau (R., M.).

La Réunion, Maurice. Endémique. Commune dans les 2 îles entre 50 et 1800 m d'altitude, surtout à La Réunion; dans les forêts humides de basse et moyenne altitudes. Dans des stations exposées, entre 1200 et 1800 m, à La Réunion, existe une forme à petites feuilles (jusqu'à 4,5 × 1,4 cm) (Bébour).

108. RUBIACÉES

INDEX DES NOMS SCIENTIFIQUES

Les synonymes sont en italique. Les nombres gras indiquent les pages des illustrations.

INDEX DES NOMS VERNACULAIRES

FLORE DES MASCAREIGNES

108 bis. VALÉRIANACÉES

par M.J.E. Coode*

Herbes annuelles ou pérennes, rarement sous-arbrisseaux; ramification habituellement dichotome. Feuilles opposées, sans stipules. Inflorescences ordinairement cymeuses. Calice présent ou absent. Corolle 5-fide, à tube étroit, souvent gibbeux ou muni d'un éperon, blanche, rose, rouge, mauve ou bleue. Étamines 1–3, exsertes. Ovaire infère, formé de 3 carpelles, mais toujours à une seule loge fertile; les 2 loges stériles vides ou réduites à des côtes sur la face du fruit. Fruit indéhiscent, orné du calice persistant ou non. Graine 1.

Famille comprenant environ une douzaine de genres et 400 espèces, surtout des régions tempérées du Nord. Une espèce appartenant au genre *Valerianella* semble se naturaliser à La Réunion.

Bojer, H.M.: 175, signalait que *Centranthus ruber* (L.) DC., d'origine méditerranéenne, était cultivé dans des jardins à Maurice. Nous n'avons aucune preuve actuelle de son existence dans l'île.

VALERIANELLA P. Miller

Gard. Dict. ed. 4 (1754)

Herbes annuelles dressées, souvent ramifiées, à forte odeur caractéristique, au moins sur le sec; indument de poils rétrorses présent, au moins à la base. Feuilles, en s'éloignant de la base, plus petites et souvent plus profondément lobées. Inflorescence une cyme bractéifère, dense, ± capitée aux Mascareignes. Calice souvent persistant sur le fruit, diversement lobé, mais absent aux Mascareignes. Corolle très petite, sans éperon. Ovaire à 2 loges vides. Fruit petit.

Genre comprenant environ 60 espèces dont l'aire s'étend de l'Europe à l'Asie centrale et au N.O. du Pakistan et à l'Afrique jusqu'au Kenya. Un groupe d'espèces existe aussi en Amérique du Nord.

V. locusta (L.) Laterr., Fl. Bordelaise ed. 2: 13 (1821). Décrite d'Europe
— *Valeriana locusta* L., Sp. Pl.: 33 (1753)
— *V. locusta* var. *olitoria* L., loc. cit. (1753). Décrite d'Europe
— *Valerianella olitoria* (L.) Pollich, Hist. Pl. Palat. 1: 30 (1776); Bojer, H.M.: 174

Herbe annuelle, atteignant 25 cm de hauteur, souvent ramifiée dès la base; tige et rameaux ± anguleux, les angles, au moins à la base de la plante, scabérules ou poilus, à poils rétrorses. Feuilles basales en rosette, obovales à oblongues, atteignant 5×2 cm, à marges sinuées ou parfois dentées; feuilles caulinaires en paires distantes. Inflorescence ± capitée; bractées et bractéoles largement obovales ou largement elliptiques, atteignant 5×3 mm, foliacées sauf leur base ± membraneuse, à marges ciliolées. Fleurs ± incluses dans les bractéoles, pâles, bleuâtres ou mauves. Calice absent. Corolle longue de 1,5–2 mm. Fruit d'environ 1,5×1,5 mm, oblong, orné, sur le dos, d'une masse spongieuse qui se termine au sommet en une courte saillie, et parfois ridée transversalement, glabre.

La Réunion. Connue aux Mascareignes par une seule récolte venant d'une pelouse de l'hôtel de Cilaos. Plusieurs cultivars de *V. locusta* sont cultivés en Europe et plus spécialement en France comme salade, sous les noms de Doucette, Mâche ou Valérianelle.

---

*Royal Botanic Gardens, Kew.

108. bis VALÉRIANACÉES

INDEX DES NOMS SCIENTIFIQUES

Les synonymes sont en italique.

INDEX DES NOMS VERNACULAIRES

Imprimé par
F. E. Prodano, Officier Responsable
de L'Imprimerie du Gouvernement
Port Louis, Ile Maurice
Mars 1989